UN CAFÉ POUR SOCRATE

DU MÊME AUTEUR

Nietzsche et la Commune
Le Sycomore, 1981.

Nietzsche pour débutants, La Découverte,
« Collection pour débutants », 1986.

Commentaires, présentation et traduction

Le Gai Savoir, Friedrich Nietzsche,
Édition Henri Albert, revue par Marc Sautet,
LGF, Le livre de Poche, 1993.

Par-delà le bien et le mal :
prélude à une philosophie de l'avenir, Friedrich Nietzsche,
Édition Henri Albert, revue par Marc Sautet,
LGF, Le livre de Poche, « Classiques de la philosophie », 1991.

Pour une généalogie de la morale, Friedrich Nietzsche,
Édition Henri Albert, revue par Marc Sautet,
LGF, Le livre de Poche, « Classiques de la philosophie », 1990.

MARC SAUTET

UN CAFÉ
POUR SOCRATE

*Comment la philosophie
peut nous aider à comprendre
le monde d'aujourd'hui*

ROBERT LAFFONT

à Martine

Avant-propos

Dimanche 13 décembre 1992, place de la Bastille, vers 11 heures. Les cafés se sont remplis peu à peu. Mais, dans l'un d'eux, une trentaine de personnes se sont installées autour des tables disposées en rectangle. Elles sirotent tranquillement leur consommation, jusqu'à ce que quelqu'un lance : « La violence est-elle spécifique à l'homme ou se retrouve-t-elle dans la nature entière ? » C'est un beau sujet. C'est de cela qu'on va parler deux heures durant. Car l'enjeu est de taille : il s'agit ni plus ni moins de savoir si l'homme peut échapper à la fatalité de la violence qui, à l'évidence, caractérise les rapports qu'il entretient avec son semblable. Mais encore faut-il se mettre d'accord sur le champ de la discussion : en cours de route, on va s'apercevoir qu'il est sans limites, car ce n'est pas seulement tout ce qui vit à la surface de la terre qu'il faut envisager, la faune et la flore, ni même tout ce qui s'y passe, tous les événements naturels, mais le monde entier, à savoir l'Univers, le cosmos, dans toute son étendue et dans toute son histoire...

Et c'est ainsi que la matinée va s'écouler au café des Phares, dans un échange incessant d'arguments plus ou moins solides, étayés par des exemples plus ou moins pertinents destinés à fonder des prises de position plus ou moins hâtives. À 13 heures on prononce le mot de la fin. Et rendez-vous est pris pour la semaine suivante.

Voilà maintenant plus de deux ans que la philosophie est pratiquée de cette manière place de la Bastille. D'aucuns émettront quelque doute sur la validité philosophique d'un débat de bistrot. D'autres n'auront que mépris pour ce petit plaisir que s'offrent quelques Parisiens en mal de tribune. Certains, peut-être, trouveront l'initiative réjouissante et voudront en savoir plus.

9

Ce livre a pour objet de répondre aux uns et aux autres. Il se peut, en effet, que ces rencontres n'aient aucune importance, qu'elles ne constituent tout au plus qu'un simple amusement dominical pour solitaires désœuvrés. Mais il se pourrait aussi que ce soit un signe – le signe que la philosophie, n'en déplaise à ceux qui lui ont creusé sa tombe, a encore de beaux jours devant elle et que la pensée, n'en déplaise aux pessimistes, est loin d'être défaite. On conviendra que cela mérite réflexion.

Car tel est le fond de l'affaire. Poussée hors du champ de la connaissance par les progrès de la science depuis plus d'un siècle, la philosophie fut de surcroît récemment supplantée par les sciences humaines sur le terrain de l'action. Ridiculisée d'un côté par les performances de la physique quantique et de la biochimie dans sa prétention à détenir le code d'accès à la vérité, elle dut céder de l'autre la place à la sociologie, à l'économie politique, et à la psychologie, là où il s'agissait de pénétrer au cœur du monde des hommes pour venir à bout de maux réels. Elle résista, mais rien n'y fit. Ni la France ni l'Allemagne, les deux nations où l'esprit des Lumières s'était le plus fortement manifesté, ne purent enrayer sa chute : ni l'école de Francfort ni Camus. Ni Sartre, dont l'engagement politique tardif épuisa le peu de crédit qu'elle conservait dans la cité ; après sa mort, il ne resta plus à ses héritiers que l'alternative entre la splendide marginalité et l'opportunisme mondain : d'un côté Deleuze, Foucault et autres Baudrillard, de l'autre les « nouveaux philosophes ». Sans lumière, sans chaleur, la philosophie passe aujourd'hui pour un astre mort, une divinité caduque, qui subit le sort qu'elle avait infligé naguère à la religion : l'heure paraît venue d'abandonner la défunte au culte pieux de la cohorte de ses fonctionnaires.

Il se peut que la philosophie soit devenue stérile. Mais est-elle morte pour autant ? Et cette stérilité est-elle fatale ? On parle beaucoup, ces derniers temps, d'éthique et de morale, on déplore la corruption des hommes politiques et des hommes d'affaires, on s'effraie de l'extension de l'exclusion, du trafic de drogue, de la sauvagerie des guerres interethniques, du fanatisme religieux, on invoque la solidarité, le devoir d'ingérence, on s'inquiète des travaux de laboratoire dans le domaine des armes chimiques et celui de la génétique... Surtout, on tente de ne pas perdre la tête, de garder son sang-froid. Et, pour y parvenir, que fait-on ? Fait-on de l'astrophysique, de la microbiologie ? De l'anthropologie, de la sociologie, de la psychopathologie ? De l'économie politique ? Ou bien fait-on de la philosophie ? Lorsqu'on cherche ce qui ne va pas dans la Cité, ce qui ruine la démocratie, ce qui compromet la justice, la liberté, l'égalité, bref, les relations entre les citoyens, ce qui pousse les hommes à se haïr et à s'entre-tuer, quand on élargit l'examen à l'ensemble des nations jusqu'à envisager le destin de l'humanité tout entière, que fait-on donc? En vérité, a-t-on jamais eu autant de raisons de philosopher?

Les pages qui suivent tentent de montrer que cet usage spontané de la philosophie en ville n'est pas dû au hasard. Elles proposent de prendre un peu de recul par rapport à la crise actuelle pour tenter d'en déceler la source. Mieux, elles invitent à mettre en regard de la crise du monde d'aujourdhui celle de la cité grecque, dans laquelle la philosophie est née. Car la philosophie est née il y a deux mille cinq cents ans dans une situation de crise étonnamment semblable à celle que nous connaissons aujourd'hui : la crise de la démocratie athénienne. Aussi incroyable que cela paraisse, nous nous retrouvons, sur une grande échelle, dans une impasse analogue...

Pour établir ce fait, je commencerai par décrire une pratique de la philosophie qui atteste sa fraîcheur, sa vigueur, oui, sa jeunesse! Je songe ici, bien sûr, au débat du café des Phares. Désormais, chaque dimanche, la salle est comble, avec cent cinquante participants, voire davantage. Les mauvaises langues parlent d'effet de mode, de snobisme typiquement parisien; elles arguent de la précarité des conditions d'exercice de la réflexion dans un tel lieu pour condamner l'expérience. Il est vrai que l'endroit est bruyant : compte tenu de son emplacement et de la puissance de son percolateur, ce café ne paraît pas se prêter particulièrement à la méditation métaphysique. D'ailleurs, pour que ceux qui parlent soient entendus de tous, il a fallu se procurer des micros et sonoriser la salle, ainsi que la terrasse. Mais d'où tient-on que l'exercice de la philosophie nécessite le silence et la solitude?

Je ne dis pas que l'exercice de la philosophie requiert le brouhaha et la foule. Je prétends seulement que l'un n'empêche pas l'autre et que l'on peut amorcer dans un café, même avec cent cinquante personnes, une réflexion qui mérite d'être appelée « philosophique ». Amorcer ne veut pas dire mener à bien. Cela veut dire... amorcer. Libre ensuite à qui le souhaite d'approfondir le sujet, de plonger dans les ouvrages évoqués à l'improviste, d'entamer un dialogue en tête à tête avec un auteur cité en cours de route, dans le calme le plus total.

Du reste, qu'on n'en doute pas, j'en suis le premier convaincu. La philosophie requiert aussi du silence. Elle implique de la concentration, de l'application, de la rigueur, de la sérénité, de l'intimité. Avant même que le débat au café ne prenne forme, j'avais ouvert un Cabinet où je commençais à recevoir des « clients » en consultation. J'étais persuadé que beaucoup de personnes étaient désireuses de faire une pause – une pause dans leur vie trépidante de tous les jours, une pause dans leur vie professionnelle, une pause dans leur vie affective, une pause dans leurs habitudes de pensée – et qu'un lieu adéquat faisait défaut.

Certes, en grande partie, les cabinets de psychothérapie jouent ce rôle. Mais il n'est pas sûr que cette fonction leur incombe. Si le malaise du patient a sa source dans sa psyché, rien de plus normal que d'aller voir un thérapeute. Mais si ce n'est pas le cas? Passe encore si ses proches, son environnement familial sont en question. Mais si ce n'est pas le sujet qui est en cause, si c'est la ville, ou la nation, ou l'État, ou les États, ou les nations, unies ou désunies, ou l'espèce humaine dans son ensemble? Je le demande, quelle est la légitimité de l'intervention du thérapeute si le malaise de la personne qui vient le consulter provient d'une situation générale défectueuse? Si quelqu'un doit intervenir, n'est-ce pas plutôt... le philosophe?

Jusqu'ici, cela ne se faisait pas. Les psychothérapeutes avaient donc le champ libre. C'est l'une des raisons de leur succès. Il reste à savoir si c'est une bonne raison. Profitant du discrédit inexorable des prêtres et des pasteurs, les médecins de la psyché se trouvent désormais en concurrence sauvage avec les astrologues, les numérologues, les cartomanciennes, les voyantes, les marabouts, les yogis et autres gourous du *new age*. Sans être nécessairement plus performante que toutes les variantes des « sciences occultes » et des pratiques magiques, la psychothérapie peut du moins mettre en avant la garantie du sérieux de ses fondements théoriques. Mais de quelle efficience peut-elle se parer pour prendre en charge ce qui n'est pas de son ressort? À y bien réfléchir, les thérapeutes excèdent de très loin leur domaine de compétence dès lors qu'ils s'avancent sur le terrain de l'aventure humaine comprise dans sa totalité, dans son histoire, son développement, ses aléas, ses régressions, ses promesses, ses espoirs déçus, ses perspectives, avec l'impact de cet ensemble de données sur la personne qui vient les voir.

De ce point de vue, la légitimité des sciences occultes n'est pas inférieure à celle des thérapies de toutes sortes, bien au contraire, puisqu'elles se présentent comme une réponse à la question de la destinée. « Vais-je connaître le bonheur? » Ou bien : « Vais-je rencontrer l'âme sœur ? Devenir riche ? Conserver ou retrouver la santé ? » – voilà ce qui fait l'objet d'une consultation de ce type. On sait que nombre d'hommes politiques – et non des moindres – consultent leur astrologue avant une élection ou une échéance décisive ; le citoyen ordinaire, lui, craint de subir un accident ou de mourir et veut en savoir plus. Il arrive aussi qu'on souhaite du mal à autrui, qu'on veuille se débarrasser d'un ennemi, et il existe quelques praticiens qui favorisent de tels vœux.

Il n'empêche ! Au-delà des formulations naïves de la « demande », et en deçà des conséquences macabres qu'elles peuvent avoir, ce qui pousse les gens chez les praticiens des sciences occultes, c'est la place de chaque individu dans le tout : la fortune, l'amour, le pouvoir, tout ce que chacun peut attendre de l'existence, sont au centre de leur démarche. En un mot, ce qui est au cœur des consultations, c'est la question du destin. Avec la part de hasard et la part de nécessité qu'il comporte. Car l'astrologue n'impute pas à son client la responsabilité complète de ce qui lui arrive, il l'avertit des courants favorables ou défavorables à ses actions et lui suggère d'adapter ses choix aux « configurations » stellaires en place. D'emblée, la personne qui consulte se trouve resituée dans un tout qui la dépasse de très loin, ce qui est a priori au moins aussi juste que de polariser toute la destinée de l'individu sur son passé personnel et sa difficulté à l'assumer.

Forts de cette aptitude à déculpabiliser les personnes qui viennent les consulter, les praticiens des sciences occultes se partagent des bénéfices dont la source est inépuisable, puisqu'elle se trouve dans le désarroi de l'individu face à son destin. Nombre de leurs habitués se dérobent ainsi à cette « faute » qui les attend dans le cabinet du psychothérapeute puis sur le divan de l'analyste : à tout prendre, ils préfèrent encore risquer d'être dupes d'une « science » qui, elle, du moins, tient compte de la réalité du monde extérieur, de la nature collective de l'histoire humaine, de la faible marge de manœuvre de chaque individu pour inverser le cours des choses. Rejetant confusément l'idée d'un sujet conçu comme le centre de l'Univers, beaucoup en reviennent à la vieille sagesse populaire qui reconnaît que chaque être humain est bien peu de chose.

D'autant que les philosophes se taisent. Si du moins ils faisaient leur travail. Si, au lieu de répéter inlassablement ce qu'ils ont appris de leurs maîtres, ceux qui dispensent l'enseignement de la philosophie entraient dans la ronde et posaient les questions qui importent : « Est-il vrai que chaque être humain est le centre du monde ? Est-il possible d'en finir chacun pour soi avec ce qui nous hante tous ? La solution à tous nos maux, à toutes nos faiblesses du moins, se trouve-t-elle dans une maîtrise complète de nos frustrations d'enfant ? » Si ces questions étaient posées par ceux dont le métier consiste à interroger ceux qui prétendent savoir pourquoi les choses se passent comme elles se passent, alors, sans doute, beaucoup de ceux qui confient leur sort aux astrologues et aux marabouts y regarderaient à deux fois.

De même, si les philosophes de métier, dont le nombre est considérable, demandaient, avec toute la bonhomie requise, aux astrologues et aux marabouts d'où ils tiennent leur science, ce qu'ils entendent par « destinée », de quelle nature sont les forces auxquelles ils vouent leurs talents, alors peut-être serait-il possible de faire la part des choses, de distinguer ce qui, dans leur art, est à mettre au compte d'un savoir-faire réel et ce qui n'est que subterfuge, et de discerner ce qui, dans les motivations de leurs clients, relève du désir de fuir leurs responsabilités en invoquant la fatalité et de celui de les assumer, par l'approfondissement de leur personnalité.

Eh bien, que cela soit dit ! La vocation du philosophe n'est pas de se taire. Ce n'est pas dans le repli sur soi qu'il joue son rôle. C'est dans la rue, dans la cité, en se mêlant à la vie de chacun, en déambulant sur la place du marché, parmi la foule des marchands et des amuseurs. En interrogeant les uns et les autres. En questionnant. Non parce qu'il sait, lui, parce qu'il dispose d'un savoir supérieur, mais, au contraire, parce qu'il envie ceux qui savent ou qui prétendent savoir. Il veut savoir mais ne veut pas être dupe. Et, s'il a une chose à enseigner, c'est cela. Il y faut de l'application, de la méthode, de l'attention, de la concentration, du calme, mais aussi l'inverse : la confrontation au réel, la fréquentation de la foule, l'affrontement avec ceux qui prétendent abuser les autres. La méditation et la lutte. Le silence et le brouhaha. La solitude et l'agora.

Certains, il est vrai, ont élevé la voix. Mais pour dire quoi ? Que c'en était fini de la raison, que les dés étaient jetés, que l'ère des Lumières touchait à sa fin. Dans une seconde partie, je soumettrai cette assertion à un examen attentif. Aussi courageux soit-il, ce diagnostic repose, à mes yeux, sur une illusion grossière. À l'instar des historiens des idées, les « pessimistes » considèrent que l'esprit humain dispose d'une grande autonomie, qu'il se déploie librement de lui-même dans l'histoire et qu'en Occident, en particulier, ses progrès ont déterminé le cours des événements. Je crains qu'ils ne soient là victimes d'une erreur d'optique (au sens strict). Je tenterai de montrer que ce point de vue est directement opposé aux faits et, qui plus est, à l'esprit même des Lumières. Il n'y aurait pas eu de victoire de la raison sur la superstition si Copernic n'avait montré que le centre du monde n'était pas la Terre, mais le Soleil. Or il n'y aurait pas eu de révolution cosmologique sans le bouleversement opéré dans les rapports sociaux par l'économie marchande. Le moteur de la « modernité » n'a pas été la Raison, mais la généralisation de l'échange des marchandises.

Ce faisant, j'apporterai ma contribution à la question : « D'où venons-nous ? » Il me restera alors à répondre à la question suivante, celle qui nous importe au premier chef : « Où allons-nous ? » Ce sera l'objet de la troisième partie. Que les pessimistes se trompent, cela ne prouve pas que les optimistes aient raison. Décrire l'avenir de notre civilisation comme le retour de la barbarie peut être un contresens. Cela ne justifie en rien le règne sans partage des lois du marché sur le destin de l'humanité. Il se pourrait en effet que ce règne soit désormais caduc. À tous ceux qui affirment que nous n'avons pas le choix, que toute autre possibilité a fait faillite, que nous devons nous résigner à ce régime sous peine de retomber dans les affres du totalitarisme, qu'il ne nous reste qu'à miser sur l'inventivité que provoque la pression de la concurrence, qu'il revient aux individus d'entreprendre, d'oser, d'innover pour sortir de leur marasme, que l'avenir passe par la numérisation des informations à l'échelle planétaire, que les marchandises les plus précieuses sont devenues immatérielles, que le marché mondial recèle d'immenses potentialités de développement, et que ce n'est certainement pas en ressassant le passé que l'on se positionnera comme il convient pour l'avenir, à tous ceux-là, je propose de suspendre un instant leur jugement. Car, sans le savoir, ils se retrouvent dans la position de certains interlocuteurs de Socrate il y a vingt-cinq siècles. Leur incapacité à rendre raison du mal qui ronge la Cité les pousse à une fuite en avant volontariste. Or l'analogie de ce mal avec celui qui précipita la ruine d'Athènes est flagrante. Sauf à vouloir à tout prix précipiter la catastrophe, ne vaut-il pas la peine de s'y arrêter ?

D'où les trente chapitres qui suivent. Je présenterai d'abord le débat du café des Phares à travers quelques-uns de ses moments,

15

ainsi que le Cabinet de philosophie, qui en est à l'origine et qui tente de répondre à la demande latente de philosophie en ville ; j'évoquerai, chemin faisant, les débuts de mon expérience pratique : les premières consultations, le premier séminaire et le premier voyage. Ensuite, je donnerai mon sentiment sur les raisons de cette demande, qui gisent dans la crise que nous traversons aujourd'hui. J'avancerai deux hypothèses : la première, c'est que, faute de bien connaître le moteur de notre histoire, nous saisissons mal l'origine des fléaux qui nous accablent ; la seconde, c'est que la philosophie, à sa naissance, se trouvait confrontée à des fléaux semblables. Tout se passe en effet comme si les nations modernes répétaient aveuglément l'erreur qui fut fatale aux cités grecques il y a deux mille cinq cents ans. Aussi incongru que cela paraisse, il me semble que la pièce que nous jouons a déjà été jouée en Grèce, à l'époque de la naissance de la philosophie socratique.

Marc Sautet

PREMIÈRE PARTIE

Où sommes-nous?

I

Un dimanche, place de la Bastille

Dimanche 13 décembre 1992, donc, au café des Phares, place de la Bastille, à Paris. Il est midi. Dans la salle règne une étrange atmosphère. Trente à quarante personnes tiennent un conciliabule au lieu d'afficher l'indifférence chronique (parfois seulement feinte, il est vrai) qu'ont d'habitude les consommateurs les uns envers les autres. Quel est le sujet? La politique, sans doute? Ou un fait divers? Un nouveau scandale? Une rumeur? Celui qui prêterait l'oreille à ce moment précis entendrait une jeune femme affirmer que, lorsqu'elle déchire un morceau de papier, elle lui fait mal! Est-ce une folle? Elle n'en a pas l'air : elle est très calme, bien mise, et prend le temps de s'expliquer. Depuis une heure, en cette compagnie, elle réfléchit sur la *violence*. Elle se demande, elle aussi, où la violence commence et où elle finit. Lorsque nous recevons un coup, on nous « fait violence »; lorsque nous en donnons un, nous « faisons violence » à l'autre, qu'il s'agisse d'un autre homme ou d'un animal, d'un chien, par exemple, qui nous gêne et que nous chassons d'un coup de pied ou auquel nous prenons plaisir à faire mal. Mais, lorsque nous donnons un coup de pied à un bout de bois, lui faisons-nous « violence »? Et lorsque nous déchirons un bout de papier? Cette jeune femme est affirmative...

Et ce n'est pas si stupide qu'il y paraît. Car, au départ de la discussion, la question était de savoir si la violence est universelle ou seulement humaine. Tout le monde est convenu que la violence existe dans les rapports entre les hommes, aujourd'hui comme dans toute l'histoire de l'humanité; aussi le problème est-il de savoir s'il y a là une fatalité, si la condition humaine implique la violence, et, si tel est le cas, pourquoi? À supposer que la violence règne dans l'Univers, on voit mal comment l'homme pourrait s'en émanciper. Mais, même si ce n'est pas le cas, il se peut que l'homme soit condamné à exercer la violence pour vivre : même s'il peut s'abstenir de faire du mal à son prochain, ou de faire mal au chien pour le plaisir, comment peut-il éviter de tuer pour se nourrir? Peut-il vivre sans faire violence à son environnement? Jadis, les hommes coupaient du bois, le cassaient et le brûlaient pour se chauffer : n'était-ce pas faire violence aux arbres? Aujourd'hui, des millions d'hommes se chauffent encore au bois, et, si nous pouvons nous en passer, nous n'en continuons pas moins à détruire toujours plus de forêts pour répondre à d'autres besoins : quand on ne décime pas les arbres pour faire des meubles et la pâte à papier, on défriche pour la culture du café ou l'élevage du bœuf. Cette violence faite à la nature se traduit par la *disparition* du tapis végétal de la planète. Jusqu'à quand continuerons-nous de fermer les yeux?

Le propos n'est pas négligeable. Quelques-uns approuvent avec une réelle ferveur; d'autres sont dubitatifs. Un ange passe. L'argumentaire écologique autorise-t-il à attribuer une âme aux objets? Aussi urgent soit-il de s'interroger sur l'état de notre grande niche, l'animisme est-il l'avenir de l'homme? À supposer que je fasse *violence* au papier en le déchirant, il reste à savoir si je lui fais *mal*. Lorsque je donne un coup de pied au chien, je lui fais mal, car il ressent de la douleur, mais le papier ressent-il quoi que ce soit? *La sensation de douleur passe par la conscience* : on comprend que les hommes et les animaux l'éprouvent. Mais un bout de papier? N'est-il pas absurde de lui accorder la sensation de douleur, puisque cela revient à lui accorder la conscience? À ce prix, pourquoi ne pas l'accorder aussi au sucre qui doit souffrir atrocement en se dissolvant dans le café bouillant?

La dispute atteint un point culminant. L'un des participants exige qu'on en revienne au bon sens, qui ne reconnaît la violence que lorsqu'elle s'exerce sur un être *vivant*! La jeune femme, toujours aussi sûre d'elle, campe sur ses positions : d'où savons-nous, reprend-elle, que les choses *inertes* n'ont pas de conscience?

Elle a raison d'insister. Déjà, reconnaître que la violence ne peut s'exercer que contre les êtres vivants, c'est reconnaître qu'elle peut s'exercer sur un arbre, qui est – le sens commun l'admet – un être vivant; qui sait, dès lors, s'il ne souffre pas lorsqu'on l'abat? Qui sait si la branche ne souffre pas lorsqu'on la coupe à la hache ou à la tronçonneuse, faisant couler la sève de l'arbre comme le sang d'un bras coupé? Qui sait, par conséquent si le bois « mort » ne souffre pas quand on le casse, et le papier, tiré du bois encore vivant, lorsqu'on le déchire ? Cela implique bien sûr un complet renversement de perspective, un renoncement au bon sens, la présence d'une conscience dans les choses, à la manière des anciens ou des primitifs, qui voyaient partout des elfes, des génies, des esprits, des dieux à l'œuvre dans la nature tout entière. Du monde humain au règne animal, du règne animal au règne végétal, du règne végétal au monde minéral, de la surface de la Terre à la sphère céleste, tout redevient « animé », l'Univers entier s'emplit d'un flux divin, et, ne fût-ce que pour un instant, nous nous sentons les fils des étoiles...

Ceux qui préfèrent rester sur Terre, par rejet du mysticisme ou par refus de l'anthropomorphisme, du retour aux pires archaïsmes, au nom du rationalisme, du matérialisme ou tout simplement de la laïcité, doivent à tout le moins affronter la difficulté suivante : s'ils maintiennent la violence dans les bornes de la conscience, ils sont bien en peine de définir ce qui se passe dans la nature lorsqu'un volcan entre en éruption, lorsqu'un séisme se déclenche ou qu'un raz de marée ravage une ville entière. Sans même prendre des exemples aussi flagrants, que dire d'un simple orage et d'un éclair accompagné de tonnerre s'il ne s'agit pas de violence ? Le sens commun se trouve ici pris au piège, puisqu'il est le premier à parler en ces termes de tels événements et de telles calamités. Si la violence implique la conscience, il ne faut pas dire d'un orage, d'un typhon ou d'un ouragan qu'ils sont violents ! Ou bien faut-il prétendre que leur violence tient à la présence de victimes, d'êtres humains ou du moins d'animaux qui, eux, ont une conscience ? Dans ce cas, on ne pourrait parler de violence que pour les phénomènes dont les êtres vivants sont témoins !

On le voit, l'affaire n'est pas simple. Après avoir permis aux deux camps de se prononcer, d'expliciter leur pensée et de l'illustrer pour se faire bien comprendre, il me semble opportun de reprendre l'initiative. Je trace dans l'air une courbe et je demande si j'ai, du revers de la main, fait du mal à l'air ? Incrédulité des présents... Je pars donc à l'offensive, car on ne me fera pas admettre de sitôt que la violence est la loi qui préside aux destinées de l'espèce humaine. Je ne doute pas que cette idée jouisse d'une grande faveur. Elle a pour elle l'évidence que procure une rapide enquête sur le passé de l'humanité – suite ininterrompue de guerres, de conquêtes et de massacres. Et qui ne veut pas être dupe des formes plus subtiles d'oppression – de celles de jadis ou de celles qui ont cours aujourd'hui même – ne peut guère résister à son attrait, sous peine de passer soit pour un naïf, soit pour un complice.

Je crains pourtant que cette idée ne repose sur une illusion. Que la violence soit universelle, qu'on la trouve dans toute l'histoire de l'humanité, qu'on la retrouve dans le monde animal tout entier, qu'elle soit à l'œuvre dans les éruptions volcaniques et les mouvements des plaques tectoniques qui ont façonné le relief de notre planète, qu'elle soit cachée au cœur de l'activité solaire, qu'elle soit à l'origine de notre système galactique et même à l'origine du cosmos sous le nom de big bang, tout cela, je le concède volontiers. Mais que la violence soit *partout* n'implique pas qu'elle soit *toujours*.

Pour que le cosmos devienne cosmos, il faut que la violence cède le pas à son contraire : *cosmos*, en grec, signifie « territoire mis en ordre » et, par conséquent : sortie du chaos. La naissance du cosmos, c'est la mise en ordre d'éléments chaotiques. Notre système solaire est le résultat d'une pacification localisée du chaos : des planètes satellites se mettent en orbite régulière autour du Soleil, et c'est cette régularité qui permet à la Terre de se refroidir puis de porter la vie. C'est donc parce que, d'une certaine manière, la violence naturelle diminue, voire parce qu'elle cesse, que notre planète et la biosphère ont pris forme.

Il en va de même pour l'histoire de l'humanité. Bien entendu, nous ne sommes qu'une espèce animale parmi d'autres, et toute notre préhistoire est marquée par la lutte contre les fléaux naturels, dont les espèces rivales. Mais la violence n'est pas pour autant la loi qui régit cette histoire jusqu'à aujourd'hui. On peut encore ranger sous la catégorie de la violence les invasions barbares qui ont préludé à l'ère féodale, ainsi que les habitudes prédatrices des seigneurs. Mais il est impossible de caractériser ainsi le moteur de la civilisation moderne : ce qui est au cœur du progrès des derniers siècles, ce n'est pas la prédation, c'est le commerce; or le commerce repose très exactement sur le contraire de la violence : commercer, c'est échanger des marchandises équivalentes, soit sous la forme du troc, soit par l'intermédiaire de la monnaie, en particulier de l'or. Cela suppose de ne pas faire violence à l'autre.

Contrairement aux apparences, le capitalisme ne repose pas, dans son essence, sur la violence. À l'inverse, il a dû venir à bout des comportements des seigneurs et des brigands, pour imposer à tous la loi du marché. Qu'il ait employé à cette fin des moyens guerriers ne change rien à l'affaire : il programmait un ordre où la violence devait céder le pas au négoce. Or le négoce implique la négociation. Que, pour finir, la société marchande ne soit pas elle-même en mesure de réaliser pleinement son programme, et que, faute d'aboutir à la paix perpétuelle souhaitée par Kant, les négociations commerciales aient un peu trop souvent tendance à se transformer en guerres meurtrières, cela n'est pas indifférent, mais cela ne prouve en vérité qu'une chose, c'est que ce système a des limites sur lesquelles il conviendrait à réfléchir.

Car c'est bien ce qui est en jeu : ne pas être dupe! Si ce sont les limites du système dominant qui sont fauteuses de violence, il ne faut pas faire de la violence le vrai moteur de l'histoire humaine, et par là même une fatalité. Voilà ce qui nous importe ici : si l'attraction et la répulsion des corps célestes et des particules de matière régissent le passage du chaos au cosmos, il n'est pas interdit de penser que les rapports sociaux prennent un jour autour de l'or la tournure qu'a prise la course des planètes autour du Soleil ; celle d'une courbe douce et régulière, aussi harmonieuse, aussi généreuse que les caresses des amants.

II

La philosophie au café

Chaque dimanche, cela recommence. Le sujet change, mais le dialogue reprend. À la même heure, au même endroit. Dans un bistrot. Un bistrot banal, il est vrai, un peu kitsch, désuet, assez bruyant, dans lequel le percolateur et le moulin à café, surtout, ont longtemps compromis la transmission des paroles – pour ne rien dire de la circulation automobile sur la place. Pourtant, depuis plus de deux ans maintenant, des gens qui ne se connaissaient pas, qui, pour la plupart, n'avaient rien en commun, n'ont cessé de se retrouver dans ce café pour « parler philo ». De plus en plus nombreux.

La première fois, ils n'étaient qu'une dizaine. C'était en juillet 1992. Ce jour-là, nous avions parlé de la mort. Ce n'était pas prévu. C'était venu comme ça. Lors d'un bref passage sur France Inter, au cours du magazine culturel du samedi à 13 heures, j'avais signalé incidemment que je retrouvais chaque dimanche quelques amis au café des Phares pour faire le point sur l'ouverture de mon Cabinet de la rue de Sévigné. Des auditeurs en avaient conclu qu'un « philosophe » se tenait à leur disposition le dimanche matin dans ce café de la place de la Bastille pour dialoguer... Quelques-uns étaient donc venus, avaient un peu rôdé sur la terrasse et avaient fini par me trouver. Une discussion s'était engagée. On avait évoqué les N.D.E. *(near death experiences),* expériences d'états proches de la mort narrées dans des livres à sensation par des personnes accidentées, ou réanimées in extremis : fallait-il les dénigrer ou au contraire y prêter attention ? Avaient été abordés la question de l'au-delà, celle de la décadence des civilisations, le pronostic de la mort du Soleil, l'éventualité de la mort de l'Univers... Le temps avait passé très vite.

La semaine suivante, certains étaient revenus, et d'autres arrivaient là : on parla de l'art éphémère. Un sujet bizarre, posé à l'occasion d'un vernissage étonnant : une artiste réalisait des sculptures en sucre qu'elle arrosait d'eau le soir... Était-ce ou non de l'art ? L'artiste vise en général à pérenniser son nom en produisant des œuvres aussi durables que possible, susceptibles, idéalement, de l'immortaliser : comment qualifier d'art ce qui vise à l'éphémère ? Or ces statues étaient si belles qu'une fois dissoutes, disparues, elles laissaient derrière elles une longue trace de bonheur, à l'instar de ces représentations théâtrales qu'on ne quitte qu'à regret. Refuser à l'art le droit d'être fugitif, ce serait refuser au comédien ou au metteur en scène le titre d'artiste pour ne le réserver qu'à l'auteur ! De même à l'opéra. Le théâtre n'est-il pas le lieu par excellence de l'art éphémère ? Ainsi se déploya, cahin-caha, le second débat du café des Phares.

Qui étaient ces gens ? Je ne sais pas. De condition modeste, discrets, timides, même, ils ne venaient pas pour se faire valoir mais pour échanger des idées. Je me rappelle un jeune couple, qui venait de se lancer dans la « création d'événements » destinés à la promotion d'entreprises en mal de communication : on eût dit deux tourtereaux, certains de s'aimer pour toujours, en quête des bons matériaux pour se construire un nid solide, mais perturbés par le bruit et la fureur de tout ce qui se passait alentour. Je vois encore une dame plus âgée, secrétaire dans une entreprise de cosmétiques, au long passé de syndicaliste, lasse, mais fort vive d'esprit, et qui semblait ne pas avoir encore perdu tout espoir de rendre le monde plus juste et plus fraternel. Les autres s'estompent dans mon souvenir...

À défaut de garder l'image des tout premiers visages, je me souviens à merveille du débat suivant. Le temps était magnifique en ce dimanche d'automne, si beau que la terrasse du café était pleine. Or une quarantaine de consommateurs avaient fini par se rapprocher du petit noyau initial jusqu'à former un cercle étonnant, chacun prenant à son tour la parole, tâchant de se faire entendre malgré le trafic sur la place... Le sujet : « Qu'est-ce qu'un marginal ? », avait été posé par un lycéen. Il n'inspirait pas tout le monde et me donnait du fil à retordre. Car il touchait au vif tous ceux qui refusent d'adopter pour règle ce que les autres appellent la « norme » et qui conduit si souvent l'homme à n'être qu'un loup pour l'homme. Dans un élan irrépressible de poésie contagieuse, un orateur avait pris la défense des artistes maudits par leur temps, faisant d'eux les ferments nécessaires d'une société toujours à naître, où l'homme deviendrait enfin non un loup, mais un dieu pour l'homme! Il se tenait debout. On eût dit un vieux professeur, très chic dans son costume de laine, avec sa canne, sa barbe et ses lunettes, décidé à finir en beauté une existence trop conformiste, tel un beau fruit que personne n'a cueilli et qui de lui-même cherche à tomber avant qu'il ne soit trop tard.

Ce débat fut un vrai bonheur. Inattendu, imprévisible, inouï. Quelques amis, beaucoup d'inconnus, en cercle sur la terrasse des Phares, en face de l'Opéra Bastille, la douceur de l'été indien, la complicité du soleil... Mais le bonheur est toujours précaire : comment le pérenniser si le temps devient maussade? La semaine suivante, ce fut le cas : impossible de rester dehors! Il fallut se résigner à rentrer. Au fond, tout au fond de la salle, il y avait une banquette, et une sorte de cloison la séparait du reste : nous nous y réfugiâmes donc pour aborder un autre sujet. Le bonheur serait-il le même?

Narcissisme. Le thème surgit de la situation, car, confinés dans cette arrière-salle, dont les murs étaient couverts de miroirs, nous étions directement confrontés au plaisir des uns de s'y mirer au point d'en oublier les autres. L'une des personnes venues pour « réfléchir » trouva donc tout naturel de chercher à en savoir plus sur le mythe fameux de Narcisse. Elle s'appelait Martine. Elle était belle, vive et inquiète. Elle cherchait un contact avec la philosophie mais craignait visiblement d'être encore déçue. Je l'avais à l'œil. Elle devint par chance assidue, à tel point que nous ne nous sommes plus quittés... Notre poète n'était pas là, mais sa place fut prise illico par un petit personnage à la voix fluette, impeccable derrière sa cravate, bien coiffé, posé, précieux, même, fonctionnaire de son état (au ministère des Finances, je crois). Il possédait une culture sans égale dans notre petite assemblée et se réclamait d'une doctrine qui passe aujourd'hui pour désuète, mais, qui, en son temps, avait donné à beaucoup l'impression de détenir les clés de l'avenir : celle d'Auguste Comte, le positivisme! Il disposait d'ailleurs des clés d'un étonnant local, situé au beau milieu du Marais, où le positivisme a toujours son Église (par la grâce d'un mécène brésilien) et qu'il nous fit visiter un jour, quand la confiance fut établie. Sa silhouette nous devint vite familière, et, tandis que de nouveaux visages apparaissaient chaque semaine, « Auguste Comte » fit partie des premiers habitués.

Des « habitués », il y en eut d'autres pour s'affirmer au fil des séances. Moins savants qu' « Auguste Comte », sans aucun doute, moins précis dans l'exposé d'un point de vue, moins rigoureux dans le maniement de la langue, mais tout aussi attachants : des hommes, dont nous ne connaissions que le prénom, mais qui s'appliquaient avec zèle à faire progresser le débat, comme Jacques, un petit bonhomme tout rond, qui s'emportait chaque fois de si belle manière qu'il devint vite indispensable à la bonne humeur générale ; des femmes, jeunes ou beaucoup moins jeunes, qui, sans être en reste quant à la passion, illustraient plus volontiers leur propos d'expériences personnelles, telle Antoinette, avocate de son métier, dont la franchise forçait le respect de tous. D'une semaine à l'autre, le groupe était différent, nul n'ayant obligation de venir. Mais l'impulsion était donnée, et, en prenant ses quartiers d'hiver, le soleil ne fit pas tomber le débat des Phares en hibernation.

Au contraire ! Le petit groupe réfugié dans l'arrière-salle du café ne cessa de s'ouvrir aux nouveaux venus. Parfois, des habitués du zinc, à l'heure de l'apéro, se mêlaient au débat en cours. Prêtant d'abord une oreille distraite, étonnés sans doute d'entendre de tels propos dans un lieu aussi peu adéquat, ils s'approchaient et, n'y tenant plus, prenaient la parole. Je me souviendrai longtemps de ces quatre *Blacks* qui, un jour, se prirent au jeu l'un après l'autre, dans une surenchère impressionnante de références de haute volée. Ils étaient musiciens, avaient joué toute la nuit et ne voulaient en ce début de matinée que prendre un dernier verre avant d'aller dormir... Quel était le sujet exact ? « Le pouvoir des mots », je crois ; je revois très bien la scène, la succession de ces quatre gaillards au genre reggae, harassés de fatigue, et pourtant ravis de s'interposer dans le débat, d'improviser un discours chargé de lourdes références classiques – une sorte de « bœuf » du concept.

Néanmoins, la pérennité du débat n'allait absolument pas de soi. Sa forme libre et bon enfant laissait prise à bien des tentations qui, si elles s'étaient imposées, l'auraient rapidement condamné. En premier lieu, l'intellectualisme : la tendance à la surenchère sur le registre « sérieux ». Étant donné qu'il s'agissait de « philosophie », il importait, pensaient certains, de n'avoir affaire qu'aux concepts propres à cette discipline, de barder son discours des références appropriées et d'invoquer Kant, Hegel, Heidegger, sous peine de sombrer dans la trivialité de la discussion de café. De là à n'accorder la parole qu'à ceux qui maîtrisaient ce type de savoir, il n'y avait qu'un petit pas, qu'ils s'apprêtaient allègrement à franchir. Plusieurs orateurs, de manière

27

chronique, intervinrent en ce sens, me reprochant de laisser dire n'importe quoi par n'importe qui...

Il fallut donc frustrer ce clan pour donner aux autres le goût de la philosophie. Les sujets étaient choisis le jour même, sans consultation préalable, et je n'avais ni l'intention ni l'envie de les proposer moi-même. On venait me solliciter pour réfléchir à l'improviste; il était donc hors de question pour moi de savoir à l'avance de quoi je devais parler. La mort, l'art éphémère, le narcissisme, le pouvoir des mots..., rien de cela n'avait été prévu, et c'était beaucoup mieux ainsi. Bientôt, plusieurs thèmes se firent concurrence, et il fallut bien trancher, en choisir un au détriment des autres. Or c'était un excellent moyen de battre en brèche la tendance de certains participants à « élever » tout de suite le débat, sans se soucier de voir leurs voisins perdre rapidement pied. Il me suffisait de sélectionner celui des sujets qui laissait le moins de prise à ce type de situation. Quitte à rendre furieux les « intellectuels » en visite, en les priant de s'exprimer avec des mots de tous les jours, j'optais souvent pour un thème inhabituel dans la sphère de la philosophie classique : pour une phrase banale, qui offrait a priori peu de prise à la réflexion, une expression triviale. D'où le débat sur « La première fois ».

La première fois! Le jour où cette formule fut proposée, je me sentis quelque peu déconcerté, ne sachant spontanément pas quoi dire. Mais, je l'avoue, j'éprouvais un certain plaisir à observer le désarroi de ceux qui étaient venus pour qu'on traitât du « Bien », du « Droit », de « l'État »... Me rendant compte de la pudeur des uns et des autres, là où me venaient à l'esprit des souvenirs infimes, je m'aperçus que cette formule contenait quelque chose de paradoxal. En effet, à première vue, rien de plus émouvant qu'une première expérience : c'est un moment qui compte, et qui en tant que tel donne de l'intérêt à l'existence : le premier jour de classe, le premier baiser échangé, le premier voyage à l'étranger... Que d'émotions! Que de battements de cœur à contenir, de désir à tempérer, d'attente à subir, de peur à vaincre, d'angoisse à juguler, de répugnance à dépasser! Or cette dénomination de « première » contient en germe la condamnation de ce qu'elle suggère, puisque après la première fois vient la deuxième puis la troisième : finalement, on ne compte plus; c'est la vie... Alors se profile une désolante perspective : à travers la répétition de la première fois, l'expérience se banalise, et, en fin de compte, la mort saisit le vif; car qu'est-ce qu'une fois qui ne compte plus? La vie rend donc insignifiant ce qui, la première fois, importait : la répétition tue l'intérêt de l'existence. Par conséquent, la vie, c'est la mort!

Paradoxale dans son développement, cette expression se révèle de surcroît contradictoire. À vrai dire, ce qui se passe la première fois est unique. Ainsi le premier baiser que l'on a donné n'a été donné qu'une fois : loin d'inaugurer une série d'expériences analogues, il constitue un moment d'exception qui n'a de sens que par rapport au passé, pas du tout par rapport à l'avenir. On a fait ce qu'on n'avait pas encore fait. L'histoire se coupe en deux. Il y a un avant et un après. C'est donc une expérience qui ne peut se répéter; il ne peut y avoir de « seconde fois ». On ne peut donner deux fois un premier baiser, pas plus qu'on ne peut marcher sur la Lune deux fois pour la première fois. Aussi, stricto sensu, « la première fois » est-elle une formule absurde, puisqu'elle laisse entendre que peut lui succéder ce qu'elle a rendu impossible.

Un tel constat, établi tout en cheminant à travers les souvenirs de chacun, suffit ce jour-là à mon bonheur. Ceux qui participèrent au débat s'aperçurent qu'en partant d'une expression anodine il était possible de parvenir à des réflexions étonnantes. Pour ma part, j'étais troublé et ravi : troublé d'aboutir à une telle impasse, insoupçonnée jusque-là; ravi d'avoir été poussé à la découvrir en parlant à bâtons rompus dans un café. D'autant qu'en ruminant ces pensées, je m'aperçus qu'elles auraient amusé les Anciens. Du moins quelques-uns, à coup sûr, auraient su illico sortir de l'impasse. Comment? En supposant que tout ce qui se passe ici-bas a déjà eu lieu une infinité de fois. C'est ce que pensaient notamment certains stoïciens. Selon eux, le cosmos dans son ensemble naissait, se déployait et disparaissait dans un embrasement qui préludait à une nouvelle naissance : à la surface de la Terre, tout être était alors voué à revivre exactement les mêmes choses que lors du cycle précédent. Et cela devait se répéter sans cesse. C'était pour eux le meilleur moyen de ne pas sombrer dans le désespoir à l'occasion d'un malheur ou de ne pas crier victoire trop tôt quand le sort leur était favorable, en un mot, de garder leur sang-froid face au cours des choses : si tout se répète éternellement, et ce dans le moindre détail, aucune perte n'est plus irréparable, aucune victoire n'est plus définitive. La première fois? Pour les stoïciens il n'y en a pas, car le temps n'est pas linéaire : tel un cercle il passe et repasse sans cesse par les mêmes points, si bien qu'à leurs yeux, sans aucun doute, personne n'a jamais donné un premier baiser...

Pour autant, la partie n'était pas gagnée. Car, une fois ouvertes les vannes de l'expérience personnelle, requise pour justifier une assertion et témoigner de ce qu'on avance de telle sorte que les autres y adhèrent ou au contraire puissent la réfuter au nom d'une contre-expérience, le débat du café des Phares pouvait rapidement sombrer dans le déballage de problèmes personnels : le « moi je » pouvait y faire la loi, et c'eût été une calamité tout aussi fatale que la tendance au cénacle des adorateurs du concept. Le débat sur « La dépendance » permit de trouver la parade.

À l'évidence, avec ce sujet, le « moi je » avait la voie libre. La personne qui l'avait posé souffrait de manière flagrante de n'avoir su se libérer de l'emprise de l' « autre ». Il y avait du pathos dans l'air, et l'ambiance était fortement psy. Pour la plupart des participants, il allait de soi que la « dépendance » relevait de la pathologie : cela signifiait que le moi n'était pas parvenu à maturité ou se réfugiait dans une relation morbide à autrui par peur de sa liberté. Sans doute y avait-il une foule de raisons à cela, et une infinité de cas de figure, mais, si une chose était sûre, c'est qu'il s'agissait là d'un mal, dont le soin entrait dans les compétences de la corporation des médecins et des psychologues !

Il me parut ce jour-là opportun de faire référence à Hegel pour ébranler ce consensus. Déjà, il est aisé de remarquer que la dépendance d'un être humain envers un autre peut être considérée comme une phase au cours de laquelle se prépare l'émancipation du « dépendant », qui, sans ce moment de subordination, ne pourrait accumuler les forces nécessaires à son autonomie. On peut penser ici à la relation de l'enfant à ses parents : l'enfant doit passer par l'obéissance et la soumission pour devenir un jour, à son tour, adulte. C'est cette évidence que Kant avait utilisée pour faire entendre à ses contemporains le message des Lumières [*] : il est temps pour les peuples modernes de devenir adultes, puisqu'ils sont depuis des siècles sous l'autorité de l'Église et de la monarchie... Mais Hegel va plus loin encore. Il montre que même la relation de maître à esclave est « dialectique », c'est-à-dire qu'elle constitue en elle-même un facteur de progrès, qu'elle est une force motrice de l'évolution des rapports sociaux. Autant dire qu'il fait passer l'impératif moral de Kant au statut de loi inhérente à l'histoire humaine : non seulement il est temps pour les peuples soumis de se débarrasser de toute tutelle, mais le cours des événements leur est favorable.

La référence à Hegel permet de quitter le terrain de la patholo-

---

[*] Voir son opuscule de 1783, *Qu'est-ce que les Lumières?*

gie clinique au profit d'une vision historique du sort des collectivités humaines. Il arrive que la dépendance soit véritablement une bonne chose, puisqu'elle permet dans un affrontement, même fort, de rester en vie : si le vaincu, faisant fi de son honneur, accepte de se mettre au service du vainqueur, il a toutes chances d'être épargné. Tel est le scénario devenu célèbre de la « dialectique du maître et de l'esclave » que Hegel expose en 1807 dans la *Phénoménologie de l'esprit*, au livre I, chapitre II sous le titre « Indépendance et dépendance de la conscience de soi * ». On y voit « celui dont la vie a été conservée » préférer celle-ci à la liberté et devenir l'esclave de celui qui l'a vaincu; réciproquement, on voit le vainqueur devenir le maître de celui qu'il a préféré ne pas tuer. Or les choses n'en restent pas là. Comme convenu, l'esclave va se mettre à travailler pour son maître, et ainsi bientôt s'affirmer comme indispensable, tout en acquérant de son côté le contrôle sur les choses. Ne travaillant pas pour vivre, le maître devient vite dépendant du travail de son esclave, dans le moment même où ce dernier, parti de rien, devient le créateur des conditions d'existence de son maître et des siennes propres, puisque c'est lui qui les assure. Vient le jour où l'esclave peut considérer le maître comme superflu – et s'en débarrasser...

La question de la dépendance est donc beaucoup plus riche et beaucoup plus complexe que ce que la psychologie clinique nous permet d'appréhender. D'ailleurs, l'histoire ne s'arrête pas là : non seulement la théorie eut un immense succès du temps de Hegel lui-même, car elle donnait à l'*Aufklärung* – à l'apparition des Lumières – une légitimité décuplée, mais encore elle fut peu après annexée par d'autres penseurs pour justifier leur propre vision de l'histoire. Ainsi Marx s'en servit-il pour annoncer l'émancipation du prolétariat : la classe ouvrière étant par définition la classe laborieuse, celle qui assure les conditions d'existence de son maître (le bourgeois, le capital), le schéma hégélien devait lui être appliqué au premier chef. Cela fit très vite déchanter bon nombre de personnes qui avaient applaudi Hegel. Forts de l'identification du « progrès » au travail, les socialistes s'approprièrent sa dialectique, au grand dam des nantis et des nouveaux riches qui avaient cru qu'elle les mettait à l'abri de toute critique conservatrice et qui furent dès lors fortement tentés de sombrer dans le pessimisme. Poser le problème de la dépendance, c'est par

---

* Traduction de Jean Hyppolite, chez Aubier-Montaigne, Paris, sans date, avec pour sous-titre « Domination et servitude ». Voir le paragraphe 3, « Maître et esclave », p. 161-166.

conséquent passer du singulier à l'universel, de mon usage personnel de la liberté à celui de l'humanité tout entière. Dans ce changement de centre de gravité l'interrogation passe par une phase historique : il s'agit de se demander s'il existe dans l'histoire des hommes un moment où l'humanité tout entière peut se considérer comme adulte, si ce moment est derrière nous ou s'il est encore à atteindre. Et, dans cette enquête de grande envergure, il convient de resserrer par endroits l'examen pour savoir si c'est le « moment » de Hegel qui compte ou bien celui que désignait Marx.

On voit qu'on est loin du compte si l'on se complaît au « moi je », et que le libre exercice de la parole dans un débat de café n'implique pas la dictature du pathos, pour peu que la raison veille. Néanmoins, cela n'oblige pas de faire amende honorable quant à la teneur « théorique » requise dans les interventions. Ce n'est pas parce que je connais Hegel que ceux qui ne le connaissent pas doivent se taire et se contenter d'écouter. Citer Hegel n'est pas bloquer l'autre, c'est au contraire lui suggérer une piste, l'inviter à le lire lui-même, à entrer dans la *Phénoménologie*, mais avec simplicité, de manière adéquate, c'est-à-dire en posant au philosophe la question débattue ce matin-là au café. Ce n'est pas non plus faire une allusion, une œillade aux connaisseurs, marquer son appartenance à un clan. D'autant qu'en cette occurrence il n'y a pas de consensus. Une allusion ne suffit pas. La plupart des profs de philo suivent sans rechigner Marx lorsqu'il traduit « maître » par « bourgeois » et « esclave » par « ouvrier », faisant de la fable hégélienne le récit codé de l'histoire moderne ; d'autres voient là une absence de discernement et tentent de redonner à cette histoire un sens beaucoup moins historique, allant jusqu'à suggérer qu'elle n'a strictement rien à voir avec les catégories sociales, mais que tout se joue dans l' « esprit », dont Hegel conte les métamorphoses. Si l'on fait usage de cette « dialectique », on ne peut donc faire comme si sa signification allait de soi.

Foin des clins d'œil entendus! Ce débat sur la dépendance m'offrit pour la première fois la chance de tester en public la façon dont je voyais la chose pour ma part. Je rappelai que Hegel s'exprimait dans la langue allemande... Ce que nous traduisons par « maître », Hegel le désigne par le mot *Herr*, ce qui signifie avant tout « seigneur » ; ce que nous traduisons par « esclave », Hegel l'appelle *Knecht*, c'est-à-dire « serviteur », voire « serf ». Du coup, nous nous trouvons dans une configuration beaucoup plus historique encore que celle que proposait Marx : selon moi, Hegel désigne dans la *Phénoménologie* le passage du féodalisme au capitalisme. Le « maître », celui qui ménage la vie du vaincu, c'est le seigneur féodal, issu des grandes invasions, et qui s'est approprié la terre avec ceux qui la travaillent ; l' « esclave », c'est le serf, le vaincu de ce chaos gigantesque, qui a perdu sa liberté sous la poussée des hordes germaines : ainsi, le serf s'est mis au service du seigneur, qui, en retour, le protège contre le risque d'invasions nouvelles (Scandinaves au Nord, Maures au Sud, Huns à l'Est). Ce qu'on appelle la « dialectique du maître et de l'esclave », c'est donc le processus par lequel le serf occidental va s'émanciper du joug de son protecteur, le seigneur germain.

Ce processus passe par le travail, et surtout par la mise en circulation des marchandises issues du travail. D'abord inconditionnellement attaché à la glèbe et aux remparts du seigneur, le serf va en effet peu à peu disposer des moyens de conquérir sa liberté. Car, au fil des siècles, l'argent va se remettre à circuler. Le commerce, longtemps au point mort, va réactiver la circulation des marchandises et de la monnaie ; les marchands, d'abord sans pouvoir, vont profiter de l'ordre (fort précaire) qu'engendre la féodalité pour s'enrichir et se protéger de manière autonome dans les bourgs, entourés de remparts, où viennent les rejoindre des serfs fuyards, qui deviennent artisans et augmentent à leur tour le volume des échanges. Bref, le travail va l'emporter sur la force. Le centre de gravité des rapports entre les hommes va passer insensiblement du château (du seigneur) à la cité (des bourgeois), jusqu'au jour où le seigneur deviendra aux yeux de son ancien serf un parasite inutile dont il lui faudra se débarrasser pour parvenir à la prospérité.

III

La philosophie au café
(suite)

Ni cercle pour initiés ni groupe de thérapie sauvage, le débat du café des Phares a trouvé son « créneau » au fil des semaines et des mois. Les deux tendances ont coexisté mais se sont neutralisées mutuellement. Leur conflit laisse désormais la voie libre à quelque chose de tout différent : on ne parle pas pour faire taire les autres mais pour réfléchir avec eux ; on ne parle pas de soi pour se raconter mais pour défendre une opinion et la soumettre à l'examen de tous. Naturellement, les nouveaux, ceux qui viennent pour « la première fois » (comme cette expression est désormais suspecte !), ont tendance à retomber dans un travers ou l'autre. Mais, assez vite, ils comprennent qu'ils font fausse route et s'adaptent ou disparaissent.

Beaucoup viennent avec un sujet, mais personne ne peut savoir à l'avance s'il va faire l'objet du débat. D'aucuns verront là encore un manque de sérieux, ceux pour qui la philosophie est un « travail » qui ne saurait être improvisé sous peine de sombrer dans les discussions de café du Commerce. C'est le contraire, selon moi. Tout d'abord parce que le « travail » des professionnels de la philosophie n'exclut pas le plaisir. Réfléchir avec sérieux, penser rationnellement, connaître Platon, Descartes et Hegel, s'astreindre à la rigueur des concepts, cela fait du bien. Qu'il le fasse ou non partager, le philosophe professionnel trouve du plaisir à la discipline qu'il s'inflige, et celui-ci compense la peine qu'il se donne au travail. Mais les autres ? Ceux qui depuis bien longtemps ne savent plus comment on travaille sur un texte ? Ceux qui n'ont jamais, ou pas encore appris ? Il faut leur donner l'impulsion, celle qui donne envie de s'investir. Or c'est un moyen d'avoir à coup sûr du plaisir que cet état d'incertitude provoqué chaque dimanche matin par le fait que le sujet n'est pas connu d'avance, car il provoque un certain suspense, comme avant chaque épreuve d'examen (dont on ignore en principe le « sujet »), dans le temps même où l'on sait bien que l'on ne va pas « pour de bon » subir une épreuve, avec un enjeu personnel, avec une sanction à la clé ; où l'on sait du moins que s'il y a épreuve, enjeu, et sanction – avec, pourquoi pas, une sorte de trac –, au lieu d'être coupé des autres et de ne devoir compter que sur soi-même pour résoudre le sujet posé, on pourra compter sur ceux qui nous entourent.

Ensuite, et c'est l'essentiel, *tous* les sujets sont susceptibles d'être traités de manière philosophique. La philosophie ne tient pas à ses sujets. Ce n'est pas une « matière » à enseigner ni un champ à cultiver, c'est un état d'esprit, une manière de faire usage de son intellect. Le philosophe n'a pas d'objet propre. Il part des idées reçues, des opinions du sens commun, des idéologies dominantes, des révélations religieuses, des réponses données par la science pour les soumettre à l'examen. Tout est donc objet de sa réflexion. Le néophyte n'a nul besoin de se faire une montagne des sujets propres à cette discipline. Il n'y en a pas. Il n'y a pas de spécificité de l'objet de la philosophie : philosopher, c'est *mettre en question*, au sens banal de l'expression, ce qui est déjà là comme réponse et qui, de fait, ne convient pas. Il se trouve que les réponses pullulent, s'opposent, se contredisent. Le philosophe cherche à y voir clair, à mettre de l'ordre dans cette confusion, à rendre la raison arbitre.

Le débat du dimanche illustre cette universalité. Que le « sujet » soit inattendu signifie que la philosophie s'exerce, stricto sensu, « à tout propos », et qu'en conséquence elle est accessible à tout individu de bon sens. Le risque de manquer de sérieux n'est que l'envers de cette ouverture illimitée. Le philosophe doit le prendre. Il lui revient de ne pas y sombrer.

4 avril 1992. Ce matin-là, je m'apprêtais, comme chaque dimanche, à prendre mon café en terrasse avant de lancer un nouveau débat. J'aime ce moment de solitude, face à l'Opéra, dans le bruit étouffé de la place encore endormie. Même quand le temps n'est pas beau, j'ai plaisir à me glisser derrière une table et à déguster les instants qui passent, comme un enfant sur le point d'entrer en classe... Seulement voilà ! Ce matin-là, tout le monde se trouvait déjà dans la salle : les tables étaient déjà mises en ligne ; le café des Phares déjà bien rempli ! J'avais tout simplement oublié qu'on passait dans la nuit à l'heure d'été. Au lieu

d'arriver en avance, j'arrivais donc en retard. J'étais totalement décalé. Du coup, le sujet fut tout trouvé...

Je n'avais pas, comme les autres, remis ma montre à la bonne heure, à l'heure officielle. Je devais faire amende honorable et reconnaître qu'il convenait de parler de ce *décalage*. N'était-ce pas à vrai dire un phénomène étrange? Certes, on se sent souvent en décalage par rapport à son environnement, à autrui, à ses engagements; mais comment cela est-il possible si le temps est le même pour tous? Faut-il supposer l'inverse? que chacun vit dans un temps propre? Mais alors comment se peut-il qu'en général on soit dans le temps des autres et qu'on ne soit pas toujours décalé? Qui plus est, si le temps dépend de chacun, quelles sont les limites de ce « chacun »? Car, dans l'expérience courante, je suis en décalage par rapport à moi-même : combien de moi y a-t-il en moi? Si je suis double, ma vie se déroule-t-elle dans deux temps différents? Et si je suis triple, dans trois? Combien de temps y a-t-il hors de nous, et combien y en a-t-il en nous? Si cette pluralité est réelle, est-ce une bonne chose, en est-ce une mauvaise? Ne devais-je pas présenter mes excuses pour me faire pardonner mon étourderie? Ce qui, en l'occurrence, était sans grande conséquence ne pouvait-il devenir dramatique dans des circonstances différentes : n'importe-t-il pas, le plus souvent, d'arriver à temps?

Sans doute afin de rattraper le temps perdu, une solution radicale fut proposée immédiatement par quelques présents fort bien éveillés : étant donné qu'il ne pouvait y avoir décalage que dans le temps, il ne pouvait y avoir décalage que si le temps existait, affirmaient-ils; or le temps n'est qu'une donnée subjective de la conscience (Kant l'a bien montré) : en réalité, c'est-à-dire dans les choses elles-mêmes, il n'existe pas (la communauté scientifique n'en doute plus depuis Einstein, et Planck, qu'on se le dise, l'a prouvé); donc il n'y a pas de décalage. Ainsi, j'étais d'emblée innocenté – et ce, s'il vous plaît, par la grâce d'une « science dure », mieux, de la discipline scientifique la plus sophistiquée : la physique quantique! Las, je ne pouvais m'en tirer à si bon compte. D'abord parce que tout le monde n'était pas en mesure – du moins si tôt un dimanche – d'apprécier à sa juste valeur la virtuosité de ce raisonnement, et que notre bon sens, déjà passablement dérouté par les théories d'Einstein sur l'espace-temps, perd rapidement pied dès qu'on tente de l'ouvrir aux idées de Max Planck; ensuite, parce que, même si le temps n'existe pas dans la réalité elle-même, il n'en existe pas moins pour nous : or ce n'était pas avec la réalité en soi que j'avais rendez-vous ce jour-là, mais

avec des êtres humains, des gens comme moi, qui avaient le sentiment de vivre dans le temps et qui, se retrouvant tous au même
endroit à la même heure, avaient tous remarqué mon retard. Ne
fût-ce qu'en tant que phénomène subjectif, le « décalage » était
donc un fait incontournable, et, par là même, mon étourderie
demeurait une faute qu'il me faudrait sans doute expier céans.

Qu'est-ce que le décalage? Un fait, soit, mais est-ce un fait
fréquent ou rare? négligeable ou important? qui ne concerne que
les humains ou universel? qu'il faut combattre ou cultiver? S'il
faut en croire Épicure, le monde est né du léger décalage d'un seul
atome; en effet, tandis que tous les atomes tombaient tout droit
depuis toujours, il a suffi qu'un jour un atome se mette à tomber
de biais (le *clinamen*) pour provoquer des chocs sans nombre
parmi les autres et faire surgir le monde que nous connaissons.
Voilà qui nous invite du moins à nous demander si le décalage
n'est pas beaucoup plus important – et plus fécond – qu'il n'y
paraît. Mais comment vérifier la belle histoire d'Épicure?

Il faudrait déjà s'entendre sur ce qui est à notre portée. Je
pousse cette tasse sur la table : est-ce que je la décale ou est-ce que
je la déplace? Je la décale si elle fait partie d'un alignement dont
je l'exclus en la déplaçant; mais si elle est seule sur la table? Je la
change de place sans que cela bouleverse quoi que soit : je la
« déplace » sans la décaler. Rien ne m'interdit de le faire, rien ne
me signale l'introduction d'un désordre : la place qu'elle occupait
n'importait aucunement et je peux répéter indéfiniment l'opération sans rien enlever – ni ajouter – à l'ordre de la table. Il est vrai
que le verbe « déplacer » demeure ici suspect : en bougeant la
tasse, j'accomplis un acte qui demande du temps, et pas seulement de la place; le verbe « décaler » a le mérite de ne pas privilé-
gier l'espace par rapport au temps et, de ce point de vue, serait
plus approprié.

L'indécision sémantique a du bon : et si nous étions des tasses?
La tasse n'a pas de place prédéterminée sur la table; et nous,
avons-nous une place prédéterminée dans la vie? Nous pouvons
être déplacés, mis de côté, décalés, mais cela est-il écrit à
l'avance? Y a-t-il un ordre qui fixe les places des êtres humains et
nous assigne la nôtre, ou bien au contraire ne nous revient-il pas
de déterminer nous-mêmes notre place? Ne sommes-nous pas des
tasses qui doivent prendre leur sort en main, se prendre elles-
mêmes en main, contrairement aux pauvres tasses de ce café? Si
l'on nous impose un alignement qui ne nous convient pas, ne
pouvons-nous pas le briser, ou du moins biaiser? À moins que

nous n'aimions être manipulés, servir aux autres et que nous n'attendions de passer dans le lave-vaisselle pour être rincés? Le décalage peut donc servir de symbole à la liberté dont nous disposons pour créer notre propre destin dans un monde sans fatalité, où les places des uns et des autres ne sont pas inscrites d'avance sur le grand échiquier de la vie.

En outre, il se pourrait que ce soit une puissante source de plaisir. Si je superpose deux tasses, il y a peu de chances qu'elles parviennent à l'extase : immobiles, leurs lèvres auront beau se toucher, elles en resteront là. Si, en revanche, deux corps s'enlacent, le va-et-vient de leurs attouchements crée une tension qui ne cesse de monter, pour culminer dans le plaisir. Mais celui-ci, justement, ne passe-t-il pas par le décalage? Le prélude, l'exacerbation du désir et enfin sa satisfaction n'ont-ils pas pour condition une succession de frottements dans lesquels ce qui importe est que les deux corps n'adhèrent pas exactement l'un à l'autre, mais soient au contraire en léger décalage – dans le temps et dans l'espace – de façon à ménager la « bonne distance » (celle dont parlait Winnicot pour les machines, comme le suggéra un jeune homme, Jean-Louis, qui se révéla par la suite l'auteur d'une thèse splendide sur le jeu*)? Somme toute, le décalage s'impose comme le moyen par excellence pour passer du désir au plaisir. N'est-il pas dès lors ce qui importe le plus dans l'existence?

L'inconvénient de ce dernier constat est qu'il compromet ce qui précède. En effet, si le décalage se présente finalement comme la loi du plaisir sensuel, il s'agit précisément d'une loi. Or il nous semblait clair jusque-là que le décalage plaidait en faveur de l'absence d'un ordre transcendant, auquel il nous faudrait obéir pour assumer notre condition d'être humain : de même que rien ne prédisposait cette tasse à être ici plutôt que là, rien n'impose, avons-nous dit, à l'individu telle place plutôt que telle autre et il lui revient de forger son destin. Mais si, pour accéder au plaisir, le décalage intervient comme une condition, cela fait de lui un facteur de contrainte extérieure et non le symbole de sa liberté; une loi à laquelle il doit se soumettre – si, du moins il veut non seulement assumer sa condition mais... en jouir.

On le voit dans cet exemple, l'improvisation n'implique pas la facilité. D'abord, bien entendu, parce que cet exercice n'est pas « naturel » pour ceux qui sont habitués à « enseigner », puisqu'ils sont programmés pour transmettre ce qu'ils savent, ou ce à quoi

---

* Jean-Louis Harter, *Les jeux de l'image et du son* (la structure et le jeu), Paris, 1992.

ils ont déjà pensé, et que ce sont eux qui décident de ce dont ils traitent, qu'ils préparent leur itinéraire à l'avance, soigneusement balisé de références toutes prêtes. Comme tout enseignant, le prof de philo impose son sujet à son auditoire. Rares sont les moments où le cours lui échappe. C'est ainsi qu'il s'est construit comme pédagogue, c'est pour cela qu'on le mandate, c'est ce qu'on lui demande – et c'est ce qu'il fait. Qu'on le prie d'approfondir au pied levé une notion qui n'est pas au programme, de la sonder sur place, en direct, sans préparation, et il sera pris au dépourvu : son réflexe sera de se dérober, pour ne pas sombrer dans la « discussion de café », à moins qu'il ne dispose encore d'une fraîcheur d'esprit suffisante pour jouer le jeu. Faute d'une confiance totale dans sa faculté d'analyse et dans sa capacité à mobiliser son stock de références, le prof normal demandera... à réfléchir. Car accepter le débat sur un « sujet » qu'on n'a pas préparé, c'est prendre le risque d'avoir tort. Quand on est pris au dépourvu, on peut être pris de vitesse par un intervenant ou s'avancer sur un terrain qu'on ne connaît pas. On peut alors se faire piéger, s'enfoncer dans une impasse, être contraint de faire marche arrière, se contredire, bref, se retrouver dans la situation du commun des mortels.

Il est vrai que cette difficulté est d'ordre psychologique, voire déontologique et qu'en tant que tel le débat improvisé ne garantit pas le sérieux et la qualité requis par l'exercice philosophique. Or c'est justement sur ce point que l'expérience du café des Phares me paraît particulièrement instructive. Je ne prétends pas que cette forme d'échanges permette en permanence d'atteindre les sommets de la spéculation métaphysique, mais je m'inscris en faux contre l'affirmation inverse, qui exclut a priori toute possibilité d'approfondissement d'un sujet sans « travail » préalable sur ce sujet.

En réalité, celui qui accepte d'être à la disposition des « profanes » pour traiter du sujet de leur choix se retrouve dans la bonne position. Il se trouve bien sûr en porte à faux par rapport à son métier d' « enseignant », mais il est alors de plain-pied avec tous ceux qui, en ville, en dehors de l'enceinte du lieu où se dispense l'enseignement, sont travaillés par une affirmation, une négation, une opinion, une conviction, une croyance, sont poussés par un ami, un ennemi, un collègue, un amant, un parent, un événement, une information, une lecture... à « réfléchir ». Voilà la position normale de la réflexion ! En général, nous ne choisissons pas nos sujets de réflexion : ils nous sont imposés par l'existence, par l'actualité, par nos proches. Ils nous taraudent souvent à notre insu. Bref, nous n'en décidons pas. De ce point de vue, la position de l'enseignant n'est pas naturelle. C'est lui qui est en porte à faux. C'est lui qui est en *décalage* par rapport à la réalité. En un mot, sa « nature » n'est pas naturelle. C'est une seconde nature, ce n'est pas la première. C'est une habitude, une seconde peau, un artifice nécessaire, sans doute, mais un artifice, quand ce n'est pas un déguisement qui l'autorise à ne pas devenir adulte. Au café, je me retrouve dans la position de tout un chacun : les sujets de réflexion affluent de l'extérieur. En quelque sorte, ils me sont imposés comme ils s'imposent aux autres – dans la vie de tous les jours.

Étrange épreuve! Prenons l'« ingérence ». S'en étonnera-t-on, ce sujet fut proposé en avril 1993, alors qu'on parlait beaucoup de la Somalie dans les médias et que d'aucuns faisaient état d'un devoir humanitaire d'ingérence. Comment refuser d'y réfléchir? Comment nier que, comme tout un chacun, le philosophe y est contraint? Et pourquoi ne pas le faire tout haut? Pourquoi ne pas le faire en public, c'est-à-dire en commun? En l'occurrence, si les mots pouvaient parler, le mot « ingérence » nous avouerait sans doute comme il est malheureux. On ne l'aime pas. Depuis qu'il existe, on le boude, si ce n'est pour servir à désigner de manière négative quelque chose de condamnable. Lorsque quelqu'un met son nez dans les affaires des autres sans y être invité, ou lorsqu'un pays s'immisce dans la vie politique d'un autre pays, c'est ce mot qui vient à la bouche, et il suffit pour discréditer ce dont on parle.

On a rarement l'occasion de s'apitoyer sur le sort de ce pauvre mot, tant le principe sur lequel repose son discrédit paraît intangible – et profitable. Car il y va du respect de chacun envers chacun : à sa majorité, tout individu dispose d'une liberté d'opinion et d'action dans le cadre de la loi commune, et toute nation est souveraine. On ne saurait renoncer à ce principe sans compromettre les fondements de la démocratie, voire de la civilisation.

Pourtant, nombre de situations nous invitent à violer ce principe fondamental. Ainsi, lorsqu'un homme violente une femme dans le métro ou lorsqu'un gouvernement tyrannise son peuple, comment demeurer passif? N'y a-t-il pas un principe moral supérieur qui nous commande d'intervenir? Même si nous ne sommes pas sollicités par les victimes, ne devons-nous pas tout faire pour les sortir de ce mauvais pas? À défaut d'être un droit, l'ingérence n'est-elle pas parfois un devoir?

Il se pourrait que ce mot malheureux exprime la gêne que nous avons à vivre dans nos « États de droit ». Encore faudrait-il, pour bien mesurer ce malaise, ne pas faire un usage fallacieux de l'idée d'ingérence. Il s'agit là d'une notion fort récente, qui n'a de sens que depuis peu. Tant que l'espèce humaine n'est qu'une espèce prédatrice parmi d'autres, divisée en myriades de hordes, de villages, de clans, d'ethnies, qui ne cessent de se piller mutuellement tout en affrontant les autres espèces, ce mot n'a pas de sens : il y a guerre, conquête, colonisation, répression et autres manifestations de la bonté naturelle de l'homme – pas « ingérence ».

Pour qu'il y ait ingérence, il faut que l'entité qui fait ce reproche à l'autre puisse arguer de son égalité de statut. Toute hiérarchie entre elles doit avoir disparu. Dans l'Antiquité, il faut attendre la naissance de la démocratie grecque pour voir poindre cette possibilité, hélas, si éphémère. Dans le monde moderne, il faut en passer par la dislocation du Saint Empire romain germanique : c'est l'émergence des « nations » qui fournit le cadre dans lequel chaque « individu » va régler « ses affaires », une fois libéré de la tutelle de son seigneur et de son curé. Et il faudra plusieurs siècles pour que toute l'Europe, puis le monde entier soient organisés sur ce modèle, tel que le préconisèrent les philosophes des Lumières.

Il n'est d'ailleurs pas sûr que ce modèle l'ait emporté partout. L'inventaire reste à faire. Dès lors, quoi de plus scabreux que d'utiliser le mot « ingérence » ? Ce qui peut justifier pour un individu ou pour une nation le « droit d'intervention », à savoir la défense bien comprise de ses propres intérêts hors de ses frontières, n'enlève rien à l'absurdité de l'expression « droit d'ingérence » : s'ingérer, c'est pénétrer là où l'on n'a pas le droit de pénétrer ; le droit à s'ingérer serait donc le droit de n'avoir pas le droit. Quant au « devoir » d'ingérence, il n'est pas beaucoup mieux loti, étant donné qu'on le proclame pour intervenir là où le cadre de la civilisation moderne n'est pas encore ou n'est plus en vigueur, là où, par conséquent, il n'a aucune raison d'être. C'est donc, comme souvent dans la bouche des ministres, beaucoup de bruit pour rien.

IV

La philosophie au café
(fin)

Épreuve pour le philosophe, ce débat au café est un test pour la philosophie. C'est une situation expérimentale qui permet de savoir si la philosophie sert à ce qu'elle prétend. Elle prétend hisser ses adeptes au-dessus des préjugés. Par-delà le défi personnel auquel le philosophe se trouve soumis, c'est l'occasion pour lui de faire la preuve que sa discipline est bonne et qu'il convient de suivre sa voie, d'en faire autant, plutôt que de se contenter des opinions dominantes. Plongée dans le bain des préoccupations de tous, la méthode philosophique doit montrer qu'elle peut en effet vaincre la *doxa*, l'opinion, publique ou non, même parée des atouts de l'éthique.

Cela n'implique pas que la philosophie soit sans cesse sur la défensive, qu'elle ait sans cesse à *répondre* d'on ne sait quelle prétention à la suprématie sur les intellects. Au contraire! Philosopher, c'est, avant toute chose, écouter. Le philosophe n'est pas celui qui dispose de la réponse à toutes les questions. C'est celui que les réponses déjà données, les réponses qui prédominent, ou leurs rivales, intriguent. C'est celui qui interroge, celui qui, stricto sensu, remet en question ce qui passe pour une solution. À vrai dire, s'il exerce véritablement son art, il doit d'abord être à l'écoute de ce qui se dit. C'est pourquoi il a, tout compte fait, peu de chances d'être vraiment pris au dépourvu, car il fonctionne en second. Il met en doute ce qui paraît évident, indubitable, ou ce qui s'affirme comme plus performant, ce qui affiche sa supériorité sur l'opinion dominante, sur l'option la plus commune. Même pris de vitesse par l'événement, même soumis à la pression des médias, il peut sans grande difficulté rétablir le sens de l'échange des idées en sa faveur, puisqu'il ne prétend pas, lui, détenir la vérité. Il ne jure de rien. Il n'est pas dans la certitude. Ou, alors, il provoque ; et c'est lui, dans ce cas, qui relance le défi. Ainsi, même lorsque je fus pris au piège de mon étourderie, comme avec le décalage, même lorsque je fus confronté à l'urgence, comme avec l'ingérence, risquant par conséquent de faire piètre figure, les contributions des « autres », de tous ceux qui viennent au débat, me permirent de me retrouver dans la bonne position. Car la bonne position du philosophe n'est pas d'affirmer, elle consiste à interroger.

Il se trouve que, sur tous les sujets, beaucoup de gens ont beaucoup de choses à dire. Au café comme ailleurs, plus qu'ailleurs, peut-être. C'est donc un lieu idéal pour soumettre au crible de la raison les opinions les plus répandues et les plus variées ; en les sollicitant, je me positionne de manière adéquate. C'est le « moment » par lequel il faut impérativement passer pour que la réflexion prenne le pas sur la croyance. Philosopher, c'est prendre du recul par rapport à ce qui se fait et à ce qui se dit. Il est donc bien plus *naturel* pour le philosophe d'intervenir en second qu'en premier. Son intervention requiert du déjà fait et du déjà dit. Et c'est pourquoi je fais en sorte que ceux qui proposent un sujet soient les premiers à en parler, et, s'ils ont peu à dire, je sollicite d'autres avocats. Sur un sujet, il y a toujours au moins une cause à défendre, souvent bien davantage. Autant que s'expriment, par conséquent, ses défenseurs. Souvent, les difficultés émergent ainsi d'elles-mêmes, les orateurs entrant inévitablement en conflit les uns avec les autres. Il me revient alors de mettre en évidence ces oppositions, de les rendre patentes, de mettre l'assemblée au diapason et de requérir d'elle une solution ou d'admettre qu'il y a une contradiction irréductible, du moins jusque-là, c'est-à-dire dans les limites de notre débat.

Qu'on en juge à l'aide de quelques exemples.

Débat du 9 mai 1993 : « Prend-on une décision ou est-on pris par elle ? »

C'est un vrai problème. Il se pourrait qu'on s'abuse en croyant prendre une décision. Décider, c'est, apparemment, trancher entre plusieurs possibilités d'action et le faire en connaissance de cause, c'est-à-dire avoir de bonnes raisons pour cela : on décide d'aller voter (ou d'aller à la pêche), de se marier (ou non), d'avoir un enfant (ou pas), de tuer (ou de se retenir). Mais quelle garantie avons-nous que la décision n'a pas été prise avant que nous ne la prenions en toute conscience ? N'est-elle pas plutôt le résultat du travail de notre intuition, de nos désirs, de nos pulsions, de nos instincts, comme le suggérait déjà le docteur Freud? Ne sommes-nous pas en vérité pris par nos décisions? L'autonomie de la décision est d'autant plus problématique qu'une foule de forces extérieures nous tiennent dans leur étau depuis notre plus tendre enfance : notre place dans la famille, notre éducation, notre histoire collective; comment pouvons-nous prétendre faire usage de notre libre arbitre lorsque nous décidons? Ajoutons-y des puissances plus obscures, qui, sous des noms divers, « hasard », « fatalité », « volonté divine », sont susceptibles d'agir à notre insu sur le cours de notre destin! Que reste-t-il, au final, de cette aptitude à décider de notre propre chef?

Sartre, ici, protesterait. Et il aurait bien raison : il importe en effet que notre libre arbitre ne soit pas un leurre si nous ne voulons pas sombrer dans l'irresponsabilité, la superstition et l'animalité. Mais quelle est la consistance de cette précieuse faculté? Existe-t-il en nous un arbitre pour garder raison dans l'affrontement des forces en présence en nous et hors de nous? Les plus grands noms de la tradition chrétienne le contestent : Paul, Augustin, Luther nient le libre arbitre, tant leurs efforts pour résister à leurs pulsions, sexuelles en particulier, se sont révélés vains sans le secours de la « grâce » divine. Quant à la tradition grecque, elle véhicule par le biais de ses poètes la conviction que l'homme ne peut rien contre le destin que les dieux et les moires lui réservent.

On ne se hâtera donc pas de trancher la question : il conviendrait au préalable de se mesurer à ces anciennes croyances. Philosopher n'est pas autre chose. Même si, ce faisant, nous sommes « décidés » par des pulsions animales ou par la pression de la transcendance, prenons, du moins, cette décision!

Débat du 16 mai : « A-t-on le droit de nier l'évidence? »

« *Eppur si muove!* » aurait dit Galilée à la sortie de son premier procès : « Et pourtant elle tourne! »

Il parlait de la Terre, et de son mouvement – de ses mouvements – dans l'espace. Sur la pressante demande de la curie romaine, il venait d'abjurer la doctrine héliocentrique selon laquelle la Terre, loin d'être le centre du monde, n'est qu'une planète comme les autres, en rotation diurne autour de son axe et annuelle autour du Soleil.

Galilée niait l'évidence. L'évidence, c'est que la Terre ne tourne pas. Passons sur les références bibliques, dont l'Inquisition fit un implacable usage (étant révélées par Dieu Lui-même, comment auraient-elles pu nous tromper?). Reste l'incontestable expérience, à la portée du commun des mortels : nous ne *voyons* pas la Terre bouger. Dans le sillage de Copernic, il fallait donc à Galilée s'opposer non seulement à la parole divine, mais, encore... à l'*évidence*. Il lui fallait s'opposer au témoignage direct des sens, en particulier du sens favori des humains, la vision. Il lui fallait nier ce que tout le monde voit, à savoir que le Soleil se meut, comme les autres astres, et que la Terre est immobile.

Or l'affaire n'est pas si simple! S'il faut nier parfois l'évidence pour sortir de l'ignorance, ce droit (qui peut être un devoir) est-il absolu? Faut-il toujours nier l'évidence? Si je dois me méfier de la tradition, dois-je nier que 2 et 2 font 4? Si je dois rejeter le témoignage de la vision, puis-je nier que je travaille en ce moment devant une fenêtre donnant sur une cour? Dans le premier cas, il me deviendrait impossible de m'accorder avec mes semblables sur le moindre calcul; dans le second, je n'aurai pas longtemps le plaisir de leur compagnie si, habitant au sixième étage, la fantaisie me prend de déclarer que ma fenêtre est une porte...

Aussi bien, quand, cessant toute opération et tout mouvement, je voudrais douter de tout, je ne parviendrais pas à douter du fait que je doute. Il y a là une évidence proprement indubitable. Je ne peux douter que je doute, du moins au moment même où je doute. Descartes, depuis longtemps, nous invite à cette expérience dans ses *Méditations métaphysiques* : c'est la découverte du *cogito*. Ce qui redonne à l'évidence son sens le plus simple et le plus fort : est évident ce qui ne peut être nié.

En vérité, dans l'expérience de l'illusion même, il y a quelque chose comme cela. Lorsque que je vois le Soleil se coucher, j'ai beau savoir que c'est la rotation de la Terre qui me donne cette impression, je ne peux m'empêcher de le voir se coucher. Tout le monde est logé à cette enseigne : Descartes et Galilée eux-mêmes ne voyaient pas de leurs yeux ce qu'ils savaient, à savoir que c'est la Terre qui tourne.

Autant dire que nous ne sommes pas au bout de nos peines. Certes, il faut savoir nier l'évidence pour parvenir à la vérité, mais on ne peut ériger cette maxime en une exigence absolue. À l'expérience, cela se révèle impossible : je ne peux nier que je vois ce que je vois. En bonne logique, d'ailleurs, ce serait une contradiction dans les termes : je ne peux nier ce qui ne peut être nié. Et, de surcroît – si l'on s'y arrête encore un instant –, cela autoriserait tout imbécile de mauvaise foi à contester mordicus que la Terre se meut.

Débat du 30 mai : « Y a-t-il un devoir de colère ? »
Rien de moins moral en apparence qu'un homme en colère.
C'est en aveugle qu'il agit, laissant libre cours à sa violence. C'est
plus manifeste encore quand il s'agit d'une foule : lorsqu'elle est
en colère, elle oublie toute notion de bien et de mal, se déchaînant
jusqu'à faire émerger la bestialité qui, d'habitude, *sommeille* dans
l'être humain. Il semble donc hors de question de songer à faire
de la colère un « devoir ». D'autant que la colère est une passion :
rien ne la commande. Si je me mets en colère, c'est que quelque
chose me met hors de moi ; Descartes dirait que cela se passe du
côté du corps et non pas de l'esprit. Les passions attestent de
notre appartenance au monde animal : être en colère n'a littérale-
ment rien d'humain et ne peut donc faire l'objet d'un commandement moral.
Il reste à savoir ce que nous deviendrions si nous parvenions à
dominer systématiquement nos colères. Il y a toutes chances en
vérité pour que nous ne soyons plus dignes du nom d'homme.
Rentrer sa colère lorsque l'injustice prolifère, lorsque la bêtise
règne, lorsque l'absurde impose sa loi, c'est se placer en deçà du
seuil de tolérance : au nom de la maîtrise de soi, on risque donc
de devenir un lâche ou un impuissant. Alors, ce n'est plus celui
qui laisse libre cours à sa colère – quitte à agir mal, à être cruel et
immoral – qui est « aveugle », mais celui qui la retient.

Débat du 6 juin : « Peut-on échapper à l'ambivalence * ? »
Il y a des mots savants et il y a des mots savon. Les uns servent
à se faire mousser, les autres à se frotter pour y voir plus clair.
Ambivalence est un mot savant et savon. Il suffit de se mouiller
un peu pour décoder grâce à lui la condition humaine, puisque,
c'est bien connu, nous sommes tous à la fois homme et femme,
les Chinois disent *yin* et *yang*, et que nous oscillons sans cesse
entre ces deux pôles de l'être. Le problème est que *cette* ambivalence a des concurrentes, et que bien d'autres tensions se
révèlent si l'on cherche bien. En effet, l'être humain est aussi
déchiré entre l'instinct et la raison, certains disent entre le corps
et l'esprit. Il oscille entre s'abstraire de la nature et retourner en
son sein. Qui plus est, l'ambivalence se manifeste dans certaines

---

* Ce débat a fait l'objet d'une transcription intégrale, publiée sous forme de
brochure, grâce à l'enregistrement et aux nuits blanches de Thierry Amram, à la
mise en forme diligente de Martine Caillon, ainsi qu'au soutien financier de
Pascal Ranger, l'hôte avisé du débat au café des Phares.

phases de l'histoire, tel l'Ancien Régime, où le capitalisme affronte la féodalité. D'ailleurs, l'histoire des hommes tout entière pourrait être ainsi décryptée. Et puis la nature elle-même : après tout, n'est-ce pas elle qui est ambivalente? N'est-ce pas elle qui crée l'homme à son image? Si bien que, plus on s'en sert, moins on tient en main le mot « ambivalence ». Arrive alors le moment où, comme une savonnette capricieuse, le concept finit par... nous échapper.

Débat du 20 juin : « À quoi reconnaît-on l'ombre d'un doute? »
Souvent, les jurés d'un procès n'ont pas l'ombre d'un doute : l'accusé est déclaré coupable... Combien de fois cette sentence est-elle déjà tombée? Combien de fois tombe-t-elle par jour? Pour ne prendre que les nations démocratiques, où l'accusé a toutes les chances de pouvoir défendre sa cause, quoi de plus normal que de condamner celui que les preuves accablent? Qu'il soit convaincu d'une simple malversation ou d'un crime, la sentence tombe lorsque les preuves du délit sont là.
Le doute surgit (hélas, pour les jurés), tout aussi souvent. Tout accusé n'est pas coupable : les apparences peuvent lui avoir joué un mauvais tour; dans ce cas, un avocat ordinaire aura tôt fait de dénouer l'affaire. Mais, même réellement coupable, un accusé peut être innocenté au bénéfice du doute, pour peu que l'affaire soit complexe, les preuves scabreuses, et l'avocat excellent. Le doute joue en faveur de l'accusé. Dans le doute, les jurés doivent déclarer le coupable innocent.
La question, sous son voile de poésie furtive, pose donc un problème de justice. Pour autant, n'est-ce qu'une question pour juristes? Il est permis d'en douter. Il a suffi de trois à quatre siècles pour que la fable d'Adam et Ève constitue aux yeux des Romains la preuve la plus convaincante de la culpabilité de l'homme. Le christianisme fit tant de progrès que sa doctrine du péché s'imposa et que la cause fut entendue : la nature humaine fut considérée comme mauvaise, la « chair » comme source de tous les péchés, et les malheurs qui s'abattaient sur les peuples de l'Occident passèrent pour une expiation. Il fallut attendre la Renaissance pour que le dossier soit rouvert : un doute surgit alors sur la faute et l'on reprit sérieusement l'enquête. Tant de philosophes des Lumières ont dès lors plaidé en faveur de l'homme que bientôt son innocence fut criante : « L'humanité est non coupable! » avons-nous donc clamé à notre tour. Mais une ombre si scabreuse envahit notre planète qu'il nous reste aujourd'hui encore à faire la preuve de notre « impeccabilité »...

V

Le Cabinet

Quel avenir a ce débat? S'agit-il d'un phénomène fugace, aussi limité dans l'espace que dans le temps? Cent, cent vingt ou cent cinquante personnes, c'est beaucoup dans un café. C'est bien peu dans l'absolu, comparé aux messes de Notre-Dame ou aux concerts de Bercy. D'ailleurs, n'importe quel service religieux et le moindre concert de banlieue attirent incomparablement plus de monde que la philosophie au café des Phares.

Aussi, certains journalistes, intrigués par le phénomène, n'hésitèrent pas à le classer dans la rubrique des nouveautés amusantes, sans retenir leur ironie à l'égard de ceux qui éprouvaient le besoin d'y venir. « *Marc Sautet a lancé une nouvelle mode : celle de la gymnastique du cervelet* », lisait-on ici [*]. « *Après le sport sur le trottoir, l'amour dans le boudoir, voici venu le temps de la philosophie de comptoir* », précisait l'article consacré au « Socrate de la moleskine ». « *Que penser de ces discrètes réunions?* » lisait-on là, sous la rubrique « mode [**] » d'un hebdomadaire. « *Témoignent-elles d'une revanche des lettres, sorte d'antidote raisonné à la consommation des Audimat* [sic]? *Ou sont-elles des coteries à la mode pour privilégiés égarés? Ou plus tristement, une thérapie de groupe sur canapé et sans douleur?* » Évoquant quelques initiatives analogues à « *cette causerie philosophique hebdomadaire* », comme celle de la taverne de la Victoire à Strasbourg, la journaliste semblait hésiter : « *Un peu de tout ça, certainement.* » Puis, en fin de parcours, elle tranchait, comme à la dérobée : « *L'avènement de la*

---

[*] *Le Journal du Dimanche* du 2 mai 1993, Michèle Stouvenot.
[**] *Le Point* du 8 janvier 1994 sous le titre : « Les nouveaux salons où l'on cause », Émilie Lanez.

culture en self-service. Sans autre mode d'emploi que celui dicté par ses propres questions sur l'existence. Douillet. »

Comme si réfléchir en commun aux destinées de notre civilisation était un crime contre la culture! Comme si la culture n'était pas déjà un self-service! Comme si la causerie innovait sur ce point! Qu'est-ce qu'aller au théâtre, au cinéma ou au musée, si ce n'est opérer un choix dans l'offre innombrable de fragments de réponses produits pour donner du sens à la destinée humaine? Même lorsque la foule se presse à Notre-Dame, elle ne sort pas du libre-service, du moins depuis la victoire des Lumières sur l'obscurantisme médiéval. Et quand des milliers de fans s'enflamment à Bercy, au passage de leur dieu vivant, s'ils croient s'évader hors du vieux monde, c'est justement qu'ils sont dans le *self.* Toute messe ordinaire de province, tout concert modeste, toute séance de thérapie de groupe, et même toute émission de télévision fait partie du self-service de la culture : que je me fonde dans un troupeau des croyants, dans un cortège de bacchantes, dans un petit groupe d'initiés ou que j'absorbe à domicile ma petite pilule, que j'aille au café des Phares ou que je me contente de lire un magazine, je fais usage à mon service de la culture qui m'est offerte. À moins que ce ne soit « faire comme les autres », aller voir ce dont les gens avertis causent et subir assurément la mode; mais, dans ce cas, en quoi les « causeries » nouvelles constitueraient-elles un « avènement », puisque toute forme de culture connaît ce travers? Au vrai : le simple fait d'acheter un livre, d'acheter le livre de son choix, tombe sous le coup de cette critique pernicieuse; quand j'achète je me sers moi-même, en fonction de mes besoins du moment. Ou bien dois-je attendre du vendeur qu'il m'indique ce que je dois acheter? Quelle nostalgie d'épicière a trouvé les mots pour dénigrer la sortie de la philosophie hors des boutiques où elle était vendue jusqu'ici?

Dans la démarche des intervenants du café, il y a, généralement, l'envie d'exposer un point de vue et de savoir ce qu'il vaut. Ma présence est une occasion de soumettre leur opinion au feu d'une critique disposant à son gré des ressources de tradition philosophique. On me crédite d'une aptitude à tester les convictions, et je fais de mon mieux pour remplir ma tâche. Ce débat constitue donc une opération à travers laquelle la philosophie retrouve sa fonction initiale : en deçà de l'enseignement ex cathedra, elle contribue à la mise au jour des contradictions véhiculées dans l'opinion publique. Les journalistes auraient par conséquent plus à gagner en se mettant eux-mêmes à intervenir dans la discussion qu'en cherchant à la dénigrer.

D'autant que cette opération de mise au jour comporte un véritable suspense. Ce qui est en jeu est simple, précis, mais capital : il s'agit de savoir s'il faut encore, ou s'il ne faut plus, faire confiance à la raison. S'il faut encore, ou s'il ne faut plus, miser sur la démocratie. Dans la démarche des personnes qui viennent réfléchir ensemble au café, il y a, j'en suis convaincu, cette interrogation. Le doute plane sur notre aptitude à parvenir à la prospérité promise, et la tentation d'abdiquer est forte. Comment parler ici de mode ? Moi aussi je m'interroge. Moi aussi je suis en demande. J'ai besoin moi aussi de savoir. Il me faut, moi aussi, en avoir le cœur net. Et la « causerie philosophique hebdomadaire » me permet d'y voir plus clair. À l'évidence, la résignation ne l'a pas encore emporté. Et, à l'occasion, lorsqu'elle prend des voies détournées, il me semble encore possible de la tenir en respect.

Ainsi, au sujet de la *dérision* et de l'apologie dont elle fut presque unanimement l'objet. À mon grand étonnement, la plupart des gens présents ce jour-là voyaient dans la dérision un excellent moyen, si ce n'est le seul, pour sortir de la morosité de l'époque. Dans le sillage du « Bébête Show » et des « Guignols de l'info », sans doute. Il est vrai que lorsqu'on nous vexe ou qu'on nous fait du mal nous aimerions rester toujours de marbre, faire comme si de rien n'était, et traiter l'impudent par le mépris. Tout au plus lâcher quelque bon mot, bien senti, pour le foudroyer de notre ironie, tel ce stoïcien de l'Antiquité : tandis qu'on lui tord le bras, il prévient son tortionnaire que son bras va casser – ce qui se produit ; alors, il ajoute simplement : « *Tu vois, je te l'avais bien dit* * ! » À n'en pas douter, le bourreau sort perdant et la victime moralement vainqueur d'un tel affrontement : en rendant dérisoire l'usage de la violence qu'on lui fait subir, en la tournant en dérision, le stoïcien nous donne confiance dans la supériorité de l'homme sur la brute. La dérision, avec son cortège de sarcasmes et son flot d'humour, pourrait donc, si nous en devenions les adeptes, ouvrir la voie à la suprématie de l'intelligence sur la bêtise.

Malgré une tendresse ancienne pour le stoïcisme, je me permis d'émettre quelques réserves. Je ne doutais pas un instant que nous fussions tous prêts à nous laisser briser menu pour donner une leçon d'humanité supérieure aux brutes épaisses qui nous entourent, mais je voulais revenir sur les conditions de cet affrontement. Qui fait usage de la dérision se trouve en position de fai-

---

* Anecdote rapportée par la tradition à propos d'Épictète.

blesse : le rapport des forces ne lui est pas – provisoirement ou à long terme – favorable. Le philosophe évoqué plus haut était un esclave : son maître avait sur lui pouvoir de vie et de mort. Plus près de nous, le seigneur de la dérision, Voltaire, était sujet du roi de France et devait subir l'omnipotence de l' « infâme » Église catholique ; Victor Hugo dut attendre presque vingt ans la chute du second Empire. La dérision est donc, qu'on le veuille ou non, l'arme du faible. Non qu'elle n'implique aucun courage, mais c'est une forme de lutte qu'adopte celui qui subit la loi d'un autre.

Pour que je crie inconditionnellement : « Vive la dérision ! », il faut donc qu'on me montre que cette arme est susceptible de renverser le rapport de forces. Car, de la faiblesse à la capitulation, il n'y a qu'un pas. Or la dérision me semble généralement utilisée par celui qui n'espère pas renverser avant longtemps le rapport des forces en sa faveur, ou en faveur de la « justice », ou du « bonheur commun », par celui qui est réduit dans les faits à l'impuissance et ne dispose, pour manifester sa conviction d'être supérieur, que de la morsure des mots. Il peut ainsi se consoler, mais les choses resteront en l'état : son bras une fois cassé, notre philosophe grec est resté esclave comme par-devant. Il y était résigné d'avance, comme Voltaire à la perpétuation de l'Ancien Régime, et Hugo au règne de Napoléon « le Petit ».

Admettons que la bêtise, voire la brutalité règnent aujourd'hui en maîtresses. Se servir de la dérision comme de l'arme par excellence serait donc admettre leur suprématie. Bien entendu, on préserverait, ce faisant, l'héritage de l'intelligence et de l'humanité, afin de les transmettre aux générations futures. Mais dans l'immédiat on se contenterait de les fustiger verbalement. En un mot : on capitulerait. Or, je ne suis pas sûr qu'il faille en arriver là. Déjà, désigner tous les fléaux que nous inflige le système dominant comme hégémonie de la bêtise et de la brutalité me paraît être une résignation : une sorte de lassitude, de fatigue là où le travail d'analyse importe plus que jamais – une résignation que la dérision peut rendre sublime, mais qui demeure à mes yeux (jusqu'à nouvel ordre) prématurée.

On dira sans doute que la dérision mérite plus de considération, que trop rares sont ceux qui la pratiquent avec la virtuosité requise et qu'il faut les défendre inconditionnellement. Mais cela serait tout simplement contradictoire. Quoi, prendre la défense des virtuoses de la dérision ? Leur donner raison ? Impossible : ce serait prendre la dérision... au sérieux.

Face à un tel enjeu, « la philosophie de comptoir » peut donc avoir quelque vertu. En fait, nombre de journalistes l'ont perçu. Face aux sceptiques, beaucoup témoignèrent même d'un réel enthousiasme pour cette apparition et contribuèrent largement à la poursuite de l'aventure. Quelques passages sur les ondes, un article dans *Télérama*, une page entière dans le *Nouvel Obs...*, et la réputation des Phares était faite : on le comparait au café de Flore, puisqu'il renouait avec la tradition de la philosophie au café. La plupart des journaux, toutes tendances confondues, apportèrent leur touche au tableau. Ici, on se réjouissait : « *La philo quitte les sphères éthérées de l'Université et descend dans la rue* » – bonne nouvelle, il existe un lieu où « *des universitaires acceptent de se voir contredits par des interlocuteurs qui n'ont pas fait d'études de philosophie* »! Là, sous le titre : « Paris découvre les cures de Platon », on n'hésitait pas à annoncer : « *Voici donc l'apprentissage de la sagesse redescendu sur la place publique.* »

Il reste à savoir pourquoi cette approche ne fit pas l'unanimité. Alors que les journalistes sont les premiers à déplorer la « perte-de-repères-en-cette-fin-de-xxᵉ-siècle », d'où vient que certains ont éprouvé le besoin de ternir une tentative qui offre au citoyen de la rue le moyen de « se-poser-les-bonnes-questions », et à la philosophie une chance de retrouver sa vocation?

La réponse se trouve probablement moins dans la crainte d'une nouvelle forme de snobisme que dans celle d'une dérive mercantile. Certains, même dans les médias, ne veulent pas être dupes des apparences. Dupes d'une nouvelle mode, bien sûr, mais, plus encore, dupes d'une manipulation. Car, pour être tout à fait clair, on soupçonnait, derrière la façade désintéressée du débat, une « bonne affaire ». Ainsi, dans un encart entièrement consacré à ma personne, la journaliste du *Point** crut pouvoir lever le voile : elle rappelait d'abord que j'avais attendu en vain un poste à l'Université, qu'en 1989 « *le prestigieux Institut d'études politiques de Paris* » m'avait confié « *un cours de troisième cycle " sur les grands enjeux du débat politique "* », que, lors de cette « *rencontre avec les serviteurs du pouvoir* », là où je m'attendais à trouver « *des esprits bourrés de références mais peu habitués à écouter* », j'avais pu établir au contraire « *un fabuleux dialogue, grâce auquel j'ai découvert des esprits en plein désarroi à la recherche d'un sens* »; puis elle ajoutait sans ambages : « *Et comme le professeur de philosophie a aussi le sens des affaires, quelques copains dans la publicité et un ami dans le marketing, il se dit que, si même*

---

* *Le Point, op. cit.*

à Sciences-po on se pose des questions, il y a peut-être un cré-neau. » Séquence mise en garde – le café des Phares masque en réalité une entreprise résolument commerciale! Il existe en effet une arrière-boutique, *le Cabinet de philosophie*, où les clients se pressent pour me consulter, et, surtout, pour remplir mon compte en banque, « *tant* [mon] *carnet croule sous les rendez-vous* ».

De ce point de vue, les médias, qui se contentaient d'apprécier la nouveauté que constitue le débat du café, et les personnes qui y prenaient part ne pouvaient être considérés que comme des naïfs se laissant abuser. Ils ne voyaient pas que toute cette opération n'avait pour vocation que de constituer une clientèle pour le Cabinet. La preuve, c'est que je faisais payer 300 francs mes consultations en privé : une affaire en or, sur un créneau tout neuf! Du reste, l'arnaque avait déjà été flairée. Bien avant que la plupart des périodiques ne tombent dans le panneau, *L'Autre Journal* [*], à qui on ne la fait pas, avait éventé le coup, dès les premiers articles, en octobre 1992, et dénonçait « *les marchands de philosophie* » : après avoir rappelé mon « *amertume de ne pas avoir encore été nommé à l'Université* », l'article présentait la consultation comme « *un instrument neuf susceptible de prendre en compte la plupart de vos interrogations*; [il] *promet au Cabinet un avenir assuré* », mais il ne laissait pas longtemps le lecteur dans l'ignorance du registre dans lequel s'inscrit cette nouvelle forme de dialogue : « *à quand le Gault et Millau des discussions passionnantes, le meilleur débat qualité-prix* », feignait de s'interroger notre pigiste. Car il avait compris, lui, que le Cabinet faisait de l'or avec des mots. Les alchimistes tentaient de transformer le plomb en or. Du moins avaient-ils besoin d'un métal primaire, d'une matière première pour y parvenir. Le Cabinet faisait mieux : il faisait de l'or avec du vide.

Hallucinant! surenchérit peu après l'animateur – à l'époque – du « Cercle de Minuit » [**]. Micro en main, il me présenta en se déclarant d'abord intrigué, ce qui ne m'étonnait pas outre mesure, puis, après avoir joué avec l'idée que le fait d'ouvrir un cabinet de philosophie en ville pouvait « *renouveler la pratique de la philosophie, la sortir peut-être de son marasme universitaire* », il demanda *très franchement* (sic) : « *... Est-ce que la philo n'est pas victime et peut-être l'une des dernières, de l'économie marchande dont elle avait été jusqu'à présent exempte?* » J'aurais pu croire à une simple entrée en matière, s'il m'avait laissé le temps de

---

[*] N° 28, octobre 1992, Bertrand Vaintrop.
[**] Émission dans la nuit du 13 au 14 octobre 1992, Michel Field.

répondre, d'exposer mon point de vue, de présenter mon activité, mais il n'eut de cesse d'en revenir à la question des tarifs, et d'y insister comme si c'était le scandale des scandales. Il tenta de gagner à sa cause André Comte-Sponville, puis Jean-Marie Straub, les invités vedettes de l'émission, pour finir par me comparer aux sophistes grecs, qui, comme chacun sait, faisaient un trafic honteux de leur soi-disant sagesse, amassant des fortunes colossales au lieu de pratiquer, comme Socrate, l'art de la philosophie en tant que recherche de la vérité... Le coup de grâce!

Une chose, au moins, était vraie dans tout cela. Eh bien, oui, j'avais ouvert un Cabinet de philosophie en ville. J'avais commencé à donner des consultations, je préparais un séminaire sur le thème de l'authenticité, et me trouvais sur le point de lancer un voyage sur les traces de Socrate à Athènes. Cette initiative bénéficiait du soutien enthousiaste d'un certain nombre de supporters, dont un petit groupe d'inconditionnels, avec lequel je faisais le point chaque semaine. Et c'est de la médiatisation de cette initiative qu'était né le débat au café... En effet, dès le début, s'étaient associés à l'ouverture du Cabinet quelques compagnons, qui devaient servir d'interface avec le monde extérieur : un photographe, Éric, très « parisien » (habitué des cocktails et des vernissages); un avocat, Bertrand, « accro » de la philo (il préparait un essai virulent contre la veulerie des « masses », dans le sillage du *Dernier homme* de Nietzsche); Pascal, qui travaillait comme consultant dans une entreprise de conseil en informatique (lui aussi préparait un essai, mais de manière beaucoup plus posée, sur le concept de « développement »), et qui joua bien vite le rôle central dans l'organisation des prestations extérieures. Avec eux, nombre de leurs connaissances se mirent à graviter autour du Cabinet : Florence, qui écrivait pour des revues d'art et préparait une thèse en esthétique à la Sorbonne, Kris, designer graphique, à qui je dois le logo du Cabinet, et toute une génération de jeunes philosophes en herbe : Alix, qui, dans sa maîtrise, venait de découvrir à Hegel un ancêtre jusque-là négligé en la personne de Charles de Bovelles, et qui avait commencé à enseigner; Fleur, encore plus jeune, plus hésitante aussi, mais prometteuse; une autre Florence, plus dilettante encore, mais plus tournée vers l'édition, et qui se chargea des premiers contacts avec la presse; Caroline, qui nous venait tout droit de Nice, après avoir achevé un D.E.A. sur *L'Homme sans qualités*, de Musil, et prit le rôle d'assistante. Un peu plus tard, Anne s'associa au groupe : elle enseignait depuis un bon nombre d'années, et son expérience aussi bien que son dynamisme lui permirent de me relayer de temps à autre au café. Et tant d'autres... avec lesquels j'espérais pouvoir poser les bases d'un nouveau métier : philosophe en ville.

C'était donc vrai! Derrière le décor du café, il y avait autre chose, puisque j'exerçais aussi dans un vieil immeuble du Marais où je recevais – et j'y reçois toujours, plus que jamais, d'ailleurs – des clients en consultation. Il reste à savoir si c'est un scandale, si c'est « hallucinant », si cela fait de moi la honte de ma corporation, si le débat du café des Phares n'est qu'une astuce de marketing, si rien ne se passe en consultation qui justifie ce tarif horaire, ou si, bien au contraire, il ne serait pas temps de multiplier les lieux de ce type, pour redonner vraiment à la philosophie la vocation qui est la sienne.

Prenons encore un instant la mesure des attaques dont cette initiative fut l'objet. « *Nous entrons dans " l'ère du doute " et ce doute devient, par l'entremise du Cabinet, un objet commercial, performant* », affirmait le subtil limier de *L'Autre Journal*, sûr de sa proie. Et de dénoncer l'habileté rhétorique de mon intervention sous le doux nom de « Fast philosophie », par analogie, sans doute, avec le fast-food qui plaît tant aux enfants mais a si peu de consistance et si peu de principes nutritifs – sans parler de la vitesse avec laquelle on l'ingurgite – « *car, à haut rendement, la consultation ressemble à un jeu où l'on gagnerait toujours* ». En effet, étant donné que je réponds à la demande au lieu d'imposer, comme dans tout autre lieu où se dispense un enseignement de philosophie, ce dont il va être question, celui-à-qui-on-ne-la-fait-pas croit devoir mettre en garde ses lecteurs contre la vacuité des prestations en Cabinet. Puisque « *le consultant* [à savoir le prestataire] *épouse la cause du client* » il va de soi que « *dès le départ on entre dans une réflexion sur mesure* », dont on ne sortira pas de sitôt, car le philosophe de Cabinet « *vend son savoir-douter* » et s'enorgueillit de « *ne pas avoir de message* ». Un sophiste, donc, et rien de plus...

Cette critique m'étonna beaucoup, car en cours d'enquête, le journaliste avait manifesté un réel enthousiasme, dont il ne resta guère de trace écrite. Il était venu plusieurs fois au Cabinet, avait pris à chaque fois son temps pour me poser toutes les questions qui lui importaient, avait rencontré et interrogé certains de mes clients, avait fait connaissance et sympathisé avec la plupart des membres du groupe, avait assisté souvent au débat du café des Phares... Certes, il était demeuré sur la réserve, en particulier sur le rôle que pouvait jouer l'argent dans mon entreprise, mais il ne s'agissait là, apparemment, que d'un bémol, tant il semblait lui importer qu'un souffle nouveau se manifestât enfin du côté de la philosophie. Je l'avoue, lorsque son papier parut, j'eus du mal à croire qu'un journaliste si consciencieux ait pu écrire ces lignes... Passe encore pour ce plumitif du *Quotidien du médecin** qui, sans se déplacer, sans même me téléphoner, s'autorisa à qualifier le Cabinet de « boudoir » où l'on pouvait entendre « *un langage éro-tico-mystique plus près* (sic) *de Pierre Dac que de Zarathoustra* », pour finir par se déclarer « *admiratif et atterré devant un projet aussi malin, où la philosophie est réduite à son sens le plus bête : vague sagesse-réponse à tous les grands problèmes* ». Mais comment peut-on, même si l'on ne parvient pas sur place à être entiè-rement acquis à la cause de la philosophie en ville, ne fût-ce que parce que l'expérience n'en est qu'à ses débuts, renier grossière-ment ce qu'on déclare en cours d'enquête, et faire couler un tel venin ?

Je n'ai qu'un fragment d'explication. En l'occurrence, je sais que l'article de *L'Autre Journal* a été réécrit – on dit *rewrité*. L'intention du pigiste était d'insérer l'apparition du Cabinet dans la crise de la pensée moderne et de tenter de mesurer ses chances de contribuer à la dénouer. Peut-être n'avait-il pas les moyens de son ambition, peut-être ne trouva-t-il pas les mots pour ce faire. Ce qui est sûr, c'est que son rédacteur en chef trouva son « accroche » dans le moment de scepticisme de son enquêteur, dans les quelques réserves émises sur le paiement du service que je rendais, et fit de ses réticences le centre de gravité du papier. D'où ce titre, très vendeur, sur « Les marchands d'éthique », qui laisse peu de chances à la perspective initiale et tue dans l'œuf – pardon, dans l' « œuffset » – la joie du lecteur : eh bien, non, cher lecteur ! l'apparition de la philosophie en ville n'est pas une bonne nouvelle : c'est nouveau, mais ce n'est pas beau ; cela vient de sor-tir, mais cela ne nous sort pas du cercle vicieux du marché... « *Sautet ? "Le nouveau Tapie de la philosophie***" » ! Dépossédé de son texte, le rédacteur initial n'en put mais. Tout au plus put-il me faire savoir que le papier paru sous sa signature n'était pas le sien.

Étrange morale de ces donneurs de leçon ! L'un s'élève contre la victoire du marché sur la pensée, tout en *rewritant* sans vergogne,

---

* 21 octobre 1992, André Masse-Stanberger, « La philosophie a aussi son Cabinet ».

** Ce slogan fut retiré in extremis du texte publié, me précisera le journaliste au téléphone.

parce qu'il n'attire pas assez le chaland, l'article qu'on soumet à son imprimatur; l'autre, qui craint une sorte de prostitution de la philosophie, accepte de prostituer sa signature – pour toucher son cachet.

Passons au fond de l'affaire! Car dévoiler l'étonnant mode de production de ces analyses à l'emporte-pièce ne suffit pas à redonner tout son sens à l'entreprise qu'elles tentent de discréditer. Or donc l'ouverture d'un Cabinet de philosophie en ville est-elle une « prostitution » de la philosophie? Est-ce l'exploitation éhontée d'un bon filon, en période de désarroi collectif? Est-il inadmissible, voire scandaleux, pour un philosophe de faire payer des consultations? Oui ou non la gratuité du débat du café des Phares est-elle autre chose qu'une astuce pour se faire de la clientèle?

André Comte-Sponville, au « Cercle de Minuit », avait, me semble-t-il, correctement posé le problème [*]. Il estimait en substance que se faire payer pour donner des leçons en classe ou se

---

[*] Pour ma part, je tombais des nues d'être ainsi mis en cause et attaqué sans avoir été mis en garde. D'où cet échange de propos tendus :

« Marc Sautet : *Où est le problème?*

Michel Field : *Le problème d'une consultation philosophique à 300 francs! André Comte-Sponville, vous êtes philosophe, on le sait bien : on va parler tout à l'heure du dernier livre que vous sortez,* L'Amour, la solitude, *qui est un livre d'entretiens. Philosophe moral, comment vous réagissez à cette affaire – au sens philosophique du terme?*

André Comte-Sponville : *D'abord sur la question de l'argent, " contre espèces sonnantes et trébuchantes... ". J'ai lu dans le dossier que c'était 300 francs la séance : c'est le prix moyen d'un psychanalyste et ça ne choque personne. Moi, ça ne me choque pas qu'un philosophe donne des leçons particulières – car ça ressemble un peu à ça – en se faisant payer. Que je sache, les philosophes dans le public – dont moi-même –, nous ne travaillons pas bénévolement. Donc ce n'est pas la question de l'argent qui paraît singulière dans cette histoire-là. Ce qui me surprend davantage, c'est que ça ressemble à une leçon particulière, mais on a le sentiment que ce n'est pas vraiment du travail. C'est-à-dire que mon soupçon – mais je n'ai pas eu de consultation chez vous, mais j'ai lu le dossier –, c'est un petit peu faire faire de la philosophie aux gens en court-circuitant la dimension du travail philosophique. Vous évoquiez le quatuor Amadeus qui vous a écouté jouer et qui vous a donné des conseils. Mais supposez que ce soit quelqu'un qui n'ait jamais fait de violon et que vous lui disiez : " Prenez un violon et venez avec nous, on joue à quatre, on peut jouer à cinq... "*

Michel Field : *Et c'est 300 francs – je suis peut-être obsédé par le fric mais...*

André Comte-Sponville : *Il y a un problème. Il faut un minimum de travail. J'entends bien qu'en philosophie le travail n'est pas du même ordre. Malgré tout, cette espèce de façon de replier la philosophie sur la pure discussion spontanée, me semble-t-il, si j'ai bien compris, cette discussion comme ça à la bonne franquette, j'avoue que ça me gêne davantage que la question de l'argent en l'occurrence. »*

faire payer pour donner des leçons en privé, cela ne changeait rien à l'affaire ; le problème, c'est ce qu'on offre en échange... Il s'interrogeait sur le produit : valait-il le prix demandé ? Contenait-il assez de travail pour être vendu à ce prix ? Pour sa part, il craignait que cela ne fût pas le cas, étant donné que la consultation se présentait moins à ses yeux comme une leçon, préparée avec soin par le maître, que comme une « discussion à la bonne franquette », qui n'exigeait évidemment aucun labeur préalable et faisait de la fumée sans feu. Or, selon lui, l'exercice de la philosophie passait par un travail sur les textes, qui exigeait beaucoup du maître et beaucoup de l'élève : beaucoup d'application, de patience, de ténacité, d'acuité intellectuelle, de détours par des références qui déferlent si souvent en cascade...

Je rends grâce à André Comte-Sponville de ne pas avoir cherché à jouer le puritain. Admettre qu'être payé par l'État en tant qu'enseignant n'est pas un gage de pureté morale, c'est déjà faire preuve de lucidité ; car de deux choses l'une : lorsqu'on se retrouve face à une classe, il faut soit cautionner l'ordre des choses – à savoir l'ordre établi entre les générations, entre les sexes, entre les classes, entre les nations, entre les « partenaires » des échanges commerciaux à l'échelle planétaire, entre l'homme et la nature, entre l'espèce humaine et les autres espèces –, soit le remettre en question. S'il ne remet rien en question, je vois mal en quoi le professeur de philosophie mérite ce nom. Et, s'il le fait, sa rectitude morale est sujette à caution puisqu'il respecte assez cet ordre établi pour en tirer son salaire. D'autre part, nombre d'enseignants vendent leurs services non dans des établissements publics mais dans des établissements privés – quand ils ne jouent pas sur les deux tableaux. S'il enseigne dans un établissement privé, le prof de philo se trouve dans une situation plus problématique encore : la plupart de ces établissements étant – en France, du moins – de confession catholique, mais sous contrat avec l'État, une nouvelle alternative se déploie alors : ou bien ils sont croyants, et ils devraient éprouver une certaine répugnance à recevoir le prix de leur prestation de l'État laïc, héritier de la Révolution qui abolit la tutelle de l'Église sur les âmes des enfants de Dieu ; ou bien ils sont incrédules, et il leur faut grandement ménager la susceptibilité de leur employeur, quand ce n'est pas enseigner des choses auxquelles ils ne croient pas. Dans tous les cas de figure, je vois mal en quoi les prestations des professeurs de philosophie seraient plus « morales » que mes consultations privées.

Passons à l'Université! Certes, le sort des universitaires paraît plus enviable. Sans même parler des conditions de travail en tant que telles (nombre d'heures de service, montant du traitement, « population » à former, etc.), il semble que le professeur d'université se trouve dans une situation moins délicate sur le plan éthique, puisque sa liberté d'action est nettement plus grande que celle du professeur de lycée : les programmes sont moins contraignants, il peut déployer son enseignement autour d'un axe de recherche personnelle, n'a de comptes à rendre à personne sur ce qu'il dit... Mais, en réalité, sa relation avec l'État, son employeur, ne change pas : il continue de vendre ses services. Qu'il le veuille ou non, il vend son enseignement, et, à moins de refuser de le qualifier de philosophique, il doit bien admettre qu'il vend de la philosophie et, par conséquent, qu'il fait de la philosophie une marchandise*.

Ce n'est pas pour autant de la prostitution, dira-t-on sans doute : le professeur ne répond pas à la demande; il enseigne à des étudiants contraints de suivre une discipline et ne subordonne pas l'activité de sa pensée au désir d'un *client*. Soit, admettons-le – pour l'instant; admettons qu'il ne réponde à une demande ni explicite ni *implicite*. Encore faudrait-il savoir par quelle voie il a obtenu son poste. Qu'on interroge donc ceux qui ont réussi à se faire coopter dans le corps des professeurs d'université! Qu'on interroge, avant tout, ceux qui ne sont pas encore cooptés, ceux qui occupent encore le rang subalterne de maître de conférences et, surtout, ceux qui convoitent un poste, ceux qui n'en peuvent plus d'attendre une promotion, après des années de bons et loyaux services dans le secondaire, ou ceux qui, tout frais émoulus de la dernière promotion de l'École normale supérieure, sont hantés par la perspective de devoir y faire leurs classes! Qu'on les interroge tous, et l'on verra quel traitement ils doivent infliger à leur éthique pour franchir l'obstacle. Que de visites faut-il faire pour préparer une candidature! De quelle courtoisie il faut faire preuve! Que de diplomatie il faut déployer! Quels compromis il faut passer pour entrer dans les plans de ceux qui disposent d'un pouvoir! À n'en pas douter, la fin, ici, justifie les moyens.

Entendons-nous! Cela ne signifie absolument pas que les heureux élus soient les plus médiocres. Le nombre de postes à pou-

---

* Sans parler des annexes, colloques et autres conférences dont la rémunération emprunte parfois des circuits si étonnants que certains préfèrent prendre un pseudonyme pour la toucher!

voir chaque année est si dérisoire au regard du nombre de candidats de valeur que, sauf exception rarissime, ceux qui sont choisis font partie des meilleurs. La question n'est pas là. Mais qu'on ne prétende pas qu'il est moralement plus propre d'enseigner à l'Université que de donner des consultations.

Il reste à savoir, bien entendu, ce que *valent* ces consultations; ce qui est le cœur du sujet.

VI

En consultation

Nous voici aux portes d'une expérience inédite : la consultation philosophique. Notons tout d'abord que, bien que nouvelle en France, elle n'est pas tout à fait nouvelle en soi. De fait, le premier « cabinet de philosophie » a été ouvert en Allemagne en 1981, et il en existe aujourd'hui, semble-t-il, une centaine dans le monde *.

Le premier philosophe à avoir proposé ses services en ville s'appelle Gerd Achenbach. Il venait de soutenir une thèse sur « Le plaisir et la nécessité ». Docteur en philosophie, mais convaincu qu'il avait mieux à faire qu'à perpétuer la tradition de la philosophie universitaire et de ses sempiternels « séminaires » pour connaisseurs, il installa sa *praxis* (c'est le terme allemand) près de Cologne, à Bergisch-Gladbach. Étonné de voir les philosophes de métier passer systématiquement à côté de ce qui concerne la plupart des êtres humains, il fit le pari de redonner à l'exercice de la philosophie un impact au moins égal à celui des sciences humaines, en particulier de la psychologie. En reprenant à son compte la figure d'Œdipe en tant que celui-qui-veut-parvenir-à-la-vérité-à-tout-prix, il proposa une méthode d'entretiens privés au cours desquels la philosophie retrouvait droit de cité. Condition *sine qua non* : ne pas charger le discours de concepts inaccessibles au commun des mortels et ne pas mépriser

---

* La plupart se trouvent en Allemagne, en Autriche et aux Pays-Bas, mais il y en a quelques-uns en Italie, en Espagne, en Scandinavie, aux États-Unis, au Canada, un en Israël, un en Afrique du Sud... Un recensement précis est en cours. En France même, si j'ai été le premier à tenter l'aventure à Paris, deux autres cabinets au moins ont été ouverts depuis : l'un à Nice, à l'initiative d'Alice Heyligers, l'autre à Strasbourg, par Eugénie Végleris.

le bon sens; laisser surgir l'expérience personnelle, en favoriser même l'évocation, et encourager le « client » à s'aventurer vers des terres inconnues en utilisant au mieux le langage qui lui est familier. Autant dire que, dans cet entretien, le philosophe écoute plus qu'il ne parle et n'introduit des références que pour faire progresser son interlocuteur à son propre rythme.

Profonde sagesse! En consultation, ce qui importe, ce n'est pas ce que *sait* celui qui est consulté, mais ce que son client *peut dire*. À quoi bon, en effet, transmettre des connaissances, si elles ne « parlent » pas? À quoi bon parler si c'est pour ne pas être entendu? Ce que les mauvaises langues appellent « prostitution », c'est d'abord cette disponibilité, cette réceptivité du philosophe. Cela n'implique aucunement l'abandon de toute rigueur et de toute référence au profit du plaisir du client. Cela signifie seulement que la transmission de la tradition philosophique n'est pas un préalable, un passage obligé pour « poser correctement les problèmes ». Pour ce faire, il faut avant tout l'exprimer soi-même, même mal, même maladroitement, même en employant des termes à contresens et même en donnant trop de place au vécu. Et si ce problème est posé sans balbutier, avec précision et adresse, mais sans emprunts à la sphère des concepts usités dans les « séminaires » en vogue, pourquoi s'en plaindre?

Prenons un exemple! Celui de mon tout premier client. Nous l'appellerons Phil. C'était un homme qui approchait la cinquantaine. Cadre dans une petite entreprise, il avait tout pour être heureux : un « bon job », une femme adorable, qui, pour indépendante d'esprit qu'elle fût, n'en tenait pas moins immensément à lui, deux beaux enfants... Que vouloir de plus? Or il s'ennuyait. Mortellement. Plus précisément : à en mourir. Et tel était le but de sa visite : il venait me demander si je voyais une objection à sa disparition. Il s'excusait fréquemment de ne pas disposer des termes adéquats à ma discipline. Mais qu'aurait-il pu dire de plus précis? Et sa question, pour être formulée en termes ordinaires, en était-elle moins philosophique? Qui aura le front de le prétendre? Ah! il y avait du vécu, assurément. Mais en quoi cela compromettait-il la teneur de son interrogation?

Un malade! dira-t-on peut-être. Il est vrai qu'on peut se trouver tenté de voir dans son insatisfaction quelque chose de pathologique. D'autant qu'il comparait la vie à une salle d'attente... – salle d'attente de la mort – et qu'il venait me demander justement si je pouvais lui dire au nom de quoi le retenir de pousser la porte. Néanmoins, il ne faut pas se hâter d'établir un tel diagnostic. Car, dans ce cas, on doit considérer « malades » des gens comme Pascal, qui avait la même conception de l'existence, ou Schopenhauer, le redoutable pessimiste du XIXe siècle... Le cas de Pascal se discute, puisqu'il était réellement malade et mourut, semble-t-il, dans d'atroces souffrances, après une si longue attente qu'on peut comprendre pourquoi ses *Pensées* étaient si hostiles à la vie. Mais Schopenhauer? Il était plein de vigueur, débordait d'énergie, ce qui ne l'empêcha pas, dès l'âge de vingt ans, de déclarer la guerre à la volonté de vivre qui l'habitait, dans une œuvre étonnante, *Le Monde comme volonté et comme représentation*, qu'il ne cessa de compléter quarante ans durant, avant de mourir pour de bon. Était-ce un malade? Faut-il mettre sur le compte de cette maladie les quatre livres qui constituent le cœur de l'ouvrage, à commencer par ses remarquables développements de la pensée de Kant sur le temps, l'espace et le principe de causalité, puis toutes ses analyses sur le corps, le désir, la volonté? Que faire des deux livres suivants, de la critique exhaustive de la philosophie de Kant et de la pléthore de suppléments qui doublent le volume de l'ouvrage en affinant le contenu de chaque chapitre? Sans parler de ses autres essais, sur le fondement de la morale ou la volonté dans la nature?

Si l'on appelle malades ceux qui n'apprécient pas le *fait* de vivre, qu'on y prenne garde : il faut alors ranger dans cette catégorie non seulement bon nombre de romantiques, mais aussi tous les philosophes de l'absurde qui, à l'instar de l'Ecclésiaste, mettent en évidence la vanité de l'existence. Et puis, ne l'oublions pas, Socrate lui-même. Car Socrate était le premier à affirmer que l'existence était une erreur! S'il faut en croire Platon, au moment où il but la ciguë, Socrate invita ses camarades à le suivre dès que possible! Cela se trouve en toutes lettres dans le *Phédon*. Un compagnon, Cébès, lui apporte le message d'un autre ami, Evenos; après avoir demandé à Cébès de transmettre à Evenos une réponse précise, Socrate ajoute comme si de rien n'était : « *...et tu lui conseilleras, s'il est sage, de me suivre aussi vite que possible.* » Si bien que Cébès, interloqué, lui rétorque : « *Comment peux-tu dire, Socrate (...), que le philosophe consentirait à suivre celui qui meurt* [*]? » D'où la suite du dialogue, au cours duquel Socrate tente de convaincre ses camarades de la justesse de son mot, en avançant une double démonstration : celle des limites que le corps inflige au plaisir d'accéder à la vérité et celle de l'immortalité de l'âme...

---

* Platon, *Phédon* (61 b), trad. Bernard Piettre. Paris, Le livre de Poche, « Classiques de la philosophie », 1992, p. 196.

Certes, le psychologue, voire le psychiatre peuvent trouver leur compte à l'idée que quelques-uns parmi les plus grands des philosophes étaient des malades... Mais qui, parmi les philosophes de métier, acceptera de payer ce prix? Déclarer Phil « malade », c'est déclarer comme tels Pascal, Schopenhauer, Camus, Cioran... Pis, c'est déclarer malade la philosophie tout entière, puisqu'elle commence, d'après la tradition universitaire la plus notoire, avec Socrate. Et si elle débute bien avec lui, c'est par une invitation à mourir. « *Celui qui est sage n'a rien de mieux à faire qu'à me suivre* », lance-t-il au moment de mourir. Comment les philosophes de métier pourraient-ils considérer que le malaise de Phil n'est qu'un symptôme pathologique? Phil n'a pas lu le *Phédon*; il n'emploie pas exactement les mêmes termes que le fondateur de la philosophie occidentale. Mais n'est-il pas au moins aussi philosophe? Son malaise n'est-il pas un mal être authentique, qui remet en question de manière très pertinente l'évidence qui nous autorise tous à considérer l'existence comme une bonne chose, et qui permet en particulier aux philosophes de métier de justifier leur salaire? Socrate considère le corps comme une prison et se réjouit d'y échapper enfin. Phil, lui, parle de la vie comme d'une « salle d'attente ». Quoi de plus philosophique que de se demander s'il ne convient pas de pousser la porte?

On m'accordera que, si les consultations philosophiques n'étaient dans le meilleur des cas qu'une discussion à la bonne franquette, et dans le pire une forme voilée de prostitution, l'affaire était plutôt mal engagée. Phil – mon premier client – venait me demander si je voyais une objection à sa disparition. En vérité, je n'en avais pas – du moins à brûle-pourpoint –, mais il n'était pas si simple de savoir si ça lui faisait vraiment plaisir. Le premier entretien permit d'établir que Phil avait déjà retourné la question dans tous les sens. Il avait des scrupules : il savait qu'en disparaissant il pénaliserait lourdement ses enfants et son épouse. Mais il ne voyait aucune « raison » d'un autre ordre susceptible de le retenir. Il avait fait assez d'expériences pour ne plus s'attacher aux biens de ce monde, il avait connu assez de plaisirs pour en être las et n'avait plus aucune envie de jouer la comédie de leur répétition; sans espoir aucun de les voir se renouveler, il sombrait dans l'ennui et s'estimait en droit d'en finir. Si quelque chose de nouveau pouvait lui arriver dans la vie, n'était-ce pas de savoir ce qu'il y avait après – ce qu'il désignait par « derrière la porte »? Sans avoir aucunement l'envie d'abonder dans son sens, j'aurais eu mauvaise grâce à le contredire – du moins dès l'abord –, étant donné qu'il manifestait devant moi la curiosité dont Socrate avait fait preuve en son temps pour l'au-delà. Au moment de mourir, Socrate, notre maître à tous – nous qui faisons profession de philosophes –, avait tenté de convaincre ses compagnons que rien ne pouvait valoir l'instant où il allait franchir cette porte et que, loin de pleurer sa mort, ils feraient mieux d'envier son sort. N'avait-il pas toute sa vie cherché à atteindre la vérité? Et son enveloppe matérielle, son corps, n'était-elle pas un obstacle dans cette quête, ne limitait-elle pas considérablement ses performances, son esprit n'était-il pas freiné par le poids de cette encombrante carapace?

Accusé de ne pas croire aux dieux de la cité et de corrompre la jeunesse d'Athènes, Socrate était passé en jugement, avait été condamné et incarcéré; ses amis avaient alors organisé sa fuite, mais il avait refusé. Bien entendu, ce refus pouvait être motivé par le désir de montrer à ses concitoyens que, loin de mépriser sa patrie et ses lois, il préférait aller jusqu'au sacrifice de sa vie plutôt que de leur désobéir, ainsi qu'il l'explique dans le *Criton*; mais, dans le *Phédon*, Platon avance une autre explication, en montrant à quel point Socrate se réjouit de mourir. Il ne s'agit aucunement d'une résignation, comme lorsqu'on se fait une raison, mais d'un bonheur réel, voire d'une impatience à approcher du moment où tout deviendra clair... Il me parut donc légitime de faire savoir à Phil que sa position me paraissait très proche de celle de Socrate, telle que Platon la rapporte dans le *Phédon*, et de le prier de lire ce texte, pour vérifier si tel était bien le cas : était-il aussi assoiffé de vérité que Socrate? Était-il lui aussi convaincu que le corps était un obstacle sur la voie qui mène à la satisfaction de ce désir? La « salle d'attente » dont il parlait devait-elle être qualifiée, comme le suggérait Socrate, de « prison », dont il était bon de s'échapper enfin? Phil accepta ma proposition. Il se mit donc au *travail* – pour emprunter la terminologie de Comte-Sponville –, autrement dit, à lire le *Phédon*, en confrontant sa lassitude de vivre, son « ennui » au plaisir que manifeste Socrate à l'approche de sa mort. Or il lui fallut peu de temps pour entrer en conflit avec le modèle auquel je l'invitais à se comparer. La discorde portait sur la question de l'immortalité de l'âme. C'est, bien entendu, sur ce point que Socrate insiste : s'il est si enthousiaste, c'est parce qu'il est certain que l'âme survit au corps; les réticences de ses amis le contraignent à se justifier. Aussi commence-t-il par avouer qu'il espère bien rencontrer chez Hadès des morts illustres, de bonne compagnie et, si ce n'est pas le cas, se retrouver du moins dans celle des dieux. Car, enfin, comment mieux s'approcher du vrai qu'en s'éloignant du corps, des illusions qu'il produit et des erreurs qu'il provoque? Plus une âme en sera libérée, plus, par conséquent, elle sera dans le vrai... Bien sûr, on peut craindre, comme la plupart des gens, qu'une fois séparée du corps elle ne subsiste plus nulle part « *comme un souffle ou comme une fumée* », ainsi que Cébès le souligne avec fermeté [*]. Socrate, alors, rappelle « *une antique légende* », selon laquelle « *les âmes arrivées d'ici subsistent là-bas* ». Il ajoute qu'elles n'y sont qu'en transit et « *qu'elles reviennent ici et renaissent des morts* [**] ». Toute la suite du dialogue a pour objet de donner raison à cette tradition, attribuée par les Grecs à Orphée, adoptée par les pythagoriciens, et qui s'enracine dans les cultures les plus vénérables, en Égypte et en Inde. Il utilise à cette fin l'argument de la réminiscence [***], qui consiste à montrer qu'on ne pourrait rien apprendre si l'on ne disposait déjà en naissant des éléments nous permettant d'opérer des distinctions entre les choses, de les comparer, de les identifier : il conclut de là que « *nos âmes existaient avant d'exister dans une forme humaine* », qu'elles étaient alors bel et bien « *séparées du corps* », et qu'elles « *disposaient de la conscience* [****] ». Il montre ensuite qu'elles appartiennent au monde divin, c'est-à-dire à la sphère des êtres impérissables, et qu'il n'y a par conséquent pas à craindre que l'âme, « *après avoir quitté le corps, ne se dissipe et ne s'anéantisse* [*****] ».

Phil n'était pas convaincu. À l'instar de Simmias, l'un des protagonistes du dialogue, il ne voyait pas en quoi la nature subtile de l'âme comparée au corps pût impliquer son éternité. À supposer que l'âme soit distincte du corps, d'où tenons-nous que leur différence ne soit pas la même, par exemple, que celle de l'harmonie et de la lyre, ou celle de la mélodie et de la flûte? Or que se passe-t-il lorsque la lyre se casse? Eh bien, l'harmonie cesse! Lorsque la flûte est brisée, la mélodie s'interrompt. Si l'âme peut être considérée comme l'harmonie du corps, il est évident que l'âme périt avec le corps. Elle périt même avant le corps, car le corps met plus de temps à se décomposer que l'harmonie à disparaître... Phil trouvait ainsi dans le texte lui-même des arguments pour contredire Socrate. Il est vrai que les arguments de Cébès et

[*] Platon, *Phédon* (70 a), *op. cit.*, p. 210.
[**] *Ibid.* (70 b), *op. cit.*, p. 211.
[***] *Ibid.* (73 c), *op. cit.*, p. 217.
[****] *Ibid.* (76 c), *op. cit.*, p. 224.
[*****] *Ibid.* (80 d), *op. cit.*, p. 232.

de Simmias font long feu, dans le *Phédon*, face à l'implacable rhétorique de Socrate, qui s'applique bien vite à montrer que l'âme ne peut être assimilée ni à un souffle ni à une harmonie. Mais cela suffit à Phil pour développer à son tour une contre-argumentation de son cru, d'inspiration nettement matérialiste : selon lui, l'âme n'est qu'un terme pour désigner l'*animation* du corps; quand je pense, ce n'est pas un principe autonome, une force indépendante qui pense en moi, mais mon corps. Si je meurs, disait-il, je cesse de percevoir, de sentir, de distinguer les formes, les densités, les odeurs, les saveurs, je cesse bien sûr de me souvenir, a fortiori de penser. Bref, il ne pouvait suivre l'invitation de Socrate.

Autant dire que d'emblée, grâce à Phil, mon ambition de pratiquer la philosophie en ville se justifiait pleinement. Sans perdre un instant leur dimension dramatique, puisque Phil pouvait disparaître d'un jour à l'autre, nos entretiens avaient pris bonne tournure. D'une part, ils se déployaient sur la base d'une véritable confrontation avec l'un des textes les plus forts de la tradition philosophique, d'autre part, ils donnaient à Phil le moyen de se rendre compte de quelque chose d'inattendu : même s'il continuait de trouver *mauvaises* ses raisons de vivre, du moins devait-il admettre qu'il n'avait pas, lui, de *bonne* raison de disparaître! Socrate en avait une : permettre à son âme d'atteindre la Vérité en se débarrassant de son corps. S'il rejetait la perspective ouverte par Socrate, s'il n'éprouvait aucun plaisir à l'évocation de l'au-delà, Phil devait reconnaître que sa curiosité à « pousser la porte » n'était pas si grande. Il ne pouvait se convaincre de l'idée d'une vie après la mort et devait donc considérer que dans sa « salle d'attente » on attendait pour rien. Derrière la porte, il était sûr qu'il n'y avait rien, et il ne pouvait donc jubiler à l'idée de l'ouvrir pour « en avoir enfin le cœur net ». Restait à savoir si sa lassitude pouvait suffire à justifier un acte aussi inutile, ou encore si la banalité de son existence quotidienne, la pauvreté de ses rapports humains étaient inévitables et si, en fin de compte, cela pouvait servir de critère pour juger la condition humaine.

VII

En consultation
(fin)

Généralement, on ne rencontre les questions philosophiques qu'à l'occasion de la préparation du bac, lors du passage en classe terminale : on fait le tour de quelques concepts, de quelques textes, de quelques doctrines, on apprend quelques citations par cœur, on rédige quelques dissertations, puis l'on affronte l'examen. Or les « questions de philo » ne sont pas tout à fait comme les autres : ce que nous faisons sur Terre, d'où nous venons, où nous allons, s'il y a une autre vie, si l'âme meurt ou survit au corps, si l'Univers a eu un début ou aura une fin, si l'histoire des hommes a un sens, si l'espèce humaine doit dominer les autres, si la justice peut régner entre les hommes, si le mal peut être aboli, s'il faut s'incliner devant la force, si l'argent doit gouverner le monde, s'il vaut mieux être victime que bourreau, s'il vaut mieux être raisonnable que fou – ces questions ne sont pas comme les autres, car, d'une part, contrairement aux autres questions de cours, elles mettent en jeu la pertinence de nos convictions, le sens de nos actes, la justesse de nos rapports aux autres, c'est-à-dire notre existence tout entière, d'autre part, leurs réponses, contrairement à celles des autres disciplines, ne sont pas susceptibles d'un consensus tant elles sortent du ressort de l'expérience, c'est-à-dire de l'observable et du vérifiable.

En vérité, la plupart d'entre elles nous hantent dès notre plus tendre enfance, et l'on trouve un malin plaisir à les poser aux parents, bien vite désemparés. Si la religion ne prend pas le relais pour apaiser avec de belles histoires notre soif métaphysique de sens, nous finissons par les refouler. L'année du bac, pourtant, les réactive. Mais le traitement qu'elles subissent alors est le plus souvent frustrant : quand le « prof de philo » est bon, l'année passe beaucoup trop vite; quand le prof est mauvais, la philo devient une telle punition qu'on envie ceux qui en sont dispensés. Puis on entre dans sa vie d'adulte, et le brouillard s'épaissit. Les années passent. On oublie... Jusqu'au jour où il faut répondre aux enfants, qui posent de gênantes questions...

Une mort, un accident, une rupture, la perte d'un emploi, l'actualité, ses horreurs et ses scandales, les menaces qui pèsent sur la planète : bien des coups durs personnels et beaucoup de folies collectives font resurgir peu à peu ces interrogations occultées par le cours de la vie quotidienne. Sans l'avouer, on lit pour les retrouver. Souvent, on va voir un psy, parfois on consulte un voyant, ou l'on se trouve un gourou. Sans le savoir, on cherche un philosophe. Si l'on s'interroge sur ce qui arrive, c'est que le sens donné jusque-là n'est plus bon ou devient suspect. Un concept, une doctrine peut-être sont en question : encore faut-il les déceler et les soumettre à l'examen qui s'impose.

J'admets qu'on ne voie pas clairement, a priori, comment la philosophie peut s'exercer à titre professionnel en dehors du cadre habituel de l'enseignement. Je conçois même qu'on craigne que cette pratique ne s'apparente à celle des sophistes de l'Antiquité. Et je suppose que l'exemple de Phil, à lui seul, ne suffira pas à venir à bout de toutes les réticences que l'idée de consultations philosophiques peut rencontrer, pour ne rien dire des critiques mesquines qu'elle provoque. Il ne me paraît donc pas inutile de faire état d'autres exemples pour montrer comment les choses se passent. J'en prendrai encore deux, qui attestent qu'une consultation n'est pas une simple causerie dans laquelle on s'entretient courtoisement de sujets et d'autres, où l'on se met au service de son client pour le conforter dans ses options. Cher lecteur, si tu as encore quelque soupçon sur ce point, prends le temps de lire ce qui suit.

D'abord, l'histoire d'une consultation qui aurait pu tourner court. Un jour je reçus au Cabinet une jeune femme extrêmement dynamique, qui se nommait Gabrielle G. La quarantaine sémillante, de petite taille mais très énergique, elle faisait les beaux jours d'une petite entreprise de communication institutionnelle, filiale d'un grand groupe de distributeurs d'eau courante. Dans ses négociations elle était redoutable tant elle savait user de son charme, allié à un enthousiasme communicatif et à une malice frôlant l'innocence. Mais il y avait une ombre au tableau. Lors des soirées auxquelles elle était invitée ou qu'elle organisait chez elle, ces qualités ne suffisaient pas à lui assurer la suprématie dès lors que les discussions mondaines tournaient au débat de fond. Elle se heurtait depuis quelque temps à des convives particulièrement arrogants, toujours les mêmes, qui flirtaient avec le racisme. Aussi venait-elle me demander de l'aider à prendre le dessus lors de ces joutes impromptues mais fatales.

Cette sollicitation n'avait rien d'aberrant à mes yeux, et le *deal* était plutôt réjouissant : permettre à ce petit bout de femme de clouer le bec à quelques prétendus dominateurs – voilà qui donnait du piment à mon pari de fournir de la philosophie à la carte. C'est pourquoi, dès la première séance, j'invitais Gabrielle à préciser les arguments sur lesquels elle achoppait. Grosso modo, il s'agissait de la supériorité de l'Occident sur le Sud. La question du droit de vote des immigrés était alors dans l'air, et cette perspective scandalisait ces messieurs, qui ne voyaient dans les gens de couleur que des incapables et des parasites, qui, s'ils étaient honnêtes, ne devraient revendiquer qu'un droit : le droit à la paresse. Pour contrer ces attaques basses qui lui donnaient la nausée, Gabrielle s'enferrait dans d'interminables disputes sur les mérites comparatifs des peuples. Il me sembla donc opportun de lui suggérer de prendre un peu de recul historique. À cette fin il lui suffirait de se souvenir du temps que mit l'Occident à sortir du Moyen Âge, à passer de l'ère féodale à l'ère marchande, ou si l'on préfère du féodalisme au capitalisme. Il se trouve qu'à l'époque où l'Europe n'était encore qu'une immense et sombre forêt, où les peuples, attachés à la glèbe, passaient encore le plus clair de leur temps à défricher la terre sous la protection de leurs seigneurs issus des hordes de barbares germains, la civilisation arabe était florissante, au point que c'est des confins méridionaux de l'Occident chrétien, au contact avec les infidèles, qu'apparut l'aube de la Renaissance. Que le rapport se soit inversé depuis, cela mérite réflexion, mais cela n'autorise en aucun cas à parler de la supériorité congénitale des peuples du Nord !

Que si l'on tient absolument à déceler en Occident une supériorité ethnique sur les autres contrées du globe, il ne faut pas être plus royaliste que le roi. Par là j'entendais Gobineau, le chantre de l'inégalité des races, qui, dans son *Essai* des années 1850, avait de son propre chef renoncé à faire l'apologie de l'Europe moderne. Bien au contraire ! Gobineau, convaincu de la supériorité de la « race blanche » sur la « race noire » et sur la « race jaune », désespérait de la modernité. Il voyait en effet dans l'hégémonie de la société marchande l'exacerbation du mélange des races, et par conséquent la fin des fins : il n'était plus possible, selon lui, de revenir en arrière, à l'époque bénie où la race blanche n'avait pas encore le sang mêlé à celui des races inférieures. Ce temps avait existé. Les barbares germains, qui avaient envahi l'Europe dix siècles auparavant, ainsi que leurs lointains cousins, les Doriens, qui s'étaient emparés des péninsules grecques et italiennes, étaient encore proches de la souche mère, celle des Indo-Européens, issus des plateaux de l'Iran, qui, vers l'Est, avaient posé leur empreinte dominatrice sur l'Inde, instaurant le régime des castes sous le joug sans faille du code de Manou. Mais ces temps étaient révolus, depuis que les peuplades dominées, incommensurablement plus nombreuses, avaient contaminé les Doriens par le biais de mariages contre nature : ils furent sémitisés par l'afflux de sang noir, le sang des esclaves toujours plus nombreux, et la plèbe finit par l'emporter dans tout le Bassin méditerranéen ; lorsque les Germains, plus tard, devinrent maîtres des peuplades du Nord, ils ne tardèrent pas à succomber eux aussi à la sémitisation. Or donc, l'avènement de la société marchande et de la démocratie ne laissait aucun espoir à un retour de la suprématie de la souche aryenne. En d'autres termes, pour peu qu'on le lût attentivement, ce qui pouvait passer a priori pour la meilleure des cautions au discours sur la supériorité de l'Occident se retournait en réalité en son contraire.

Dans les joutes qui l'opposaient aux néoracistes, Gabrielle pouvait dès lors jouer sur les deux tableaux : sans le contact avec la civilisation arabe, nous serions peut-être encore en train de chasser le sanglier à la lance, nous avons donc une dette historique à son égard ; mais, si l'on tient à mettre en avant une quelconque supériorité de race, alors il faut rejeter la société marchande, faute de quoi l'on crédite à son insu ceux-là mêmes qu'on croit inférieurs : les « Arabes », c'est-à-dire stricto sensu, les « Sémites », grands marchands devant l'Éternel... Je crus Gabrielle satisfaite de notre entrevue et lui confiai à consulter deux ouvrages ad hoc : L'*Essai sur l'inégalité des races humaines* de Gobineau, qui réserve tant de surprises au lecteur empli de préjugés, et le livre Ier du *Capital* de Marx, qui rafraîchit la mémoire sur l'avènement du règne de la marchandise en Occident. Quel ne fut pas mon étonnement de constater, lors de la consultation suivante, qu'elle n'en avait quasiment rien fait ! Non qu'elle n'en ait eu l'occasion, mais ce que je lui avais dit avait suffi, et, comme elle n'avait pas le temps d'entrer dans les textes eux-mêmes, sa rhétorique palliait le manque d'approfondissement des textes évoqués. D'ailleurs, ce fonctionnement lui convenait très bien, et elle entendait procéder désormais de la sorte : elle me proposerait le sujet du jour, je lui fournirais des arguments « béton », et elle les reprendrait à son compte lors de ses confrontations chroniques. Au demeurant elle m'avait apporté de la matière pour la séance : constatant que le journal *Les Échos* faisait grand cas d'un nouveau philosophe en vogue, elle m'avait apporté les articles qui parlaient de son dernier livre et me demandait de lui en dire plus. Il s'agissait de Gilles Lipovestsky, l'auteur de *L'Ère du vide*, devenu le chantre d'un individualisme intelligent qui prônait dans son nouvel ouvrage non pas l'égoïsme radical et sans limites qui confine tôt ou tard au cynisme, mais le « moi d'abord », au sens souvent oublié de la formule chrétienne : *Aime ton prochain comme toi-même*, qui signifie, si l'on y prend garde : *Si je ne m'aime pas moi-même je ne peux aimer les autres*.

Malaise ! Je voulais bien parler d'éthique et tenir compte de ses derniers avatars, voire m'intéresser aux modes, mais il n'était pas question de me substituer à mes clients et de leur fournir un prêt-à-penser. Je me donnais pour mission d'ouvrir le dialogue, de permettre au client de s'exprimer aussi bien et aussi complètement que possible, de s'approprier des références – certainement pas de penser à sa place. Il était donc hors de question pour moi de jouer à ce jeu-là. J'avais ouvert un Cabinet pour offrir un service à..., pas pour être au service de... Je le fis savoir à Gabrielle. Et notre « travail » aurait tourné court si, remarquant dans ma bibliothèque nombre d'ouvrages de Nietzsche, elle n'avait fait allusion à son passé d'étudiante et à un petit mémoire qu'elle avait rédigé alors sur le « Surhomme ». Fouillant avec plus d'acuité dans ses souvenirs, elle me parla de cette époque, et il s'avéra – chose incroyable – ... que nous nous connaissions. Elle était en effet originaire de Haute-Saône et avait fait ses études en Franche-Comté, à l'université de Besançon, commençant un cursus de philosophie, notamment sous l'égide du patron de la section de l'époque, André Vergèz. Or j'étais moi-même passé par cette université, au cours des années soixante-dix, après avoir quitté la Sorbonne et Paris. En 1973, j'avais soutenu mon mémoire de maîtrise sur Nietzsche, et je m'engageais sur la voie du doctorat, sous la direction de... André Vergèz. Je n'avais, en arrivant à Besançon, que peu d'estime pour ce monsieur, auteur (coauteur avec Denis Huismann) de l'incontournable manuel de philo de terminale, qui m'était apparu, quand j'étais lycéen, comme une monstruosité : il me semblait aberrant qu'on pût prétendre faire passer à la philosophie la camisole de force d'un

« manuel » ! Mais, à son contact direct, j'avais appris à apprécier le personnage, sa rigueur, sa puissance de travail, son honnêteté, et son humour, insoupçonnable au premier abord.

Nous voici donc, au moment de rompre, Gabrielle et moi, pris d'un émoi singulier, et tentant de reconstituer le puzzle de nos souvenirs estudiantins. Elle était certaine de se souvenir de moi, de mon allure dilettante, et même d'une séance de travail en commun ! Et, bien sûr, nous aurions pu en rester là, en ce qui concernait les consultations, et rétablir des relations de camaraderie à vingt ans d'intervalle, cessant de nous considérer dans un rapport de service. Pourtant c'est l'inverse qui eut lieu. Non que nous ne devînmes camarades (ce qu'à dire vrai nous n'avions pas vraiment été à l'époque), mais parce qu'une autre perspective s'ouvrit, presque naturellement : celle d'une généalogie de la pensée de Gabrielle. Il me paraissait très étonnant que cette femme, avec sa vivacité, sa verve et sa perspicacité ait pu abandonner en cours de route ses études de philosophie. Elle avait, dans son mémoire sur Nietzsche, fait preuve d'une belle insolence en affirmant qu'en vérité le Surhomme était une *femme* – la Femme. Je n'avais aucune peine à admettre que l'idée avait dû séduire le sieur Vergèz, qui, sous la carapace du vieux pédagogue apte à convaincre un régiment que les partisans du libre arbitre n'ont cessé, au cours des siècles, de tourner dans un cercle vicieux (c'était le sujet de sa propre thèse), adorait les idées neuves et les bonnes blagues (il donnait à cette époque un cycle de conférences publiques sur les maisons closes et la prostitution, n'omettant jamais de faire part, en présence de sa charmante épouse, de son expérience personnelle la plus récente). Au moment même où je rejetais sa demande de *digest* culturel, mon étonnement se traduisit chez Gabrielle par une véritable interrogation. Elle me narra bien entendu la suite des événements, son passage en psychologie et les diverses étapes qui l'amenèrent à se lancer dans la « vie active ». Elle avoua son désir d'argent et même son désir de pouvoir, ce qui correspondait bien à ce qu'elle vivait à présent : un bon job, des contrats importants à négocier, de grosses sommes d'argent à gérer, des commissions respectables à en tirer, et de la considération. Elle se plaisait à marchander, à faire reculer ses interlocuteurs sur leurs prétentions, mais aussi à innover, à lancer des idées, des « produits », à les défendre et à mener ses projets à terme. Partie de peu, simple documentaliste, elle s'était frayé toute seule son chemin et n'en était pas peu fière. Lui manquait seulement le brio dans les occasions susdites, et c'est pourquoi elle était venue me voir.

Je n'avais nulle intention de la déstabiliser. En aurais-je eu seulement les moyens? Mais il me semblait qu'elle se mentait trop à elle-même pour parvenir vraiment à ses fins et, qui plus est, pour conserver son acquis, dans une période où, à mes yeux, sur le plan social, économique et politique, le plus dur était à venir. Il faut croire qu'elle le sentait aussi, puisqu'elle éprouva le besoin de revenir, *en tant que cliente*, pour faire le point sur son passé. Elle voulait que je l'aide à reconquérir ce qu'elle avait délaissé, à reprendre possession de ses références d'alors: deux ou trois auteurs lui étaient chers à l'université: Roland Barthes, Vance Packard, Karl Marx. Ce qui m'intriguait, c'était le peu de cas qu'elle avait fait, dans sa propre existence, du caractère subversif de ces textes. Elle se complaisait même, d'après ses propres dires, en compagnie de ceux que dénoncent leurs auteurs – les membres des classes exploiteuses. Je voyais mal comment elle avait pu, dans le sillage des événements de 68, ne pas désirer, avant toute chose, en finir avec l'injustice sociale que ces textes fustigent avant tout. Il me paraissait impossible de prendre au sérieux les uns en se faisant complice des autres.

Ainsi commença une longue série de séances où Gabrielle se mit à remonter à la source. Son enfance, les rapports de ses parents, sa place dans la famille, ses blocages, ses émois, ses détresses. De fil en aiguille, nous retrouvâmes ses premières lectures, ses premiers livres; cela n'allait pas sans mal ni sans douleur; bien des souvenirs furent remis au jour, bien des blessures rouvertes – comme toute cette période où elle s'était juré de ne plus retourner à l'école et tint bon, de fait, pendant près d'un an! La maladie de son père, et les soins qu'elle lui prodiguait, comme si elle avait été la maîtresse de maison, puis sa mort. La tension du conflit chronique avec sa mère, son combat contre la médiocrité de la petite-bourgeoisie provinciale, pour laquelle elle avait tant de mépris. Des « textes », nous glissions souvent aux événements, au contexte, et le cours de la reconstitution fut souvent noyé par la crue de l'émotion. Un jour, pourtant, elle revint de Haute-Saône, triomphante, avec toute une cargaison de livres pour enfants, dont le plus important était, sans conteste, *Le Bal des douze princesses*. Plaisir indicible! Privilège grandiose que de pouvoir ouvrir les pages d'un livre qu'on a tenu dans ses mains quarante ans plus tôt! Une autre fois, j'eus droit à ses propres textes: ceux qu'elle avait rédigés lors de ses études bisontines. Et nous parvînmes en quelques mois à établir, peu à peu, toute sa généalogie intellectuelle.

Autre histoire, beaucoup moins « mondaine », mais tout aussi émouvante pour moi, celle de cette jeune femme de province, qui élève ses enfants sans travailler, car son époux pourvoit aux besoins de la famille. Elle a des lectures remarquables (Teilhard de Chardin, Camus, Cioran, Tresmontant) et vient me voir *sur le conseil d'un ami psychiatre,* sans requête clairement formulée ; une séance suffira à peine pour déceler ce qui la « travaille » : comme ses lectures gravitent autour de la « question du salut » – du moins est-ce le fil qui me semble conducteur –, je lui demande de me définir en quelques phrases ce qu'il faut entendre par « christianisme ». Elle se cabre. Elle proteste, même. Elle n'est pas venue pour ça, c'est de l'histoire ancienne, qu'est-ce qui me prend ? Bref, je n'ai pas droit à ma définition. D'ailleurs, elle n'est pas à la hauteur. Elle ne sait pas ce qu'elle est venue faire avec moi, elle ne sait pas s'exprimer, inutile que j'attende un discours construit...

Je tins bon. Jacqueline avait fait le plus dur : venir au rendez-vous, contrairement à tous ces gens qui, au début de mon installation, annulaient au dernier moment. Aussi avais-je d'emblée beaucoup de respect pour une personne qui, malgré sa timidité flagrante, osait affronter ce qu'elle qualifiait elle-même d'ignorance et faire face à ce qu'elle considérait comme un puits de science, c'est-à-dire moi. Nul doute que, dans ses réticences à m'en dire plus, il y avait une bonne part d'humilité vraie. Mais il me fallait passer outre ou fermer boutique, sauf à me résigner au sort du pompiste en plein cœur du désert, là où ne passe qu'un véhicule par semaine. Je lui proposai donc, à son départ, d'étudier le texte de la Genèse, sans me faire trop d'illusions sur mes chances de la revoir. Elle revint au bout de trois semaines avec *La Chute,* de Camus. Cela confirmait bien sûr mon soupçon, mais, pour qu'elle passât de son plein gré à la chute narrée dans la Bible, il nous fallait d'abord en passer par une version plus moderne...

Jacqueline comprenait très bien le héros de *La Chute.* Elle rappela que, traversant un pont, il est le témoin passif de la chute d'un corps dans la Seine. Ce qui n'est pas très moral. Mais, à la réflexion, au nom de quoi aurait-il dû se jeter à l'eau pour sauver un être humain qui avait décidé de se suicider ? Elle n'attribuait pas sa passivité à une quelconque lâcheté, à un désir petit-bourgeois de « ne pas se mouiller », mais au respect métaphysique de la liberté d'autrui. Elle-même, naguère, s'était trouvée dans une situation analogue. Elle avait cru bien faire en dissuadant une amie de ne pas mettre fin à ses jours. Elle s'en mord les doigts depuis, tant l'existence de cette femme fut douloureuse.

Ainsi, nous étions sur le terrain pressenti : si la vie n'est qu'une vallée de larmes, à quoi bon vivre? De quel droit s'opposer à celui – ou à celle – qui veut la quitter avant l'heure? J'avais déjà, avec Phil, touché de près ce débat. Néanmoins, j'étais sûr que la « demande » n'était pas la même. Ce qui avait manqué à Phil, à vrai dire c'était la souffrance; ce qui banalisait à ses yeux l'existence au point de lui donner envie d'aller voir ailleurs, c'était d'avoir été trop protégé dans son enfance (« surprotégé », disent les *psy*) puis dans son adolescence et, finalement, en tant qu'adulte, de n'avoir connu aucun coup dur (donc de ne pas savoir apprécier les bons moments), par conséquent, de ne pas avoir d'amis (ce qui est, selon Épicure, le plus grand des biens en ce monde). Avec Jacqueline, rien de tel. Au contraire! La souffrance affleurait à chaque syllabe arrachée à la force d'attraction de son mutisme. Dans sa « demande », il n'y avait donc pas : « *Je ne vois pas de raison de vivre* », mais : « *Je vois beaucoup de raisons de vivre, et je voudrais rattraper le temps perdu, néanmoins, je ne voudrais pas être victime d'une illusion d'optique, car la souffrance est toujours là, intolérable.* » Dans cette souffrance bien palpable, il y avait, à l'évidence, celle qui lui avait été infligée; mais il y avait aussi celle qu'elle infligeait aux siens. Elle était devenue mère – à la suite d'un mariage émancipateur – et elle savait que ses tortures de naguère l'empêchaient d'être vraiment à la hauteur de sa tâche. *Pas à la hauteur!* Je ne percevais pas, au début, à quel point cette autocritique concernait son rapport à sa progéniture. Et c'est sans doute pourquoi j'insistais sans trop de scrupules pour que nous attaquions la lecture de la Genèse.

Elle finit par céder, me laissant à partir de ce jour la direction des affaires. Habitant la Normandie, elle ne pouvait venir chaque semaine, et nous adoptâmes un rythme bimensuel souple, qui variait en fonction du calendrier scolaire. Elle avait trois enfants, deux fils de plus de dix ans et une fille plus jeune. Mais elle était décidée à vaincre ce qu'elle considérait de son côté comme son handicap principal : ne pas pouvoir mettre de l'ordre dans la tempête de ses pensées, ne pas pouvoir les exprimer de manière claire et distincte, ne pas même pouvoir les écrire. Elle me confia qu'elle avait eu très jeune un rapport ludique très intense avec son père : elle était sa petite geisha. Et puis, un jour – elle avait sept ans –, en rentrant de l'école, elle vit son père alité, au plus mal; elle se rendit à son chevet, tendit sa main vers lui... quand sa mère se précipita pour l'en empêcher en lui criant : « *Si tu le touches, tu vas me le tuer!* » Depuis ce jour, elle avait été incapable de travailler correctement à l'école, frustrée du contact avec son père et hantée par des pensées terribles : « *S'il meurt, ce sera ma faute ! Si je le touche, il va mourir, ma main va le tuer !* » Aussi laissa-t-elle passer les années dans l'angoisse et dans le rejet de sa main, sans progresser par conséquent le moins du monde dans l'écriture. Sans parler, non plus ; sans apprendre par cœur, car quel cœur mettre dans la parole lorsqu'on est un assassin en puissance, que l'on peut faire un tel mal en toute innocence ? Blocage !

La mort de son père, alors qu'elle était devenue adulte, la libéra. On le comprend : elle n'y fut pour rien... Depuis, elle lisait beaucoup, et des livres difficiles, mais, ne disposant pas des acquis élémentaires de la scolarité, elle tournait en rond dans sa tête. Quant à écrire ! Cela lui était quasi impossible. Elle avait, bien entendu, suivi une solide thérapie, qui lui avait permis de trouver enfin une oreille attentive et des ouvertures inespérées vers son passé, grâce à quoi elle avait pu déceler la source de son handicap. Mais ce qui lui manquait ne pouvait lui être donné par la même voie, et elle misait sur la philosophie – et sur ma patience – pour le combler. C'était correct. Je sentais bien que nombre de pièces, dans ses confidences, manquaient au puzzle. Pourtant, n'étant pas thérapeute, je n'avais nulle envie de m'acharner à les retrouver, sous peine de substituer à ma tâche un travail qui n'était pas le mien et de rendre caduque, par là même, l'idée fondatrice de mon Cabinet : permettre à mes clients de renouer avec la réflexion philosophique, dont l'interruption, ou l'absence, peut être, selon moi, une calamité. L'intellect a sa propre logique, qui n'est pas réductible aux aléas des instances sur lesquelles les diverses écoles psychothérapeutiques travaillent. Avec lui, il y a tout de suite de l'universel dans l'air. Il a soif du Tout. Cette soif doit être étanchée. Mieux vaut tard que jamais. Chez Jacqueline, cette soif d'universel me paraissait avoir été très forte ; mais elle n'avait pu obtenir satisfaction, et cette frustration me semblait avoir eu des conséquences particulièrement graves ; aussi devait-elle être distinguée des traumatismes directement liés à ses rapports familiaux.

J'étais convaincu qu'elle avait des comptes à régler avec le christianisme. Lors de ses moments de confidence où l'émotion battait en brèche la raison, elle m'avait avoué qu'elle passait à l'école pour une « peste ». Non pas auprès de ses camarades, envers lesquels elle manifestait peu d'intérêt, donc, pas de méchanceté, mais auprès des *religieuses*. Car son école était tenue par des sœurs. Jacqueline percevait, enfant, un décalage entre l'idéal prêché dans les classes et le comportement réel des maîtresses, qui fournissaient – selon ses dires – un superbe échantillon de tous les défauts humains : hypocrisie, jalousie, sadisme, etc. De leur point de vue, elle avait, elle, un défaut capital : c'était une « raisonneuse ». Elle n'acceptait pas, comme la plupart de ses camarades, d'apprendre le catéchisme sans comprendre, de réciter par cœur et de croire ce qui contredisait son bon sens. Sur mon insistance, elle avait fait à plusieurs reprises un très gros effort pour essayer de se souvenir d'un des points qui la révoltaient et faisaient l'objet de ses remarques en classe. En vain! Tout cela était trop enfoui, et trop douloureux peut-être, pour émerger sur commande. Je suggérais la « Sainte-Trinité », ou la « virginité de Marie », ou l' « Incarnation du Sauveur », ou encore sa « Résurrection après trois jours », autant d'articles de foi sur lesquels repose la doctrine chrétienne, auxquels l'enfant d'une école catholique doit en principe adhérer. Mais rien n'y fit. *Pas de raisonneuse en classe!* avait dit sa maîtresse en classe de huitième, et cela marchait encore...

Il me restait donc à reprendre le dossier à la base, en lui faisant emprunter un itinéraire analogue à celui de son enfance catholique, apostolique et romaine, de façon à lui faire toucher du doigt la légitimité de sa révolte d'alors. En effet, on achoppe très vite sur d'énormes difficultés, *du point de vue chrétien lui-même*, dès lors que l'on cherche à restituer la cohérence du propos messianique. À première vue, la doctrine se tient. Dieu, Créateur du Ciel et de la Terre, a envoyé son Fils sur Terre il y a deux mille ans pour racheter les péchés des hommes; en effet, à peine créé, l'homme lui avait désobéi, en mangeant du fruit interdit, ce qui avait contraint Dieu à le punir sévèrement : chassé du paradis terrestre, le premier homme dut dès lors travailler dur pour assurer sa subsistance, et sa compagne, la femme, fut condamnée à enfanter dans la douleur. Or, par la suite, les choses ne s'étaient pas arrangées, loin de là! De génération en génération, l'espèce humaine n'avait cessé de commettre les pires infamies, si bien qu'à plusieurs reprises Dieu n'avait pas hésité à la détruire en tout ou en partie. Certes, Il avait à chaque fois repassé une alliance avec l'un ou l'autre de ses représentants, puis Il avait tenté l'opération avec un peuple entier : le peuple juif. Mais chaque fois Il avait été déçu dans son attente; les hommes, et même Son Peuple Élu, ne cessaient de trahir leur parole, leur engagement à Le considérer, Lui, comme leur seul Dieu : comment ne pas désespérer d'une telle engeance? Eh bien, Il n'avait pas désespéré! Il continuait de les aimer et de mettre en eux Son espoir. Et pour le leur montrer, Il avait envoyé Son Fils : alors que leur dette excédait toute possibilité de rachat, Il l'avait rachetée; au lieu de les détruire, comme Il aurait pu, et dû le faire une fois de plus, Il avait sacrifié son Fils. Comme ça, pour leur prouver l'immensité de Son Amour.

Le problème, c'est l'incohérence du texte même de la Genèse. Tant bien que mal, Jacqueline finit par retrouver la logique de la doctrine qu'on avait tenté de faire passer de force dans son esprit d'enfant. Elle était donc en mesure d'aller au texte pour vérifier la légitimité de la référence en usage dans le christianisme. Quelle ne fut pas alors sa surprise! Il était bien question dans la Genèse de la Création du Ciel et de la Terre par Dieu, puis du péché originel, mais les deux récits n'étaient pas compatibles. Elle n'en crut pas ses yeux. Et, pourtant, c'était écrit... On passe très vite, en effet, sur un véritable hiatus dans le texte, entre un premier écrit où Dieu crée le monde en six jours, et un second récit, où Adam, sur l'invitation d'Ève, elle-même séduite par le serpent, commet l'irréparable. Dans le premier récit, Dieu sépare les eaux supérieures d'avec les inférieures, fait émerger les continents à la surface de la Terre, crée les luminaires pour l'éclairer (le Soleil, la Lune ainsi que les étoiles), fait proliférer les espèces végétales et animales, dont l'homme. Il est content de Lui et s'arrête, pour se reposer, le septième jour. Étrangement, le texte se poursuit alors par un second récit reprenant l'histoire de la Création. Dans ce second récit, *la Création n'a pas lieu dans le même ordre.* Cette fois l'homme, Adam, apparaît immédiatement, avant toute végétation, avant toute autre espèce, alors que, dans le récit en six jours, il ne survenait qu'en dernier. C'est d'autant plus étrange qu'il faut attendre que toutes les autres espèces soient créées pour qu'apparaisse la femme, alors que dans le premier récit elle est créée en même temps que l'homme. Et, cette fois, cela tourne mal.

Certes, en un sens, les chrétiens ont raison de se servir de la Genèse pour donner du poids à l'idée du péché originel. L'histoire s'y trouve bel et bien. On voit la femme se laisser tenter par le serpent et l'homme manger du fruit défendu. Le problème, c'est qu'elle est incompatible avec celle de la Création – du moins de la Création en six jours, à laquelle ils l'associent. Ce n'est pas dans cette Création-là que les choses tournent mal : dans celle-là, tout se passe très bien. Et pour cause, il n'y a aucun interdit. Comment pourrait-il y avoir *désobéissance*? Dieu est très content de Lui et de ses créatures, en particulier de celle par laquelle Il a terminé : de l'homme, à savoir de l'homme et de la femme, qu'Il a créés en même temps et à Son image ; Il est si content d'eux qu'Il leur accorde de régner sur tout ce monde, et Il leur donne la jouissance de tous les arbres – sans exception. L'ambiance est tout autre dans le second récit : pour commencer, Dieu pétrit l'homme ; puis Il lui plante un jardin en Éden, mais l'homme est censé le surveiller pour Lui. C'est déjà plus bizarre ! Et surtout Il lui prescrit de ne pas manger du fruit de l'Arbre de la connaissance (on disait autrefois *de la connaissance du bien et du mal*, on dit maintenant *de la connaissance du bonheur et du malheur*). Voyant que l'homme s'ennuie, Il crée les animaux (ce qui n'est pas du tout la même chose que dans le premier récit, où Dieu crée les animaux pour Son propre plaisir et parachève ce plaisir avec l'homme). Et, comme Adam n'y trouve pas son compte, Il l'endort et tire une compagne de sa côte. Il est plein d'attention, ce Dieu, mais on Le sent fébrile, inquiet. D'ailleurs, l'irréparable ne tarde pas. Il soupçonne Adam, le poursuit dans le jardin et le somme de s'expliquer. C'en est fait ! Pour que l'homme ne devienne pas l'égal des dieux (étonnant pluriel) Il le chasse du jardin d'Éden, qu'il fait garder par les chérubins.

En prenant son temps, Jacqueline dut reconnaître la divergence entre les deux récits. Elle commença par se frotter les yeux, « *tellement c'est énorme : Comment a-t-on pu passer à travers ? Pourquoi nous cache-t-on cela depuis tant de temps ?* ». Puis elle chercha à concilier les deux moments du texte : ne peut-on supposer que le second récit entre dans le détail par rapport au premier en se focalisant sur l'aventure humaine ? Mais rien n'y faisait : opposition des deux chronologies, formulation d'un interdit dans le second récit seulement... Pas si facile d'arrondir ainsi les angles ! Et surtout à quoi bon, si ce n'est à occulter ce qui, lorsqu'elle était enfant, la choquait. Dans le premier récit, au moins Dieu ne pousse pas Sa créature favorite au crime : Il est tout-puissant et ne craint rien de lui. Dans le second, c'est le contraire : s'Il est tout-puissant, Il détermine le cours des choses. S'Il détermine le cours des choses, Il est omniscient, par conséquent, Il sait que l'homme va Lui désobéir : dans ce cas, c'est Lui le fautif. Où gît la culpabilité de l'homme ? On prétend qu'il a été créé libre : l'homme serait, malgré tout, coupable parce qu'il pouvait ne pas désobéir ; et sa punition doit lui faire comprendre le prix de sa liberté ? Mais qu'est-ce qu'être libre si tout est joué d'avance ?

En replongeant dans *le* texte de référence, Jacqueline retrouva nombre de ses questions d'enfant, nombre d'objections formulées furtivement en classe puis définitivement étouffées pour cause de « peste ». Pestiférée, voilà le destin d'une « raisonneuse » qui avait soif de comprendre ce qu'on voulait lui faire apprendre : si la Chute faisait partie du scénario, Dieu ne pouvait-Il pas abréger l'affaire? Il savait bien que l'homme ne s'en tirerait pas tout seul, qu'Il devrait envoyer Son Fils pour effacer l'addition. N'y avait-il pas plus simple? Et surtout moins cruel? Pour Son Fils, encore, ce n'était pas si grave, puisqu'il était sûr de retrouver sa place à la droite de son Père; mais pour les hommes! Pour tous les hommes aveuglés par des désirs et des craintes qui les dépassent, à commencer par la curiosité, qui est, c'est bien connu, plus forte que tout... Pour tous les humains qui avaient dû payer, et devaient encore payer dans leur chair l'égarement de leur aïeul, le prix n'était-il pas exorbitant? Comment tant d'innocents peuvent-ils payer une faute à laquelle ils n'ont aucune part? D'ailleurs, Adam lui-même ne savait pas qu'il faisait le mal en désobéissant, puisqu'il n'avait *pas encore* mangé du fruit de l'arbre qui lui eût ouvert les yeux...

Le croira-t-on? Cette jeune femme, qui était venue me trouver en balbutiant, qui se déclarait incapable de dire trois mots de suite sur la religion de son enfance, retrouvait enfin grâce à ses propres yeux. Pas étonnant qu'elle se soit révoltée à l'époque contre ce qu'elle percevait déjà comme des incohérences. Pas étonnant non plus qu'elle ait renoncé à faire fonctionner son intellect, s'il était violé en permanence dans son école, à l'endroit même où il aurait dû être choyé, cultivé, développé. Pas étonnant que son esprit fût devenu frigide! Alors, au fil de nos séances, elle se lança dans de véritables méditations métaphysiques et découvrit en peu de temps (et toute seule) le *cogito*. Aussi bien nous sommes-nous lancés dans celles de Descartes. Aujourd'hui, nous en sommes à la troisième – celle où Descartes tente laborieusement de prouver l'existence de Dieu.

VIII

Séances à plusieurs

Le Cabinet de philosophie est un endroit où l'on s'interroge sur la validité du sens qu'on donne au théâtre de l'existence et du rôle qu'on y joue. On fait surgir les références lorsqu'elles ne sont que latentes, on les analyse lorsqu'elles sont explicites. Un concept, une doctrine, un texte, une œuvre, un auteur banalisent alors le chemin de l'entretien. Le contrat peut être très bref. Je me souviens d'un vieux monsieur qui voulait un commentaire précis de la toute première phrase des *Fondements de la métaphysique des mœurs* de Kant; mais la tâche devait être accomplie en une heure. Il avait, comme la plupart de mes clients, pris rendez-vous au téléphone, en demandant, très gêné, s'il pouvait ne prendre qu'une consultation. Je l'avais rassuré sur ce point, et il était venu peu après, car il y avait urgence pour lui : il devait en effet faire un exposé dans le cadre d'un cursus qu'il avait entrepris sur le tard à l'université de Nanterre. Il n'était plus très sûr de ses facultés, disait-il, vu son âge, et il avait besoin de mes lumières pour ne pas rater son coup. Son problème était simple : il ne voyait pas comment Kant pouvait fonder la morale sur la « bonne volonté [*] ». Cela ne faisait pas sérieux. Selon lui, on devait s'appuyer sur la science pour trouver un fondement solide à la morale – sur le savoir accumulé par les générations, sur la vérité concernant la nature humaine, en un mot, sur la connaissance. Or Kant semblait dire qu'il fallait s'en dispenser : comment comprendre ce déni, de la part d'un des plus fameux parti-

---

[*] « *De tout ce qu'il est possible de concevoir dans le monde et même en général hors du monde, il n'est rien qui puisse sans restriction être tenu pour bon, si ce n'est une bonne volonté.* » Trad. Victor Delbos, Paris, Delagrave, sd., p. 87.

sans de la philosophie des Lumières, qui comptait tant sur les progrès de la science pour en finir avec les superstitions du passé ? Ce jour-là il faisait un temps splendide. Aussi, à peine fut-il arrivé au Cabinet, avant même qu'il pût s'installer, je le priai de me suivre et l'emmenai place des Vosges. Et le contrat fut rempli.

C'est souvent beaucoup plus long. Si l'on veut apprendre à penser par soi-même, ou réapprendre, une année ne sera pas de trop. Les deux cas précédents le montrent. Il y en a bien d'autres. Ainsi, Éric Z., un jeune scénariste réalisateur, qui en avait assez d'écrire pour les feuilletons télé et qui voulait travailler en profondeur, dans le sillage du roman noir américain : aussi avons-nous « attaqué » *La Nausée*, de Sartre – ce qui prend du temps. Je pense à H. M., journaliste scientifique spécialisée en biologie, qui, alertée par les dérives possibles de la recherche en génétique, cherchait à faire un pont entre la génétique et l'éthique... Je songe à Huguette, qui revenait à Paris après quelques décennies passées dans l'opulence à Rome, et qui voulait à toute force avoir son bac ! Or Nietzsche, dans le programme de philo, lui barrait la route... Chaque fois, non seulement la demande est différente, mais aussi la disponibilité, la fraîcheur d'esprit, la motivation. Du reste, le travail peut être interrompu puis reprendre. Si l'on tient à une comparaison gastronomique, ce n'est pas de fast-food qu'il faut parler à propos de la philosophie en Cabinet, mais de philosophie à la carte.

Outre le nombre et le rythme de séances, le nombre de participants lui aussi peut varier. Au lieu d'y être seul, on peut y venir à deux, et même à trois ; si l'on craint le face-à-face et qu'on partage le désir de « philosopher » avec un ami ou une connaissance, pourquoi ne pas passer une heure ensemble au Cabinet de philosophie ? Depuis que j'ai commencé mon activité, j'ai eu souvent l'occasion de recevoir deux personnes en même temps, que ce soit pour une seule séance ou davantage. La première fois, ce fut un psychiatre de Marseille, de passage à Paris, qui voulait mon opinion sur le cas d'un adolescent à problèmes, et qui vint avec sa compagne. Puis une jeune femme me demanda si elle pouvait offrir une consultation à son ami comme cadeau d'anniversaire : je trouvai l'idée superbe, et je les reçus tous les deux. Une autre fois, ce fut un couple marié. Cet entretien-là, je ne suis pas près de l'oublier.

Au téléphone, la dame m'avait affirmé que son époux et elle se posaient exactement la même question, dans les mêmes termes : elle me demanda donc si elle pouvait venir avec lui pour en débattre. Je lui confirmai que, même à deux, le tarif horaire ne changeait pas, puis je m'enquis de « la » question. En prenant son temps, elle énonça avec solennité : « *Pourquoi s'encombrer d'objets inutiles ?* » Elle ajouta que chacun avait son opinion sur le sujet, mais, comme elles étaient radicalement opposées, ils souhaitaient me rencontrer pour savoir qui avait raison. J'acceptai. N'ayant jamais réfléchi à un tel problème, dont je ne voyais ni les tenants ni les aboutissants (par quel philosophe aurait-il pu être abordé ?), je les reçus sans aucune préparation. En quelques minutes, la controverse prit corps. L'époux estimait qu'il ne fallait pas se laisser envahir par les objets qui ne servent à rien, même s'ils ont une valeur sentimentale, car cela paralyse l'action : prenant pour modèle son bureau, surface de travail où il s'attachait à faire systématiquement place nette, il déplorait la manie qu'avait son épouse d'encombrer la maison d'objets de toutes sortes, au point de compromettre le passage dans les pièces. Pour sa part, il préférait entasser à la cave tout ce qui était superflu. Elle, au contraire, estimait que l'efficacité immédiate ne devait pas conduire au vide impersonnel d'un espace strictement fonctionnel, et préférait vivre parmi les objets qui lui étaient chers, quitte à être gênée dans ses déplacements ; à quoi il répliquait que cela n'avait pas de sens et que, même à la cave, conserver les choses anciennes était stupide non seulement parce que de nouvelles choses les rendaient superflues, mais encore parce qu'il ne se sentait pas le droit d'infliger plus tard à ses enfants tout ce fatras ; car, enfin, qu'auraient-ils à faire d'un tel patrimoine, de tous ces bibelots et autres meubles démodés ?

La controverse eût prêté à rire si elle n'avait révélé un déchirement dont, à l'évidence, chacun souffrait depuis longtemps, et qui avait pris cette étonnante tournure. Il m'apparut en effet très vite, à les écouter tous les deux exposer alternativement leurs arguments existentiels, combinés à d'acerbes critiques pro domo, que le monsieur, l'époux, considérait que sa femme lui rendait la vie impossible à la maison, et qu'en fin de compte elle l'encombrait : que non seulement elle encombrait la maison d'objets inutiles, mais qu'elle *faisait partie* des objets inutiles. De son côté, faisant discrètement allusion à l'infidélité de son mari, la dame ne cachait pas que sa manie d'accumuler les objets dans les pièces communes, et même d'encombrer « son-bureau-à-lui », relevait pour l'essentiel du désir de lui rappeler « son-existence-à-elle », tant il avait fini par l'oublier, au point de faire comme s'il ne la voyait plus : « *C'est comme si j'étais transparente !* » lâcha-t-elle, avec un sourire mélancolique.

J'étais dans de beaux draps! Allais-je servir d'alibi à un règle-
ment de comptes? Ou bien devais-je me transformer pour l'occasion en conseiller conjugal? J'entrevis une troisième voie, plus
conforme au rôle que j'entendais jouer dans mon Cabinet. Le
pathétique de cette dispute avait quelque chose d'universel. Dans
la lutte des deux membres du couple, je voyais le conflit de la collectivité face à l'individu, et la lutte de l'avenir contre le passé. La
position de l'époux me rappelait l'intransigeance des révolutionnaires; celle d'un Robespierre, décidé à subordonner les caprices
de chacun au bien de tous, en faisant table rase des institutions et
des codes accumulés par l'Ancien Régime : privilèges des aristocrates, du clergé, droits des corporations, péages, douanes, impôts
de toutes sortes, décrets du monarque, qui enserraient le peuple
dans un filet inextricable de lois – il fallait en finir avec tout ça,
faire place nette en surface ainsi qu'en profondeur, car tout ce
fatras freinait la marche en avant de la société moderne. Je
demandai donc à ce monsieur s'il choisissait le parti de la collectivité contre celui de l'individu, s'il se reconnaissait dans l'acte
révolutionnaire, s'il y aspirait par ailleurs, et s'il mesurait les
conséquences de cette option. En effet, son problème était celui
sur lequel la Révolution française, toute révolution, peut-être,
nous contraignait à réfléchir : étant donné que la partie importe
moins que le tout, que faire de l'héritage du passé? Le jeter ou le
conserver? Tout jeter? Ne rien conserver? En se libérant des
entraves de l'Ancien Régime, le « peuple » français croyait instaurer le règne de l'égalité et de la fraternité; or, dans le « fatras » des
institutions rejetées se trouvaient des mesures destinées à ne pas
laisser libre cours aux démons furieux du commerce et de l'industrie... On connaît la suite. Aussi suggérai-je au monsieur en question d'étudier de près cette période, notamment de se plonger un
instant dans les splendides discours de Robespierre puis de
prendre un peu de recul et de les confronter, par exemple, à l'essai
de Tocqueville sur *L'Ancien Régime et la Révolution*.

Quant à elle, je lui proposai de prêter attention à ce qui moti-
vait son opposition. Nul besoin, en effet, de la situer dans le camp
des conservateurs et de lui proposer de prolonger le débat à ce
niveau. Sa résistance vis-à-vis de son époux n'avait pas, me sem-
blait-il, de fondement politique et n'aurait pas de sitôt pour enjeu
le sort de la collectivité. Elle provenait de son humiliation personnelle et de sa hantise d'une séparation. Elle avait fini par ne
plus exister à ses yeux; il me paraissait donc urgent de se demander pourquoi. Il la trouvait « transparente » : combien de temps

allait-elle attendre pour retrouver de la densité? Elle semblait n'exister que par lui; ne devait-elle pas plutôt chercher à exister par elle-même?

Mon invitation n'était pas sibylline. Cesser de se soumettre au regard de l'autre, c'est la vocation même de la pratique philosophique. Enfant, nous apprenons à voir le monde à travers les yeux des autres, de nos parents, de nos maîtres; le plus souvent, nous nous soumettons à l'image qu'ils veulent nous en donner – une image faite pour nous mettre dans le droit chemin. Mais que vaut une telle vision du monde? Les faits se chargent bien vite de la compromettre. Elle est rarement confirmée par notre expérience. Souvent, d'autres discours la discréditent, tels ceux de nos auteurs favoris, qui sapent – comme par hasard – la sagesse de nos instructeurs. Peu à peu le doute s'installe. Il s'impose. Il taraude. Un jour il faut bien le reconnaître. D'ailleurs, qui suis-je si l'on pense pour moi? Que suis-je si je ne suis pas un sujet pensant? Un objet. Une chose qui ne pense pas. Quoi d'étonnant si je fais « partie des meubles », si ceux qui pensent ne prennent pas garde à moi! Suis-je seulement sûr(e) d'exister? Pour m'en assurer, une seule solution : en douter; à partir de là, me rendre compte que, si je doute, eh bien, c'est qu'au moins je suis!

C'est ainsi que procéda jadis Descartes. Issue de son éducation solidement chrétienne, l'image qu'il avait du monde fut peu à peu rongée par le doute. Il finit un jour par prendre le taureau par les cornes, allant jusqu'à mettre en question l'existence même de ce monde puis sa propre existence. D'où l'expérience du *cogito*. Voilà qui pouvait servir de leçon à cette dame si « transparente ». La transparence n'est pas une tare si elle fournit la première certitude à celui qui doute de tout. Encore faut-il penser par soi-même : personne ne peut me garantir que j'existe, si ce n'est moi, dans ma transparence à moi-même. Personne ne peut penser à ma place. Ainsi, le statut de la transparence se transforme : de négative, si je souffre de ne pas exister par l'autre, pour lui et à travers lui, elle devient au contraire positive dès lors que je m'assume comme sujet pensant; car rien n'est plus clair que cette pensée : « *Si je doute, c'est que je suis*[*]. » Certes, je suis encore transparent(e), mais, cette fois, c'est pour moi un atout, car c'est la preuve que j'existe – pour peu que je pense à mon propre compte.

Finalement, de manière pathétique, ce couple vivait à petite

---

[*] Descartes, *Méditations métaphysiques*, début de la deuxième méditation. Garnier, 1967, *Œuvres philosophiques*, tome 2, p. 415-416.

échelle une tension tout à fait étonnante : d'un côté le pôle collectif, celui de l'histoire humaine, où c'est le « nous » qui fait la loi, de l'autre le pôle individuel, celui du sujet qui dit « moi ». Chacun d'eux tendait vers l'un des pôles, mais les dés n'étaient pas jetés. Aucun des deux n'avait vraiment opéré un choix. Ils avaient donc un travail à faire pour décider en connaissance de cause : lui, en faveur du pôle collectif, dans un sens révolutionnaire, elle, en faveur du pôle individuel, dans le sens du *cogito* cartésien. Étaient-ils prêts l'un et l'autre à assumer leur tâche? Pouvaient-ils la mener à bien de concert? À ce jour, je l'ignore encore. Je les aurais volontiers aidés, mais je ne les ai jamais revus. C'eût été une bien belle aventure. Ils en ont décidé autrement. Ils ne sont pas allés plus loin.

Autant le dire, ils ne sont pas les seuls. Il m'est arrivé plusieurs fois de ne pas revoir des clients dont le programme, à l'issue de la première séance, était prometteur; d'autres se sont arrêtés en cours de route, ne sont pas allés « jusqu'au bout ». Certains renoncent parce qu'ils manquent de courage pour approfondir leur problématique et d'ardeur pour travailler sur les textes, d'autres parce qu'ils manquent de temps, d'autres à l'évidence enfin, faute d'argent. Cependant, la formule des duos fonctionne bien, justement parce qu'elle résout de facto une bonne partie des difficultés qui viennent d'être évoquées; d'abord parce que c'est pour chacun deux fois moins cher; ensuite, parce que l'angoisse face au personnage du « philosophe » est elle aussi divisée par deux, enfin parce qu'une dialectique féconde s'établit très vite à plusieurs.

Témoin ces deux jeunes femmes, que j'appellerai J. et D., et avec lesquelles le travail dure depuis plus d'un an. À raison de deux séances par mois environ, elles avancent sur un itinéraire qui se décide chemin faisant, sans programme préétabli, au gré des récurrences – et des lacunes. Ainsi, partis de *La République* de Platon, nous sommes passés par la *Genèse*, pour bondir par-dessus les siècles à la rencontre du *Candide* de Voltaire; nous arrêtant un instant à la *Théodicée* de Leibniz, nous avons rejoint Nietzsche pour suivre sa *Généalogie de la morale*; de là nous sommes revenus sur le *Manifeste* de Marx et d'Engels, avant de nous mettre à l'écoute des réflexions de Jean-Paul II sur les « choses nouvelles » dans son encyclique *Rerum Novarum*. La logique de ce parcours? Elle tient à leur interrogation initiale. Ayant fondé ensemble il y a plus d'une décennie leur entreprise dans le domaine de la communication publicitaire, spécialisée dans le son, elles ont vécu en duo la grande époque de la « pub » – et bien vécu, mais beaucoup, beaucoup travaillé. Comme la plupart des professionnels de cette branche, elles ressentent aujourd'hui le contrecoup de la crise qui affecte le monde des affaires. Elles se demandent donc non seulement s'il vaut encore la peine de se « défoncer au boulot », si la vraie vie n'est pas ailleurs, si cet investissement de temps et d'énergie est le bon pour le reste de leur vie, mais encore, plus généralement, comment la situation va évoluer : la crise va-t-elle durer ? L'Europe est-elle la bonne solution ? Quelles conséquences peut avoir la fin de l'aventure socialiste dans les pays de l'Est ? L'Occident est-il encore la locomotive de la civilisation ? Les pays pauvres sont-ils sur la bonne voie ? Bref, où va le monde moderne ?

Moderne s'opposant à antique, je proposais à J. & D. de poser un premier jalon de réflexion en commençant par Platon. C'est bien pratique, puisque dans *La République* il brosse un tableau saisissant de l'état de la cité de son temps. Bien sûr, histoire de raviver les émotions enf(o)uies de la terminale, je les plongeai dans la caverne. Elles eurent droit à ce moment (parfois traumatisant) où l'on se sent, à l'instar des autres prisonniers, le cou, les pieds et les poings liés depuis l'enfance, victime des apparences qui défilent sur la paroi du fond et incapable de changer le cours des choses. Où l'on envie alors celui que les dieux délivrent de ses chaînes et poussent vers la sortie, à l'air libre, même s'il souffre un instant de la vivacité de la lumière du jour : car, « *c'est le vrai soleil qu'il peut contempler, à sa vraie place,* et non *les vaines images reflétées sur le fond de la caverne* * » !

D'emblée, on sent bien que Platon a beaucoup à nous apprendre. Son allégorie n'a pas pris une ride. L'existence n'est-elle pas une mauvaise pièce, dans laquelle nous n'avons la plupart du temps aucun rôle à jouer, si ce n'est celui de spectateur ? Ne restons-nous pas le plus souvent dans une passivité puérile en face d'un jeu d'ombres chinoises ? Surtout depuis l'ère de la télévision ? Déjà, avec le cinéma, ce texte avait retrouvé une étonnante modernité : salle obscure, chacun cloué dans son fauteuil, fasciné par l'écran où tout se joue ; source lumineuse placée derrière la foule... Tout se passe comme si Platon avait anticipé sur cette invention. Mais que dire de la télé ! Plus que jamais, ne sommes-nous pas prisonniers de ces « chaînes » ? Le pouvoir fascinateur de la télé est décuplé. Qu'il s'agisse de « fictions » ou

---

* Platon, *République*, livre 7 (516 b), trad. Robert Saccou, Paris, G.F. Flammarion, 1966.

d' « actualités », nous sommes moins que jamais en mesure de nous arracher à ce qui se joue devant nous. D'ailleurs, la réalité dépasse fréquemment la fiction, et la présentation de l'actualité aux « informations » passe par nombre de manipulations, la différence s'estompe à tel point entre le vrai et le faux que nous serions bien en peine de séparer à coup sûr l'un et l'autre. De surcroît, le spectateur est maintenant « câblé », et l'offre de spectacle est si importante qu'il est devenu possible de vivre en permanence par procuration. Dès lors, à quoi bon attacher de l'importance au réel? Puisque le paradis passe par l'artificiel, pourquoi se battre contre la trivialité du quotidien? Cela, Platon l'avait bien vu : les prisonniers ne souffrent plus de leurs chaînes – ils s'en réjouissent, même.

La pertinence du début du livre VII de *La République* produit, bien entendu, un effet ambivalent. C'est que, depuis Platon, les choses n'ont guère changé. Comme si l'espèce humaine ne pouvait échapper à la médiocrité de son destin! Or c'était bien là le fond de l'affaire pour J. & D.! Que faire contre cela? Ne faut-il pas s'y résigner, quitte à tirer pour son propre compte son épingle du jeu : en étant moins « nul » que les autres, moins passif, moins grégaire, moins ruminant, moins endormi? Pour des acteurs (trices) de la sphère publicitaire, qui font partie des « manipulateurs » que Platon met en scène comme des « montreurs de marionnettes », qui agissent à l'insu des spectateurs en brandissant les objets dont l'ombre est projetée sur le fond de la caverne, cela signifie « s'en sortir ». Ce qui n'exclut pas tout scrupule. Mais, à tout prendre, ne vaut-il pas mieux perdre son âme de cette manière-là?

Le problème est la fin du scénario. Une fin calamiteuse! Calamiteuse dans un premier temps pour le « héros » de l'histoire, celui qui échappe au sort commun *en sortant de la caverne.* Une fois délivré du « monde de l'apparence », il accède au « monde du vrai, du bien et du beau ». Il s'en trouve alors si bien qu'il ne faut plus lui parler du plaisir qu'il éprouvait dans ses chaînes, en bas, avec les autres, dans l'ignorance et l'illusion. Pour ses anciens compagnons, il ne peut éprouver que de la compassion; quant à lui, sa jouissance n'a pas de nom. Mais que ses libérateurs lui demandent de retourner dans la caverne, en misant justement sur sa compassion : qu'ils le mandatent pour « éclairer » les ignorants, pour leur ouvrir les yeux, et qu'il s'y résigne, au détriment de son bonheur personnel, que se passera-t-il? Faisant une allusion à peine voilée au sort réservé à Socrate par ses concitoyens,

Platon interroge : *Ne le tueront-ils pas ?* Et la réponse va de soi : au lieu de l'écouter, ils le prendront pour un fou, et s'il insiste, s'il cherche à remplir son mandat pour de bon, ils le tueront.

À ce point, la position des publicitaires, membres de la corporation des montreurs de marionnettes, devient plus délicate. Car Socrate, en l'espèce, révèle leurs manipulations, et ils ont donc tout intérêt à sa disparition. Qu'on le fasse taire, d'abord pour qu'il cesse de les empêcher de faire leur travail, et qu'on l'élimine, s'il s'obstine. Et pourtant, d'une certaine manière, le discours de Socrate peut leur parler droit au cœur, puisqu'ils ne se résignent pas, ne fût-ce que pour leur propre compte, à « subir » l'illusion collective ; s'ils sont devenus cyniques, n'est-ce pas par dépit ? S'ils sont passés du côté des fabricants d'illusion, n'est-ce pas à défaut d'avoir trouvé la bonne issue ? Peut-être leur cynisme incombe-t-il à leur cécité ? En devenant complices du procès de Socrate, n'entérinent-ils pas leur propre médiocrité ? En faisant passer Socrate pour nuisible, en cautionnant son procès, ne détruisent-ils pas leur propre justification à faire ce qu'ils font ? S'ils sont devenus marchands de rêves, c'est en quelque sorte faute de mieux ; mais s'il y a mieux...

Encore faut-il qu'il y ait mieux. D'où le passage par la Bible, puisque la malédiction s'y trouve à l'œuvre. Par *Candide*, puisque le héros de Voltaire, convaincu par son maître Pangloss de la bienveillance de la Providence envers l'aventure humaine, croit longtemps que le règne du mal sur Terre prélude à celui du bien et que l'idée de fatalité est une mésinterprétation du cours des choses. Par la *Théodicée*, puisque la doctrine de Pangloss est tirée de cette œuvre (majeure) où Leibniz, en bon avocat, tente d'innocenter Dieu du mal qui règne sur la Terre. Par *La Généalogie de la morale*, puisque Nietzsche y reprend à son compte l'intuition de Platon quant à la fatalité de la décadence de la démocratie. Par le *Manifeste*, qui sert à Nietzsche de repoussoir et permet de reformuler en connaissance de cause les aspirations à la justice et à l'égalité des masses ouvrières du siècle passé, dont Marx et Engels se feront les prophètes. À travers l'avant-dernière encyclique papale, enfin, puisque Jean-Paul II, après avoir rappelé l'intérêt pédagogique de l'expérience socialiste, tente avec *Centesimus Annus* de mettre en évidence le rôle de la Providence dans la chute du mur de Berlin.

Nous en sommes là. Dans l'affaire, les positions se sont décantées. J. s'est révélée nettement plus « réaliste » que D., c'est-à-dire plus résignée quant à l'aptitude de l'espèce humaine à venir à bout de sa « nature » foncièrement égoïste. D. demeure « quelque part » idéaliste, c'est-à-dire moins certaine de l'irrévocabilité de la bêtise des hommes, allant jusqu'à admettre la possibilité d'un monde où l'argent ne ferait plus la loi. Cette opposition s'est régulièrement confortée. La stimulation a joué à plein, l'une mettant alternativement l'autre au défi de fonder sa position et la poussant dans ses retranchements. Parfois, il est vrai, elles cherchent à me faire parler – et elles y parviennent.

IX

En séminaire sur l'authenticité

Seules, à deux, voire à trois, les personnes qui prennent des consultations bénéficient de la disponibilité maximale du philosophe qui se met à leur service. D'autant que, lorsqu'il est difficile de faire autrement, je ne refuse pas de me déplacer : ainsi, avec J. & D., ce n'est plus au Cabinet que les séances se déroulent, mais dans leur bureau. Pour elles, il s'agit avant tout d'une *pause* : il y a leur travail, et tous les quinze jours la « pause philo ». Pour moi, c'est aussi une pause. J'aime bien cette sensation. Arriver dans leur bureau, les voir se réjouir, se jeter un œil complice, dévier leurs lignes téléphoniques sur un service ad hoc, poser le livre du moment sur leur surface de travail avec des moues de lycéennes qui craignent d'être interrogées, tout en sachant qu'il n'y a pour toute sanction, si elles n'ont pas fait leur devoir, qu'un déficit de plaisir... Que ce soit à l'heure du déjeuner ou en plein après-midi, elles s'offrent un moment de répit, une respiration.

Ce type de travail ne peut cependant pas excéder le nombre de trois participants. Au-delà, le travail de chacun, ses propos, ses acquis, ses motivations, ses sentiments, bref, son évolution, ne peuvent plus être suivis ni stimulés comme il convient. À vrai dire, il est extrêmement rare que plus de trois personnes aient besoin d'une consultation sur le même sujet au même moment. Et puis il existe une forme adaptée à un nombre plus élevé : le séminaire. C'est d'ailleurs à cette forme d'intervention que j'avais d'abord pensé en ouvrant le Cabinet, et non à des consultations. Il me semblait que c'était un bon moyen pour faire connaître son existence et pour inaugurer une série de prestations nouvelles. Il suffisait de se glisser dans une forme bien connue, et très pratiquée, que ce soit dans la vie professionnelle, dans le cadre (ou sous l'égide) de l'entreprise, ou le week-end, à des fins de « développement personnel ».

Dans la presse d'affaires, dans les conventions, dans les forums professionnels, on parlait déjà beaucoup de « retour aux valeurs fondamentales ». Dans les entreprises, moyennes ou grandes, les services de « ressources humaines » commençaient à être mis à contribution pour fournir au personnel un « code éthique » susceptible de redonner aux employés et aux cadres le sens de la responsabilité et la fierté d'appartenir à leur firme. Effet de mode ou manipulation? Qu'y avait-il d'authentique dans ce remue-méninges?

La question est toujours d'actualité. Beaucoup de chefs d'entreprise sont tentés d'utiliser l'éthique pour exorciser un mal sur lequel aucune des techniques utilisées jusque-là, aucune des sciences sollicitées n'offre de prise. Or, le plus souvent, il ne s'agit pas de s'interroger en commun sur le caractère pernicieux pris par le cours des choses, mais, ni plus ni moins, de redonner aux employés le goût de la bataille et de permettre à l'entreprise de retrouver le dynamisme nécessaire pour *sauvegarder* l'avenir. Venue d'outre-Atlantique, cette vague d'éthique n'a aucun mal à pénétrer dans une Europe en proie au doute, assaillie par l'angoisse des lendemains, dans un monde des affaires en crise, secoué par des scandales en série. *À quoi, à qui peut-on encore se fier?* L'interrogation est lourde de sens. Dans le recours à l'éthique il y a donc quelque chose de juste : le refus de se résigner à la corruption et à la fatalité. Mais il y a aussi un processus d'anesthésie de la réflexion : réfléchir à la source du mal risque de faire trop mal, de faire surgir des révélations douloureuses, et par conséquent de démotiver au lieu de remobiliser. Du point de vue de l'efficacité immédiate, mieux vaut faire disparaître le symptôme!

Je ne suis pas sûr que ce soit un bon calcul. Le spectre du licenciement hante tous les employés, ainsi que nombre de cadres; celui du dépôt de bilan hante beaucoup d'entrepreneurs, et le spectre d'un krach financier hante la plupart des économistes, même les plus optimistes. Personne ne retrouve la sérénité en détournant le regard du danger. Qui peut trouver son compte dans cette attitude? Pour combien de temps? Si la morale peut encore être de quelque secours, cela passe par le contraire de ce qui se pratique sous le nom d' « éthique ». Sa condition première est l'authenticité. D'où le choix de ce thème comme objet de mon premier séminaire.

Encore fallait-il ne pas tomber dans certains travers propres à ce type de travail en groupe. Quoi de plus navrant que ces « séminaires » où un orateur vient exposer le fruit de ses travaux personnels sans que jamais ses auditeurs soient vraiment mis à contribution! On prend docilement des notes, on pose poliment une question, et (lorsque les « intervenants » sont bons) l'on s'en retourne à la maison (ou dans sa chambre d'hôtel) en étant devenu plus intelligent – ce qui ne dure que le temps d'un rêve. À l'opposé, le séminaire actif, celui où l'on s'*investit* : on jette le masque, on se livre, on se confie, on se révolte, on apostrophe les autres; ou bien l'on change de rôle, on « lâche prise », on se laisse aller, on se libère du joug du *logos*, on laisse parler ses désirs, on donne le champ libre à sa « créativité » – quitte à payer plus tard les pots cassés; mieux, on se dépasse, on prend l'air, on hume la brise, on se frotte aux arbres, on marche sur des braises, on s'élance dans le vide...

Avec leurs « séminaires de recherche », les universitaires peuvent passer à côté de ces aberrations, mais en quoi contribuent-ils à élever le niveau de la réflexion de ceux qui, justement, se trouvent piégés dans les formes communes de « séminaire »? Ils ne s'adressent pas au monde de l'entreprise, pas davantage à cette foule de personnes qui veulent vivre mieux, faire un meilleur usage de leur passage sur Terre. Mus le plus souvent par des impératifs stratégiques et tactiques définis à partir de leur plan de carrière, ils n'attirent en général que des universitaires (doctorants et collègues), et, s'il en est parmi ceux-là qui sont animés d'une véritable soif de savoir, combien ne cherchent qu'à se faire connaître pour construire leur avenir.

Mon séminaire devait éviter tous ces écueils. À vrai dire, le risque était limité. Enseignant à l'Institut d'études politiques depuis quelque temps, je m'ouvrais à un autre univers que celui de l'université. Je n'avais aucune envie de reproduire le modèle de la caste. Il devait y avoir bien mieux à faire. Le retour à l'éthique était devenu un leitmotiv : pourquoi ne pas en sonder la profondeur? Que les instances dirigeantes des entreprises soient devenues sensibles à un assainissement des comportements dans la sphère des finances, des échanges et de la production, cela a eu pour effet de permettre à nombre de prestataires de formation de proposer l'éthique comme un nouveau « produit », dont la promotion est assurée par des penseurs de renom. Or ce type de prestation ne se différencie guère du spectacle télévisuel, où, jusqu'à nouvel ordre, le public est aussi massif que passif. À cette starisation de l'intervention, je préfère le retour aux textes fondateurs. L'objectif de ce premier séminaire sur les sources de la morale occidentale était de *faire remonter chacun des participants de l'aval de son discours à l'amont de ses références.* Chacun devait donc s'impliquer. Mais cette démarche n'ouvrait pas pour autant la porte aux gesticulations à vocation thérapeutique. Ce séminaire était un séminaire de réflexion, pas d'action. Si j'invitais à faire une pause dans la frénésie de la lutte pour le pouvoir – ou la survie –, ce n'était pas pour permettre au corps de prendre le pas sur l'esprit, la folie sur la raison. C'était, au contraire, pour redonner à l'esprit et à la raison leurs prérogatives, pour permettre aux participants de sonder la teneur de leur désir, plus ou moins enfoui, plus ou moins latent de redevenir authentique, et d'en définir en connaissance de cause les conditions. Il fallait s'impliquer en s'expliquant.

Car nous faisons tous usage de concepts comme « bien » et « mal », et tous (ou presque) nous tâchons d'agir conformément à de tels concepts : par exemple, nous résistons (généralement) à la tentation de mentir, de voler ou de tuer. Lorsque nous ne résistons pas, nous disons que nous commettons, si ce n'est un péché, du moins, une « faute ». Mais ces concepts, ainsi que cette résistance, tirent leur légitimité d'une doctrine tombée de nos jours en désuétude : bien peu nombreux sont ceux qui « croient » encore sérieusement aux dogmes chrétiens... Et, pourtant, nous faisons comme s'ils gardaient toute leur pertinence, puisque, tant dans nos propos que dans nos actes, nous nous référons à eux. Le plus souvent, certes, cette référence n'est qu'implicite, et nous serions bien en peine d'en indiquer la source véritable. En effet, qui peut spontanément préciser d'où la doctrine chrétienne tire sa cohérence ? Autant dire que nous ne sommes en mesure de justifier ni nos propos ni nos actes. Il serait donc bien facile à un immoraliste d'en déduire que nous ne savons ni ce que nous disons ni ce que nous faisons...

Ce séminaire avait pour objectif premier de prendre la mesure des lacunes de ses participants et de les combler par l'accès aux quelques textes décisifs. En l'occurrence, il faut en revenir à l'épître aux Romains de l'apôtre Paul, où se noue la relation de la venue du « Sauveur », de sa mort et du « péché originel ». Une fois que ce texte est (re)devenu familier, il faut remonter à un autre texte sur lequel Paul s'appuie : le récit du « péché » qui se trouve dans la Genèse et constitue le début de ce que les chrétiens appellent l'Ancien Testament. À ce stade, qui prend déjà quelques heures, il est temps de s'interroger sur la validité de la référence sur laquelle l'ensemble de l'édifice doctrinal repose. En un mot, il faut se demander si toute cette tradition peut être considérée comme *authentique* et si elle est digne de foi. Cet examen réserve bien des surprises, tant il révèle d'ignorance, de cécité et de complaisance.

Dans un second temps, on remonte à la tradition grecque. Car, ne l'oublions pas, le courant chrétien a submergé la culture gréco-romaine. Ce faisant, il lui a emprunté nombre de ses éléments. À l'évidence, nos concepts de bien et de mal viennent de Platon. On trouve en effet dans son œuvre une invitation à la sagesse dont tous les courants ultérieurs se sont inspirés. Dans *La République*, en particulier, on voit ce que signifie atteindre l'authenticité, et le christianisme y a largement puisé pour justifier sa propre révélation. Il se peut que la source soit tarie et que ce que nous y puisons encore soit en vérité pollué. Il se peut que nous ayons à inventer de nouvelles valeurs et un nouveau code de conduite. Encore faut-il, pour éviter malentendus et bévues, savoir de quoi nous parlons. Et s'il faut, pour rejoindre la caverne de Platon, affronter torrents et précipices, du moins pouvons-nous caresser l'espoir de retrouver tôt ou tard le vrai soleil.

Ainsi balisé, cet itinéraire réduit au minimum tant le risque de la passivité, où rien ne se passe, que celui du *happening*, où tout peut arriver. On peut prendre des notes, mais on doit surtout s'exprimer. On doit marcher sur des braises, mais sur les braises de la tradition ; on doit sauter dans le vide, mais dans le vide de ses références.

Néanmoins, je dus bientôt me rendre à l'évidence : ce séminaire ne touchait pas la cible prévue initialement. Il ne « mordait » pas là où je l'escomptais : dans la population touchée par la vague d'éthique dans les entreprises, en particulier les cadres dirigeants. Tous ceux auxquels je le proposais se déclaraient très enthousiastes et m'assuraient de bloquer bientôt deux jours pour faire la « pause » requise. Aucun, ou presque, ne tint parole... Ce fut pour moi une grosse déception, mais une expérience importante. D'autant qu'à l'inverse, là où je ne m'y attendais pas, les choses se mirent presque naturellement en route, à savoir parmi les particuliers. J'entends par là tous ceux que je rencontrais « en ville », dans leur existence de citadin, hors de leur milieu professionnel, notamment au café des Phares, et qui d'une manière ou d'une autre avaient entendu parler du Cabinet. Non seulement je commençais à avoir des clients réguliers en consultation, mais nombre de ceux qui n'osaient pas s'engager d'emblée dans une telle aventure trouvèrent dans ce séminaire le moyen de pratiquer la philosophie à leur mesure.

À ce jour, six groupes ont accompli le parcours prévu : à chaque fois cela dura un week-end, avec un effectif qui varia de six à quatorze personnes; un séminaire par trimestre! Quand je dis que cela se fit « presque naturellement », il faut s'entendre. Il s'en fallut de peu que le premier séminaire ne fût à l'eau. En effet, je n'avais rien trouvé de mieux que de le faire sur un bateau : une péniche qui remonterait la Seine. Sans conteste, l'idée était excellente : étant donné qu'il s'agissait de remonter aux sources de la morale, qu'y avait-il de plus adéquat que de remonter le cours d'un fleuve? Le bateau fournissait le modèle de l'effort requis de chacun : lutter contre le courant, contre le cours du temps et le cours des choses, ne pas se laisser impressionner par la résistance de l'eau – et se rapprocher lentement de la source... Sans doute le bruit du diesel risquait-il de nous gêner, mais cet inconvénient devait être aisément compensé par le plaisir d'un dépaysement rapide et le bonheur de voir défiler des rives paisibles. De surcroît, le bateau s'appelait le *Blue Note,* et nous comptions sur le marinier pour neutraliser subtilement le sourd vrombissement de son moteur grâce à de la bonne musique. Las, la veille de l'embarquement, la Seine décida de se mettre en crue! Le niveau de l'eau monta si brutalement que le passage sous les ponts était compromis et que, pour avoir l'autorisation de naviguer, il nous fallait un pilote spécial crue! Je dus donc renoncer au *Blue Note.* C'est Pascal (dont j'ai évoqué plus haut le rôle d'organisateur) qui me sauva la mise, en passant un accord de dernière minute avec un relais de chasse en forêt...

Ce jour-là, il y eut six personnes. Six cobayes, en quelque sorte, puisque jamais encore je n'avais expérimenté la chose. L'heure de vérité était arrivée. J'avouais mon trac, pour commencer – ce qui était une manière d'être « authentique ». J'avais autour de moi six femmes, d'un bon niveau culturel : il y avait là Bernadette, une avocate qui avait une longue carrière derrière elle, Claudine, une enseignante de lettres un peu lasse, Micheline, une « simple » mère de famille qui avait mené sa tâche à bien dans un milieu aisé, amateur d'art et grande lectrice de Paul Léautaud, Chantal, une ancienne infirmière devenue psychothérapeute, Laurence, la directrice d'une agence de publicité, et Martine, productrice de films et d'événements d'entreprise (dont j'ai déjà parlé à propos du café...). Six femmes, donc, auxquelles s'ajoutait la jeune Alix, qui venait me seconder – et voir si l'exercice lui convenait.

Je demandai à la ronde si ce souci de *ne pas mentir, de ne pas camoufler, d'être soi-même* avait un fondement : n'était-ce pas, au fond, un reliquat d'éducation religieuse, sans raison d'être dans la vie moderne; un reste de mauvaise conscience infantile, sans pertinence pour la vie d'adulte. Était-ce seulement possible d'être vraiment authentique? N'était-ce pas un doux rêve de jeunesse? Un idéal inaccessible, réservé à des êtres d'exception, comme le Jésus des Évangiles? S'il y était, lui, parvenu, n'était-ce pas parce qu'il était d'origine divine? Ou bien fallait-il ne pas se résigner? Fallait-il y croire encore? Mais dépendait-il de nous seulement de vivre de manière authentique?

La discussion s'engagea sans heurts, mais l'émotion l'emportait sur la réflexion. De douloureuses expériences personnelles émergèrent. Il s'avéra que de vieilles blessures demeuraient ouvertes et que d'autres étaient bien mal cicatrisées. Certaines remontaient à la prime jeunesse. Ainsi, l'une des participantes, retournant à ses premiers souvenirs, évoqua l'époque du catéchisme comme celle qui lui paraissait la moins authentique, tant le décalage était grand entre les préceptes et les actes : on parlait de la droiture comme d'un principe qui allait de soi, mais c'est en vain que l'enfant qu'elle était la cherchait chez les adultes – et chez ses maîtres –, tandis qu'elle se voyait contrainte de tout dire au confessionnal sur ses fautes et ses mauvaises pensées. Pour une autre, ce fut l'époque hitlérienne et l'immense cortège de fléaux qui s'abattirent sur les siens, quand les juifs furent pris une fois de plus comme boucs émissaires : que de cruauté, que de folie chez les bourreaux! Que de lâcheté chez ceux qui ne risquaient rien! Et souvent que de complicité! Que d'hypocrisie! Comment croire dès lors au genre humain? Comment miser sur une quelconque sincérité chez l'autre? Pour elle, l'authenticité n'était pas un impératif mais un leurre!

En se développant à partir de tels témoignages, la séance pouvait tourner aisément à la thérapie de groupe. Il n'en fut rien. Passé le moment fort du pathos, la controverse prit lentement tournure. Peu à peu se dégagèrent des points de vue clairs et distincts : pour l'une, l'authenticité avait pour condition le rejet de tout ce qui avait été appris sans esprit critique; pour sa voisine, le refus de mentir à l'autre, et surtout de se mentir à soi-même; pour la troisième, c'était la valeur suprême, celle qu'il importait de partager avec une âme sœur; pour la quatrième, être authentique signifiait au contraire être en accord avec son moi profond, sans égard pour qui que ce soit; pour la cinquième, cela consistait à vivre en harmonie avec la nature ; pour la dernière, ne vivre que dans l'essentiel, c'est-à-dire obéir à l'appel du cœur... Jusqu'à ce qu'il fût patent pour tout le monde qu'en employant le même mot, personne ne parlait de la même chose.

Aussi devenait-il nécessaire de savoir d'où la notion provenait. Mon programme prévoyait de commencer par la figure chrétienne du Messie, car cela offrait bien des avantages. D'abord, parce que le christianisme fournissait un modèle incontournable, et qu'il valait mieux aller directement à l'original que de passer par ses copies pour tenter d'en discerner l'essentiel ; ensuite parce que ce modèle était susceptible de faire encore l'objet d'un consensus, d'un modèle à suivre, même à notre insu ; enfin, parce qu'il convenait justement d'en avoir le cœur net, de rendre explicite ce qui pouvait être latent. L'inconvénient, c'est que, dès qu'on cherche à cerner la figure du Christ, elle s'échappe, et que plus on s'y applique, plus elle s'efface. Des six personnes présentes ce jour-là, il n'en est pas une qui n'ait dû s'en étonner. Non que les récits fassent défaut, d'où l'on peut tirer un portrait de Jésus de Nazareth : les quatre Évangiles y pourvoient abondamment. On peut se faire une idée de sa personne, de son tempérament, de sa façon d'être, de sa bonté, de sa droiture, de sa rigueur – dans la patience comme dans la colère – grâce aux narrations que présentent Matthieu, Marc, Luc et Jean de ses actions et de ses paroles. Seulement voilà ! D'une part, l'origine de ces récits est plus que douteuse, d'autre part, dans la doctrine chrétienne, c'est moins la vie de Jésus qui compte que sa mort.

Les Évangiles ont été canonisés comme témoignages directs de la vie de Jésus. Mais le *Nouveau Testament* contient d'autres textes peu compatibles avec cette assertion. Ainsi, les lettres de Paul. Paul n'évoque jamais les Évangiles dans ses lettres. Bien sûr, il annonce la « bonne nouvelle », il proclame à qui veut l'entendre que le Messie est venu, mais il ne se réfère jamais aux *textes* que nous désignons de ce nom. Dans son épître aux Thessaloniciens, par exemple, il fait référence à l'Écriture, mais il s'agit des Écritures juives, en l'occurrence des Psaumes de David. Lorsqu'il leur parle de l'« Évangile » (en 1.v, 2.ii, 2.ix, 3.ii), il ne s'agit pas d'un texte, mais d'un message, d'une nouvelle : en grec, le terme *euaggelion* désignait, stricto sensu, la récompense que l'on donnait au messager ; puis ce mot désigna le message lui-même lorsqu'il était bon ; on le trouve dans la traduction grecque des Écritures sacrées juives (la traduction dite « des Septantes »), pour indiquer les messages qui rendent heureux. Il faut attendre le milieu du

IIe siècle de notre ère pour que ce terme s'applique aux *écrits* attribués à Matthieu, Marc et consorts.

Certes, l'inauthenticité des Évangiles ne ruine pas toute possibilité de s'abreuver directement à la source du christianisme, mais c'est au détriment du « modèle » de vie que serait Jésus. Car ce qui compte alors, c'est son rôle exceptionnel de Sauveur. C'est ce qui donne au christianisme sa cohérence. Sa source n'est pas Jésus, mais Paul. Ce n'est pas sur la vie de Jésus que la foi chrétienne repose, mais sur sa mort. Ce qui importe, ce n'est pas qu'il ait vécu de manière exemplaire, qu'il ait fait preuve d'une grande probité, d'une extrême bonté, d'une profonde sagesse, c'est qu'il se soit sacrifié pour racheter les péchés du monde, c'est qu'il ait été crucifié, c'est donc qu'il ait rendu l'âme. Bien sûr, encore fallait-il pour cela qu'il soit né et qu'il eût « accompli les Écritures », c'est-à-dire qu'il ait le profil du Messie attendu par les Juifs, notamment qu'il soit descendant de la tribu du roi David; il fallait qu'il se distinguât entre tous par ses dons et son allure. Mais, s'il avait eu vraiment le profil requis par les textes sacrés, et s'il avait vraiment accompli les Écritures, il est permis de se demander pourquoi les Juifs ne l'auraient pas reconnu pour leur Messie. Car les Juifs attendaient vraiment un Messie. Ils attendaient Celui qui restaurerait la royauté d'Israël, perdue depuis des siècles. Ils attendaient Celui qui les délivrerait du joug romain, en place depuis des décennies. Et si Jésus avait été celui-là, croit-on qu'ils ne l'auraient pas vu?

Quand il s'appelait encore Saul, Paul tenait ce raisonnement. Et c'est pour cette raison qu'il était devenu l'un des adversaires les plus farouches de la secte qui se réclamait de ce personnage qui s'était laissé prendre au bois comme un vaurien. Il n'avait pas assisté au supplice et n'avait jamais vu l'homme en question, mais il ne pouvait admettre que ce fût là le sort réservé au Sauveur de la nation juive. Comme ses partisans faisaient courir les bruits les plus fous sur le compte de leur Maître, qu'ils le prétendaient Fils de Dieu, quoi de plus nécessaire que de faire taire ces gens, quitte à les abattre? C'est lors d'une mission de répression que la lumière se fit en son esprit. Et c'est lui qui établit pour la première fois le lien entre la mission du Messie et la mort de Jésus. Il comprit, sur le chemin de Damas, qu'il faisait fausse route. La vérité l'aveugla : ce n'était pas par sa vie que le Messie devait réaliser la promesse de libération contenue dans les textes de la tradition juive, mais par sa mort. Toute l'histoire du peuple juif montrait sa propension à désobéir à son Dieu : à quoi bon un nouveau geste de la part de ce Dieu ? À quoi bon restaurer la puissance de la nation ? N'allait-elle pas, sitôt la promesse accomplie, tourner de nouveau le dos à sa résolution ? Dieu allait-Il encore être dupé ? Non ! Il devait y avoir autre chose dans la promesse. La venue du Messie devait avoir une autre signification, beaucoup moins triviale, et beaucoup plus universelle ! Ni la désobéissance à la loi divine ni les souffrances qui en résultent n'étant spécifiques à la nation juive, pourquoi la venue du Sauveur lui serait-elle réservée ? Un texte du *Pentateuque*, l'un des tout premiers, qu'on attribuait à Moïse et qui narrait la création du monde, racontait comment le premier homme avait désobéi à Dieu. Forts de leurs alliances successives avec Dieu par l'entremise de leurs patriarches, les Juifs ne prêtaient guère attention à cette première faute : n'était-ce pas là leur erreur ? Comment ne pas voir que dès sa création l'homme était voué au péché ? Dieu n'avait d'ailleurs pas hésité à plusieurs reprises à détruire tout ou partie de Sa création. Plutôt que d'aider la nation juive à retrouver sa souveraineté, qu'est-ce qui L'empêcherait de sévir une fois de plus ?

Il reste à savoir si une telle « révélation » peut étancher, aujourd'hui encore, notre soif d'authenticité. S'il en est ainsi, si dans sa phase fondatrice le christianisme se présente bien sous ces auspices, comment s'y reconnaître lorsqu'on cherche un modèle de conduite ? Lorsqu'on cherche à s'approcher de la figure de Jésus comme d'un exemple à suivre pour mener une vie digne de ce nom, on se trouve rapidement contraint de pénétrer dans une région fort aride, où l'on a plus souvent l'occasion de tomber dans les sables mouvants que de se désaltérer : c'est le domaine de la vérification des sources, qui conduit au redoutable pays des recherches philologiques, celui qui n'en finit pas. Et, si l'on préfère s'épargner cette peine et ces déboires au nom du fait que le christianisme commence véritablement avec Paul, on se retrouve devant une figure qui n'est plus celle d'un homme dont on pourrait suivre la voie, mais celle du Fils de Dieu, qui, certes, est salvatrice, mais qui ne peut servir de modèle, sauf à considérer la mort comme la meilleure manière de vivre !

Et ce n'est pas tout. Cette masse de difficultés est décuplée dès lors qu'on prend garde à la référence qui sert de point de départ à l' « essentiel ». En s'appuyant sur le récit du péché originel, Paul (et à sa suite toute la tradition chrétienne) établit une connexion qui, elle aussi, donne à réfléchir. Car, comme je l'ai évoqué plus haut à propos d'une consultation particulière, le texte de la

Genèse contient deux récits de la Création qui sont incompatibles. Certes, dans le second récit, on trouve bien l'histoire du péché d'Adam ; mais, étant donné que le récit de la Création dans lequel il s'insère n'est pas compatible avec le premier récit, celui de la Création en six jours, il n'est pas possible d'invoquer l'un et l'autre. Paul (et tous ceux qui le suivent) devrait, s'il avait le souci de la cohérence, choisir entre les deux : il devrait rejeter le premier, celui dans lequel l'homme est créé en dernier, et en même temps que la femme, où Dieu, ravi de son ouvrage, accorde au couple humain la domination sur toutes les créatures, sans mentionner aucun interdit, sur aucun animal, aucune plante, ni aucun arbre. Ce récit-là ne peut mener le premier homme à la désobéissance ; il ne peut par conséquent expliquer l'origine du mal sur Terre, et Paul ne peut donc en faire usage.

Ah ! s'il était seulement possible de converser avec Paul ! Il faudrait lui demander comment il s'y prit. Savait-il qu'en voulant révéler les raisons de la nécessité de la mort du Messie il occultait de manière frauduleuse l'incohérence de la *Genèse* ? Afin d'expliquer l'insolvabilité de la dette de l'espèce humaine envers Dieu, il optait délibérément pour le second récit. Mais, en optant pour le second récit, il devait admettre que le premier était erroné, par conséquent, renoncer au caractère sacré du texte de la *Genèse* dans son ensemble, et en conséquence à son propre discours, à sa propre révélation. Son alternative était cruelle : ou bien admettre le premier récit, et se priver du moyen de fonder son intuition de la mission du Messie ; ou bien le rejeter, et faire perdre tout crédit à sa parole. Il lui fallait donc le faire sans le dire... C'est là, sans doute, la marque du génie, de l'inspiration – de celles qui rendent superflue la probité intellectuelle, mais pouvons-nous, aujourd'hui encore, tomber dans le panneau ? Il faut grandement s'étonner que, sur ce point aussi, la plupart des autorités chrétiennes demeurent fort discrètes. Des siècles durant, elles présentèrent l'histoire du péché comme ne faisant qu'une avec celle de la Création. À l'examen, il s'avère que c'est impossible. Aujourd'hui, la plupart des ecclésiastiques savent que ces récits n'ont pas la même origine [*], que le « collage » est plus qu'approximatif, et que par conséquent la « bonne nouvelle » de Paul ne peut être prise à la lettre. Il n'empêche qu'ils se gardent bien d'éveiller l'attention de leurs ouailles sur les difficultés intrin-

---

[*] La version œcuménique, vendue au grand public en Livre de Poche, en témoigne. Qu'on lise attentivement l'introduction !

sèques de l'opération. Il est vrai qu'elles n'ont pas pour vocation d'éduquer l'esprit critique des foules.

Dans ce séminaire, je prends le temps qu'il faut pour que le groupe dans son ensemble mette de lui-même le doigt sur les difficultés de la référence aux textes décisifs, et pour que chacun mesure sa propre cécité. À chaque fois, je dois le reconnaître, l'étonnement est énorme. Lors du premier séminaire, en particulier, l'émotion avait été très forte. Personne n'était préparé à une telle « révélation ». Certaines participantes étaient pourtant familières des textes sacrés. Néanmoins, aucune n'avait fait jusque-là une expérience de cette sorte : que les textes les plus connus, les plus importants peut-être de la culture occidentale, ceux qui en tout cas avaient joué le rôle le plus considérable, soient si « problématiques », et, qui plus est, qu'elles soient elles-mêmes en mesure de voir ce qui ne collait pas. Ce qu'elles comprenaient le moins, c'est pourquoi cela se savait si peu et comment on avait pu être si longtemps aveugle.

Elles n'étaient cependant pas au bout de leurs peines. Le séminaire parvient à ce stade au cours de la première journée : pour la finir, il reste à faire un peu connaissance avec les doctrines auxquelles s'est imposé le christianisme des premiers temps, celles qu'il a vaincues, et dont, malgré ses incohérences, malgré son manque de probité et sa morbidité, il a pris la place au cœur de l'Empire romain : le paganisme, le stoïcisme et l'épicurisme. Si l'on prend acte des défauts du christianisme, alors, il faut bien donner, ne fût-ce qu'un instant, leurs chances à ceux qui tenaient le christianisme pour une détestable superstition. Ce qui nous conduit à nous demander si l'opprobre dont ces doctrines et leurs partisans ont été couverts est vraiment mérité. À commencer par l'opprobre dont ont été couverts le paganisme et... Néron.

X

En voyage

Submergée par le christianisme à la fin de l'Empire romain, la tradition grecque peut être retrouvée en amont du grand fleuve de l'histoire occidentale. Déjà, dans le christianisme tel qu'il nous est parvenu, tel qu'il a régné des siècles durant, se retrouve chacun des courants auxquels il avait eu affaire : le paganisme, l'épicurisme et le stoïcisme. Il y a du paganisme, beaucoup de paganisme, dans la religion qui finit par s'imposer à Rome sous l'égide de Constantin au iv\ :superscript:`e` siècle de notre ère (le Dieu incarné, la virginité de la mère, la fête de Noël, le culte des saints, par exemple); il y a une bonne dose de stoïcisme (l'acceptation des épreuves, de la souffrance ici-bas, le rôle du Ciel dans les événements), et il y a de l'épicurisme (eh oui! car l'épicurisme n'est pas ce que Paul a dit de lui, « une morale de jouisseurs, de pourceaux », c'est plutôt le culte de la frugalité, l'art de se contenter de peu et d'apprécier ce peu comme une bénédiction). Autrement dit, le christianisme contient beaucoup de culture grecque.

D'ailleurs, le *Nouveau Testament* fut rédigé en grec. Le « citoyen romain » Paul, bien qu'instruit par les pharisiens, rédigeait ses lettres en grec et, malgré des tournures hébraïsantes, il s'avère que tous les récits évangéliques ont été écrits dans cette langue, dont l'usage était prédominant dans tout le Bassin méditerranéen. Le mot « christianisme » lui-même est grec, car il provient de « Christ », qui est le mot grec pour dire « messie » : « messie » nous vient en effet de *messias*, forme grecque de l'hébreu *masiah*, en araméen *mesiha*, ce qui signifie « oint », celui qui est bénit avec de l'huile. Quant à la doctrine, au cœur même de celle-ci, comment la séparer du platonisme? Bien des éléments stoïciens et épicuriens assimilés par le christianisme sont directement issus de Platon (la dichotomie monde des apparences/ monde réel, l'unicité de la puissance créatrice du monde, la révélation de la vraie lumière par le biais d'un homme inspiré par les dieux, la méfiance envers les sens, envers les désirs aveugles, les passions débridées, le mépris des lois établies par la majorité, le bonheur que procure la vertu) : mesure-t-on la dette du christianisme envers la pensée platonicienne ?

En vérité, il est permis de se demander dans quelle mesure la figure judéo-chrétienne de Jésus n'occulte pas celle de Socrate. C'est le soupçon auquel je convie les participantes du séminaire sur l'authenticité. Étant donné que Jésus nous fuit lorsque nous nous rapprochons de lui, autant revenir en amont. Socrate, lui aussi, a été persécuté par les siens ; lui aussi se présentait comme un libérateur ; lui aussi misait sur l'authenticité. On dit toujours que la figure de Socrate anticipe (« prépare ») celle du Messie. Et si c'était un abus de pouvoir ? Si le christianisme s'était approprié les traits les plus marquants de la figure de Socrate pour faire passer celle de son Sauveur dans un monde hellénisé ? S'il avait en quelque sorte fait glisser une silhouette sur l'autre ?

Cette interrogation sert de fil conducteur à la seconde journée du séminaire, qui nous fait remonter à la source grecque de la morale occidentale. On me permettra ici de ne pas en dire davantage. D'abord parce que le suspense mérite d'être ménagé, ensuite parce que Socrate fait l'objet d'une autre démarche, que j'aimerais présenter maintenant, de façon à clore ce long récit de la mise en place des prestations du Cabinet : celle du *voyage philosophique*.

Parmi le peu de gens qui accordent encore quelque crédit à la pensée philosophique, beaucoup croient que les œuvres des grands philosophes sont hors de leur portée. Le « respect » dans lequel on tient les « textes classiques » est si fort qu'on s'abstient de les approcher : « Ça n'est pas pour moi ! » pense-t-on le plus souvent, même dans les milieux les plus « cultivés ». Lorsqu'on admet qu'il faut lire des livres, ce n'est pas au corpus philosophique que l'on s'attaque : pour accroître ses connaissances, on préfère en général un bon livre de vulgarisation scientifique ; pour vibrer au rythme de l'aventure humaine, on plonge dans une œuvre littéraire et, quitte à se torturer les méninges, on s'adonne aux mots croisés, ce qui est tout de même plus gratifiant que de se sentir incapable de comprendre l'incontournable *Critique de la raison pure*. Quant à la culture qu'il est bon d'acquérir, elle passe tout naturellement par les expositions, les musées – et les

105

voyages. Oui, on part aussi en voyage pour se cultiver. Le pèlerinage s'est laïcisé. On se rend désormais sur des lieux qu'il est bon de connaître parce qu'ils ont marqué l'histoire. Et, tels les fidèles de Saint-Jacques, de Jérusalem ou de La Mecque en quête d'absolution, des foules assoiffées de savoir partent à destination des sites qu'il faut avoir vus : Venise, Florence, Rome, Athènes, Delphes...

Le pari du « voyage philosophique », c'est de rendre accessibles les textes les plus hermétiques. Il est vrai que beaucoup d'auteurs sont obscurs, à tel point que la pratique de la philosophie implique un « travail » ardu, méthodique, patient, qui procure longtemps plus de peine que de plaisir. Et pourtant! Non seulement le plaisir finit un jour par arriver, mais, le plus souvent, si l'on a tant de peine à entrer dans l'œuvre d'un philosophe, c'est parce qu'on n'y entre pas par la bonne porte. Certes, les concepts, le style, la technicité de la plupart des textes strictement philosophiques compromettent généralement l'adhésion qu'ils seraient susceptibles d'emporter de la part du lecteur. Mais qu'on parte sur les lieux où ils ont été rédigés, qu'on prenne peu à peu contact avec leur contexte historique, avec la vie de l'auteur, avec sa silhouette, ses habitudes, ses manies, qu'on se promène sur les lieux de son existence, qu'on visite les édifices qui comptaient alors, et l'on verra peu à peu s'amenuiser une distance qui paraissait infranchissable. Une fois sur place, une intimité se crée, chargée d'anecdotes et d'émotions. Qu'on se rende donc à Königsberg, ce port des confins de la Baltique : c'est là que Kant a passé sa vie – toute sa vie (il ne l'a jamais quitté). Qu'on prenne le temps de se promener dans les ruelles de la vieille ville, de parcourir (à pied) le trajet que Kant faisait tous les jours à la même heure, de remettre à jour ses connaissances sur la situation politique (émergence de la puissance prussienne entre l'Angleterre, la France, l'Autriche et la Russie), de mesurer l'intensité du conflit entre la science et la religion (Newton et sa loi de l'attraction universelle battent en brèche la croyance à la lettre de la révélation biblique sur la genèse du monde). Eh bien, je parie qu'on ne restera pas longtemps étranger au souci kantien d'arbitrer entre les deux partis!

Pour Kant, c'est encore un pari, puisque le voyage n'existe qu'à l'état de projet. Mais, pour Socrate, l'expérience a été faite. Que ce soit sur le fond ou sur la forme, le *Phédon* a peu à envier, quant à la difficulté, à la *Critique de la raison pure*. Or, en quelques jours (quatre pour être exact), son contenu est devenu limpide pour les premiers participants du premier voyage. Comme pour le premier séminaire, mes « cobayes » étaient en petit nombre : deux jeunes avocates, une mère de famille, un assureur et la directrice d'un centre culturel. Ils partirent pour Athènes sans connaissance particulière de la philosophie ni même de la figure de Socrate, avec des motivations diverses : l'envie d'en savoir plus, bien sûr, mais aussi le besoin de faire un *break*.

C'était très bien ainsi! Certains m'avaient demandé s'ils devaient préparer le voyage en lisant « des choses ». J'avais dit non. Ce n'était pas interdit, mais ce n'était pas du tout requis : le voyage avait justement pour objectif d'offrir sur place ce qui manquait. Bien entendu, je n'étais pas sans inquiétude. Ce voyage constituait une première : jamais, à ma connaissance, on n'avait tenté d'ouvrir l'accès aux dialogues de Platon en déambulant dans l'Agora. D'autre part, si ce n'est symboliquement dans ma pédagogie, je n'avais jamais servi de « guide » : en consultation et en séminaire, l'idée était là, sans doute; mais, cette fois, je devais prendre la tête d'un groupe dans l'espace, pour le faire voyager dans le temps – et faire revivre un mort. Néanmoins, j'étais confiant. Qui peut le plus peut le moins. J'étais certain qu'il me serait plus facile d'obtenir ce résultat, de rendre Socrate présent au point d'en faire un interlocuteur en arpentant l'Acropole sous la protection d'Athéna que dans une pension normande ou un appartement parisien; j'étais venu à deux reprises en repérage à Athènes, j'avais sillonné les sites, j'avais testé le programme en fonction de la topographie des lieux... Le concept méritait d'être mis à l'épreuve.

Ah, bien sûr, il y avait le métro! Le « métro » d'Athènes! La ligne qui part du Pirée pour rejoindre le centre ville : nos amis athéniens n'ont rien trouvé de mieux que de lui faire traverser l'Agora... À ne pas croire! L'Agora d'Athènes – l'Agora par excellence, l'endroit où est née, comme modèle pour toute la civilisation occidentale (et bientôt, peut-être, pour toute la planète), la démocratie, cette place décisive entre toutes qui s'étale avec ostentation au pied de l'Acropole, avec ses galeries marchandes, son tribunal, son assemblée à deux pas, ses précieuses ruines, ses colonnes, ses dalles, ses rues, ses maisons –, l'Agora est coupée, amputée par le passage de la seule et unique ligne de métro d'Athènes! Comme s'ils n'avaient pas pu faire passer leurs rames ailleurs, ne fût-ce qu'à dix pas? Non, il fallait que cela soit là. Le comble, c'est que, s'il faut en croire les archéologues, la ligne coupe en deux la galerie marchande où Socrate avait l'habitude de s'installer pour interpeller ses concitoyens. Moi qui comptais tant m'installer sur les ruines du portique de Socrate!

Cette constatation me consterna à tel point que je m'apprêtai à renoncer à mon projet. Comment amener des gens à Athènes en leur promettant une rencontre avec Socrate si le lieu le plus pertinent de cette rencontre était détruit? Et puis ce métro fonctionne avec une rame toutes les cinq minutes dans les deux sens. Comme il est à ciel ouvert, cela faisait un bruit d'enfer : n'était-il pas vain de miser sur la sérénité des lieux pour parvenir à réfléchir, pour lire, pour méditer? Il me fallut rester assez longtemps sur place pour prendre la mesure des dégâts. En réalité, le morceau d'Agora dévoré par les transports publics (dans les années trente) est très modeste, et, en s'éloignant de l'entrée côté ville, en se rapprochant de la Pnyx, le cauchemar du monde moderne s'évanouit rapidement. Mon idée gardait donc son sens.

À moyen terme, j'avais prévu une version longue : premier et deuxième jours à Athènes, troisième jour au Pirée puis au cap Sounion, quatrième jour à Athènes, cinquième et sixième jours à Delphes, septième jour à Athènes. Mais, pour tester ce programme, je préférais une version courte, qui correspondait aux quatre premiers jours de la longue. Il en fut ainsi. Le premier jour, après trois heures de vol, nous nous retrouvons au cœur de Plaka, la vieille ville collée aux contreforts de la colline de l'Acropole. Le temps de s'installer et d'adapter sa tenue aux conditions nouvelles, chacun peut monter sur la terrasse de l'hôtel : cela vaut le coup d'œil, car l'Acropole, dans toute sa majesté, offre son flanc ouest aux arrivants (on devine le Parthénon, mais aussi la série des caryatides). Outre le plaisir des yeux, cette proximité est décisive, puisqu'elle permet de circuler dans les sites antiques à pied, en se promenant, loin de la furia de la ville moderne. Et c'est ainsi que nous partons sur la colline des Muses. Il nous faut traverser une partie de Plaka, le quartier des puces, qui longe l'Agora. À cette heure, hélas, le site est fermé (je n'ai toujours pas compris la logique qui préside aux horaires des gardiens). Qu'à cela ne tienne! Nous filons le long du site par l'ouest (là où passe le fatal métro), rejoignons le grand boulevard qui monte vers l'Acropole, contournons la Pnyx qui prolonge en surplomb l'Agora, mais qui n'est pas, elle non plus, accessible (un jour, peut-être, tous ces sites compartimentés n'en feront qu'un), et, au lieu de nous diriger vers l'Acropole comme tout le monde, nous piquons vers la colline des Muses.

Cette colline est magique. En quelques dizaines de mètres, on perd tout contact avec le présent (le boulevard). Plus on s'enfonce dans le bois qui couvre la pente, plus on se rapproche de la civilisation grecque. Cela va très vite, un siècle valant une dizaine de mètres, sans doute, car soudain, sur la gauche, au détour d'un lacet du chemin, dans un espace laissé vacant par les arbres, nous voyons surgir le rocher qui porte l'Acropole comme il y a deux mille cinq cents ans. Quelle vision! À cette distance, on mesure à merveille l'audace des Athéniens du siècle de Périclès, et l'on comprend leur fierté. Il fait bon s'arrêter à mi-pente, sous les frondaisons de la colline, pour écouter le message que délivre l'harmonie de la roche à pic, des Propylées, du Parthénon et des théâtres accolés aux contreforts : « *Voyez cette force alliée à cette élégance! Elle ne serait pas sans l'accord des dieux. C'est sur l'Olympe que cette cité et son peuple ont trouvé leurs protecteurs : le roc s'élève de la terre, mais les édifices ont été posés par les dieux.* »

Il fait beau, cela va sans dire : c'est sur l'azur que se détache l'orgueilleuse construction. Les grillons accompagnent la reprise de notre ascension. Encore quelques minutes, et nous voici au sommet. La roche est à nu. Comme à l'époque de Socrate, à n'en pas douter. Cette fois, vue de plus haut, l'Acropole paraît encerclée par la ville. D'ici, pourtant, cette ville a beau être tentaculaire et polluée, elle pourrait être antique. Elle est blanche, dense, et, bien qu'elle s'étende à perte de vue, elle ne choque pas. On dirait qu'elle a des remords, qu'elle s'efface ou qu'elle épouse son passé. De l'autre côté, vers le sud-ouest, au loin, on voit le port du Pirée; plus loin au sud, le Péloponnèse; quelque part à l'ouest, Corinthe veille sur son isthme.

Le soleil est encore haut dans le ciel. Nous avons tout le temps de nous poser. Et nous resterons jusqu'à la tombée du jour, car il y a beaucoup à dire. Beaucoup à dire sur cette cité, qui a inventé la démocratie; beaucoup à dire sur Socrate, qu'elle a condamné à boire la ciguë. Je ne le cache pas : cette affaire me pose un problème. Je l'exposerai en quelques mots, après avoir observé un long silence. Il faut le dire, c'est la loi de la majorité qui a conduit le plus sage des Grecs à la mort. La loi de la majorité, c'est la loi qui préside aux destinées d'Athènes depuis que le peuple dispose du pouvoir, c'est-à-dire depuis le début du ve siècle. La démocratie a été instaurée à la suite des guerres Médiques, dans l'enthousiasme des victoires des Grecs sur l'envahisseur perse. Athènes prit alors un essor prodigieux. Sous l'égide de Périclès, le cœur de la ville se para d'édifices somptueux, et sa renommée devint sans

109

égale parmi les cités grecques. Les choses se gâtèrent dans la seconde moitié du siècle : une guerre endémique l'opposa aux cités qui n'acceptaient pas sa suprématie, à Sparte, en particulier. La situation s'aggrave encore à la fin du siècle : militairement défaits par les Spartiates, les Athéniens durent détruire tous leurs remparts, jusqu'aux longs murs qui protégeaient l'accès au port du Pirée ; ils durent même subir la « dictature des Trente », notables mis au pouvoir sous le contrôle des vainqueurs. L'épisode fut bref mais laissa des marques profondes.

C'est à ce moment fatidique que Socrate fut mis en procès. On l'accusa de ne pas être fidèle aux dieux de la cité, d'avoir les siens propres, et de corrompre la jeunesse par ses discours. Or, si quelqu'un ne méritait pas d'être inculpé, c'est bien lui. S'il faut en croire le témoignage de Platon, l'un des jeunes « corrompus », qui consacrera le reste de sa vie à réhabiliter la mémoire de son maître, il n'y avait pas l'ombre d'un fondement dans ces accusations. D'autant que Socrate avait fait l'objet d'un oracle de la pythie de Delphes, qui avait déclaré, sur la demande d'un de ses amis, qu'il n'y avait pas de Grec plus sage que Socrate. C'est tout dire ! Le dieu Apollon, par la bouche de sa prêtresse, avait fait de Socrate le plus sage de tous les Grecs, et le tribunal d'Athènes, composé pour son immense majorité de gens modestes, qui respectaient pieusement les décrets de cet oracle, n'avait rien trouvé de mieux à faire, en retrouvant ses prérogatives, que de condamner Socrate à mort.

Après avoir ainsi rapporté l'affaire, je confiai donc à mon petit groupe qu'il y avait là pour moi véritablement un mystère et que je ne serais pas marri si l'un d'entre eux pouvait m'aider à le lever. Les quelques heures qui suivirent ne furent pas de trop pour que chacun commence à appréhender pour de bon la difficulté. Aux uns les données manquaient jusque-là pour s'émouvoir à juste raison ; aux autres la chose était connue, mais il allait tellement de soi qu'il y avait là un scandale que l'indignation l'avait toujours emporté sur l'interrogation : les Athéniens avaient eu tort, en bloc, un point, c'est tout ; on invoquait alors la calamité de l'effet de masse, qui gâte le jugement des individus, et le procès s'inversait. D'ailleurs, c'était connu, les Athéniens avaient été peu après pris de remords : ils avaient reconnu que la condamnation était injuste. Si mystère il y avait, c'était celui de l'insondable bêtise humaine...

Je dus me faire l'avocat du diable, tant les choses me semblaient complexes. Condamner sans appel les juges de Socrate, c'est s'exposer à être à son tour injuste. Les Athéniens, du moins les démocrates, venaient de subir une terrible humiliation, la sensibilité des citoyens était à fleur de peau, et, s'il était sûr que Socrate n'avait rien à se reprocher, il n'était pas prouvé qu'il ne prêtât pas le flanc à la vindicte populaire. Dans son attitude de tous les jours, tout d'abord, à harceler sans cesse ses concitoyens lors même qu'ils avaient besoin de retrouver leur calme et leur confiance : n'est-ce pas l'un d'entre eux, démocrate parmi les démocrates, et victime toute désignée des Trente, qui se chargea de l'accusation principale, le dénommé Anytos? Il était propriétaire d'une tannerie disposant d'un certain nombre d'esclaves. Ce qu'il reprochait à Socrate était, somme toute, de déstabiliser la cité par ses attaques incessantes contre ses membres les plus convaincus du bien-fondé du pouvoir du peuple. C'est ce que l'on peut induire du procès-verbal du procès, tel que Platon l'a rapporté dans l'*Apologie de Socrate*. N'y avait-il pas là quelque chose de juste? À tout le moins, Socrate ne fit-il pas preuve d'un manque total de tact en refusant de tenir compte du « moment » et en reprenant après la défaite, comme si de rien n'était, ses réquisitoires permanents? Était-ce là être sage?

En outre, à lire de près l'*Apologie*, on s'aperçoit que l'hostilité des Athéniens était loin d'être aussi massive qu'il y paraît. Le jugement se déroula en deux temps, comme il était d'usage avec les héliastes, les juges qui siégeaient au tribunal de l'Héliée. Dans un premier temps, il s'agissait de délibérer sur la culpabilité ou l'innocence de l'accusé, dans un second temps, de décider de sa peine. Or, dans un premier temps, une petite majorité seulement se dessina en faveur de la culpabilité. Et encore Socrate aurait-il pu s'en tirer, ainsi que chacun s'y attendait, avec une peine dérisoire, une simple amende, pour marquer le coup. C'est alors qu'un événement tout à fait étonnant se produisit : au lieu de faire amende honorable, Socrate durcit sa position et, loin d'accepter aucune sanction, demanda à être nourri au Prytanée. Nourri au Prytanée! Tout de même! Où avait-il la tête? Il savait pertinemment que cette proposition ferait office de provocation, puisque les prytanes constituaient le corps des cinquante élus, les bouleutes, qui veillaient à la bonne marche des institutions. La suite allait de soi. Une grande majorité de juges se retourna contre l'accusé, le temps de lui donner à choisir entre l'exil et la ciguë.

Cet afflux de données nouvelles rendit mes interlocuteurs perplexes. Mais le soir tombait. La première phase de notre « travail » touchait à sa fin. Il était temps de quitter les rochers de la

111

colline des Muses. Le soleil allait disparaître derrière les reliefs de l'Attique. Nous prîmes un instant la direction du sud, vers le Pirée. La mer se lissait à distance, nostalgique. Songeait-elle, comme nous, à cet étrange comportement du plus sage des Grecs? Un sentier serpentait parmi les buissons et les arbustes. Des chiens hurlaient. Notre solitude était totale. Il fallait revenir vers l'Acropole. En contrebas, la ville frémissait de nouveau. Dispose-t-elle aujourd'hui, cette ville monstrueuse, d'un nouveau sage? Et, s'il existe, passe-t-il son temps à harceler ses compatriotes? Ou bien se cache-t-il dans ses murs?

Retour à l'hôtel. Il faut bien dîner et se reposer. La journée a été longue. Demain le sera tout autant. Agora le matin, Acropole l'après-midi. Avec deux « compléments » : tout d'abord la présence à nos côtés d'une guide diplômée en archéologie apte à nous aider à déchiffrer le sens des ruines, à reconstituer l'atmosphère de la cité antique, la frénésie du marché, la piété sur le rocher sacré, la signification des fêtes, mais aussi l'intensité et la cruauté des guerres; ensuite, le texte de l'*Apologie de Socrate*, rédigé par Platon, afin de nous plonger pour de bon dans le drame esquissé la veille. Explication du guide et moments de lecture alterneront, au gré des besoins, des envies – et de mon humeur –, mais une chose est sûre : le soir, chacun commencera à ruminer pour son propre compte.

Va pour la guide, dira-t-on peut-être, mais pour le texte? Ce n'est pas celui qui était annoncé, il est vrai, mais chaque chose en son temps! Le *Phédon*, nous ne l'aborderons que dans deux jours. Le matin, après avoir longé la paroi ouest de l'Acropole, gravi la Pnyx et nous y être installés, avec l'Agora bien en vue au-dessous de nous, nous ferons la lecture du *Criton*, un tout petit dialogue, où l'on retrouve Socrate en prison. Déjà, nous mettrons le doigt sur un fait extrêmement troublant. C'est que Socrate, alors qu'il en a l'occasion, ne veut pas fuir, et qu'il attend paisiblement le jour de sa mort. Ce jour est subordonné à un événement relativement aléatoire : le retour du navire parti comme chaque année sur l'île de Délos pour célébrer la victoire de Thésée sur le Minotaure; et voici que ce navire – Criton vient l'annoncer à Socrate – est en vue, puisqu'il a doublé le cap Sounion. Néanmoins, cette nouvelle n'entame aucunement la résolution de Socrate.

Le midi, nous irons déjeuner au Pirée, au contact de la mer Égée, puis nous rejoindrons la pointe sud-est de l'Attique, le cap Sounion, ne fût-ce que pour humer l'air du large. Là, sur le gazon de ce splendide promontoire, qui tombe à pic dans une mer de nacre, sous les colonnes d'un des temples les mieux conservés de la civilisation grecque, nous prendrons acte du fait le plus troublant de tous, peut-être. C'est que non content d'attendre sereinement l'application de la sanction, Socrate se réjouit de mourir. Tel est le ressort du *Phédon*. Tandis que tous ses compagnons pleurent, car, cette fois, l'heure de boire la ciguë a sonné, Socrate jubile : *il est heureux d'en finir avec la vie*. Pour justifier cette joie qui l'anime, il tente de gagner ses amis à l'idée de l'immortalité de l'âme. La discussion s'engage. Les arguments s'affrontent. Pour sa part, Socrate se déclare convaincu de trouver au-delà de la mort physique la béatitude dont son âme le régale déjà de temps à autre. A-t-il raison? A-t-il tort? Le cap Sounion, il faut le dire, plaide en sa faveur : au fil de notre lecture, le soleil déclinera puis se couchera. Ici, c'est dans la mer Égée qu'il tombe, laissant de son passage sur l'horizon des flammes alanguies. Mais, on le devine, au-delà des splendeurs qu'il nous laisse, une fois disparu, il continue de briller.

DEUXIÈME PARTIE

D'où venons-nous?

I

Défaite de la pensée?

À quoi bon des philosophes? se demandait-on naguère. La réponse la plus évidente était qu'ils ne servaient à rien! Pour s'en assurer, il suffisait de se pencher sur la pratique dominante de la philosophie (la transmission d'un corpus de textes classiques) et de mettre en regard les performances des sciences de la nature (astronomie, physique, chimie, biologie) et celles des sciences humaines (la psychologie, l'anthropologie, la sociologie, l'économie politique). Comment ne pas le reconnaître? Les philosophes de métier s'étaient depuis longtemps repliés sur eux-mêmes et ne servaient en effet plus à rien (si ce n'est à se reproduire) ni à personne (sinon à leurs successeurs). Et comme le développement foudroyant du savoir sur la matière, sur la psyché, sur la vie en groupe permettait de supposer qu'on ne tarderait pas à percer les mystères les plus intimes de l'Univers, de la vie, de la conscience, on se laissait caresser par l'espoir de trouver des solutions techniques à tous les problèmes que l'humanité rencontrait sur son chemin. Quoi de plus inutile, dès lors, que la « philosophie * »?

Aujourd'hui, ce ton n'est plus de mise. Même si les sciences dures, telles que l'astrophysique et la génétique, continuent de voler de succès en succès, le scepticisme reprend du terrain. Tout se passe comme si, à l'instar des galaxies les plus lointaines, les réponses ultimes ne cessaient de nous fuir à une vitesse croissante. De même, l'espoir mis dans la résolution des problèmes humains par la grâce des sciences et des techniques diminue chaque jour. Malgré le prodigieux essor des découvertes de toutes sortes, il

---

* « *Le moment est venu de proposer l'abandon du mot philosophie* », Jean-François Revel, *Pourquoi des philosophes?*, Paris, éd. J.-J. Pauvert, 1958, p. 162.

apparaît que nous sommes moins que jamais en mesure de maîtriser le cours des choses. Et ces fameuses sciences humaines, dont on s'enorgueillissait tant, sont lamentablement prises au dépourvu par la tournure des événements. Ni l'économie politique, ni la sociologie, ni même la psychologie ne sont à la hauteur de la tâche. Car l'espèce humaine se trouve désormais emportée dans une telle tourmente, à une telle échelle et à une telle vitesse qu'aucune d'elles ne peut conserver son crédit. Malgré l'effondrement des régimes dits « socialistes », la « science » des économistes se trouve soumise à rude épreuve; loin de renforcer la foi dans l'économie de marché, elle ne parvient, dans le meilleur des cas, qu'à mettre en évidence des périls toujours plus alarmants : l'exacerbation de la concurrence à l'échelle mondiale, l'endettement colossal des pays pauvres, l'envolée de la dette publique dans les pays riches, la substitution du travail des robots à celui des hommes, la délocalisation, la dématérialisation des échanges, les limites de l'écosystème... De son côté, la science des sociologues est prise de vitesse par l'explosion démographique dans les nations les plus pauvres, la naissance des mégalopoles çà et là, et le pourrissement des banlieues dans les pays riches, qui provoquent des tensions si grandes entre hémisphères, entre ethnies et entre citoyens que tous les vieux démons resurgissent. Quant à la science des psychologues, elle s'avère bien dérisoire face aux ravages que provoque le chômage, tant en bas qu'en haut de l'échelle, à la prolifération des réseaux de vente des narcotiques, à la vague de haine, de violence et de fanatisme qui déferle sur tous les continents, au trafic d'organes et aux tentations de la génétique de laboratoire...

On n'en finirait pas d'établir l'inventaire des fléaux qui s'abattent sur l'humanité à l'échelle planétaire. Si bien que la plupart des spécialistes sont au bout de leur latin et que les profanes, qui n'ont pas qualité d'expert, ne sont pas loin de perdre la tête. C'est là le péril suprême! De ce point de vue, il me paraît plutôt bon signe que quelques citoyens de ce monde qui devient fou se mettent à faire de la philosophie de leur propre chef. Cela veut dire qu'ils s'interrogent sur l'aptitude des sciences, de la nature ou de l'homme à donner du sens à ce qui se passe, sans pour autant renoncer à faire confiance à la raison, c'est-à-dire sans retomber sous la domination de l'irrationnel. Étant donné que cette interrogation s'exerce en commun et sur la place publique, cela signifie en même temps qu'ils cessent de faire comme si le meilleur moyen de comprendre l'évolution du monde dans un régime démocratique était d'attendre que le parti au pouvoir s'en occupe ou de remettre son sort entre les mains de l'opposition. Ainsi, reprendre possession de sa pensée, c'est commencer à reprendre le contrôle des affaires de la cité. C'est donc redonner non seulement à la « culture », mais aussi à la « démocratie » tout leur sens. Si les experts sont au bout de leur latin et si les représentants du peuple ne savent plus à quel saint se vouer, n'est-il pas temps qu'ils se mettent au grec? En s'adonnant librement à l'exercice de la philosophie en ville, au sein de la cité, à l'instar des Athéniens de l'Antiquité, des gens du commun leur ouvrent la voie du retour à la source, à la source du *logos* – la raison. On présente le plus souvent la raison comme une « faculté » individuelle, dont chacun pourrait disposer à volonté dans la solitude : mais qui sait si elle n'est pas plus une résultante qu'une aptitude, si elle ne se trouve pas en réalité dans une quête en commun de la vérité, sur la place publique?

À tout le moins, c'est ainsi que la philosophie est née. Elle n'est pas née, comme on se plaît aujourd'hui à le dire, au sein des systèmes des présocratiques, mais par opposition à eux. Les spéculations sur le cosmos des penseurs grecs correspondent à celles de nos savants. Elles ne répondent pas à la vocation de la philosophie. Elles s'opposent aux croyances religieuses populaires, aux préjugés et aux superstitions entretenues par les prêtres, mais elles ne questionnent pas; elles répondent. Les systèmes des présocratiques sont des modèles qui tentent de rendre compte du réel mieux que les mythes traditionnels. Mais ils se situent à leur tour du côté de la réponse. La philosophie, elle, se situe d'emblée du côté de la question. Socrate commença par être disciple du savant Anaxagore, l'ami de Périclès, le plus grand homme politique de son temps. Il avait soif de savoir, et la magnifique théorie de son maître étancha un temps cette soif. Anaxagore expliquait en effet la formation de l'Univers par la mise en mouvement d'un immense tourbillon de matière sous l'impulsion de l'Intelligence, le *Novo*. Prodigieuse victoire de l'esprit humain sur l'obscurantisme religieux de l'époque, qui passait par le récit des combats des dieux et des titans, mis en scène dans une théogonie archaïque!

Mais quoi! Cette victoire théorique de la raison sur la croyance n'empêchait aucunement le cosmos humain d'être en pratique la proie des passions les plus aveugles. La guerre provoquait des ravages : la guerre entre les cités grecques, fratricide, dont on ne voyait pas la fin. La belle construction d'Anaxagore permettait sans doute de trouver une cohérence au ballet chaotique de la matière stellaire, mais elle ne permettait pas de déceler dans le monde des hommes la cause de la folie qui s'était emparée des

Grecs. Pour les choses les plus lointaines, les moins à sa portée, les moins préhensibles, la raison humaine faisait des miracles, elle supplantait sans difficulté les anciens récits mythiques par la simplicité de son déploiement, mais elle était incapable d'avoir prise sur les objets qui lui étaient le plus proches, ce qui concernait l'homme et ses passions. Socrate n'admit pas ce décalage. Il refusa de considérer cette aberration comme normale. Il refusa de se résigner. Il misa sur l'interrogation en commun pour appréhender et, qui sait, peut-être maîtriser le devenir de la cité. C'est ainsi que naquit ce qu'on appelle depuis la « philosophie ». La philosophie constitue une mise en question de ce qui passe pour apporter une bonne réponse. Elle n'accorde son crédit ni aux préjugés religieux, qui offrent des explications magiques à ce qui dépasse l'entendement commun, ni aux modèles scientifiques, qui prétendent les dépasser. Elle est tout entière dans la question, jamais dans la réponse. Les réponses pullulent. Le problème est de savoir ce qu'elles valent.

C'est, par conséquent, ne rien comprendre à sa vocation que de considérer la philosophie comme dépassée sous prétexte qu'elle ne peut résister à la concurrence des sciences de la nature. Non seulement la philosophie n'a pas pour objet d'être plus performante que la science quant au dévoilement des secrets de la nature, mais c'est parce que les performances de la science envers la nature n'ont d'égale que son impuissance envers le destin de la cité qu'elle a pris son essor. Il en fut ainsi en Grèce, il en est de même aujourd'hui. La philosophie pourrait être considérée comme dépassée si la science moderne avait fait mieux que la science grecque, si elle avait non seulement éclipsé la religion dans la compréhension des choses du ciel, mais encore si elle avait permis aux hommes politiques d'avoir plus de prise sur le destin de leur propre cité que Périclès sur Athènes. On a pu le croire un instant. Mais, précisément, cette idée devient si difficile à soutenir que la philosophie se retrouve dans la position qui était celle de sa naissance.

L'objet des « sciences de la nature » ainsi que des « sciences de l'homme » est de fournir une réponse théorique sur les secrets de l'Univers et une réponse pratique quant au cours des choses humaines plus performantes que celles de la religion. Or cette prétention est aujourd'hui, comme à l'époque de Socrate, fort sujette à caution. On ne s'étonnera pas, de ce point de vue, de l'insolent succès des « sciences occultes » (on parle de cinquante mille officines pour la seule ville de Paris), tant dans les couches les plus populaires qu'au sommet de l'échelle sociale : qui ne consulte pas son horoscope quotidien le temps d'un trajet dans les transports en commun? Qui, dans la classe politique, ne rend pas visite à son astrologue avant une échéance importante? On ne s'étonnera pas davantage du retour en force du fanatisme religieux (les trois religions monothéistes ont chacune leur courant intégriste), qui nous menace des pires foudres divines si nous ne revenons pas dans le droit chemin révélé dans le Livre. On ne s'étonnera pas, enfin, de l'impact croissant des conceptions « holistiques » du new age, qui nous promet un homme pleinement homme pour peu qu'il « lâche prise », qu'il oublie l'égoïsme et l'agressivité comme des passions dépassées.

L'écart entre les promesses faites par la science (complétée dans l'action par la technique) et ce qu'il advient dans les « cités » actuelles nourrit, c'est incontestable, un fort ressentiment religieux. C'est un risque majeur pour l'avenir de la raison. Mais c'est en même temps une chance à saisir. Car cet ébranlement des consciences, qui peut faire vaciller la cité dans la folie, rend à la philosophie sa vocation première : celle de la recherche en commun de la vérité. C'est sans doute pour cette raison que son exercice s'accompagne d'une visible jubilation. Oui, de jubilation! Du moins est-ce ce que je peux observer depuis que j'exerce mon activité. Même lorsque la frustration règne à l'issue d'un débat au café, même lorsqu'un labeur ingrat est requis en consultation, même lorsque la tension s'exacerbe entre les participants des séminaires ou lorsque, en voyage, les uns veulent continuer alors que les autres en ont assez, le plaisir est là. C'est un plaisir très particulier, mais, à l'évidence, intense, qui les fait ressembler à des rescapés; ils semblent sortir d'un coma. La source de leur plaisir doit s'approcher du sentiment qu'éprouve celui qui se rend compte qu'il est encore en vie, qu'il a échappé à la mort. Il y a là un bonheur simple : celui d'exister après avoir frôlé le pire, et de le savoir. D'où, je le soupçonne, la gratitude qu'on manifeste envers ma manière de pratiquer la philosophie.

Mais peut-être est-il déjà trop tard? Peut-être cette initiative est-elle vaine? Peut-être la cause est-elle entendue? S'il faut en croire les cris d'alarme poussés à la fin des années quatre-vingt sur le destin de la culture occidentale, tel serait, hélas, le cas. Sans nier que la philosophie ait pour vocation le souci des affaires humaines ni qu'elle puisse procurer du plaisir, une pléiade de penseurs avertis se mirent alors à sonner le glas de l'ère des Lumières. Un véritable courant de pessimisme se mit à traverser l'intelligentsia, apportant une fort mauvaise nouvelle : les ténèbres s'emparaient du monde *. Réexploitant peu ou prou la métaphore qui avait fait la fortune des encyclopédistes, tous se plaisaient à rappeler que le jour s'était levé il y a quelques siècles, lorsque la pensée rationnelle s'était imposée à la croyance. Et de constater avec consternation que, désormais, la nuit tombait car la « sous-culture » l'emportait sur la raison, la fin de notre siècle se caractérisant selon eux par un obscurcissement inexorable. Au nom de la tolérance, du mélange des cultures, du droit à la différence, n'entrons-nous pas dans la nuit où toutes les vaches sont grises? La réponse semble aller de soi : désormais le fanatisme a la partie belle, puisque face à lui la « sous-culture » désarme le monde occidental. Ainsi, vaincues par les Lumières à l'issue de la Renaissance, les ténèbres prennent-elles aujourd'hui leur revanche en le précipitant derechef dans les affres de la barbarie.

Un tel pessimisme paraît légitime. Mais que vaut-il véritablement? Sans prétendre que ma modeste expérience compense des faits aussi massifs et que la victoire sur la « barbarie » soit à notre portée depuis que les propos tenus au café des Phares s'élèvent jusqu'aux oreilles du *Génie* de la place de la Bastille, je demande qu'on en prenne note avant de sombrer définitivement dans le défaitisme... Qui sait si cette expérience, aussi modeste soit-elle, ne correspond pas à un désir de résistance face au retour de l'irrationnel? Or elle ne fait que commencer : elle peut se révéler porteuse d'avenir. Pour les philosophes en herbe, elle offre une perspective prometteuse, qui peut rapidement s'élargir. J'ai déjà fait état des cabinets qui ont vu le jour ailleurs : dès que la preuve sera faite qu'un philosophe peut vivre décemment en donnant des consultations privées, en animant des groupes, je ne doute pas que nombre de ceux qui renoncent à enseigner la philosophie par crainte de se fourvoyer ou par lassitude trouveront une véritable issue dans l'ouverture d'un cabinet.

Surtout, l'écho rencontré jusqu'ici donne encore une faible mesure de l'avenir de la philosophie. Un certain nombre de personnes dont elle n'est pas le métier ont pris à tel point sa cause à cœur que je pressens une vague profonde. Pour ma part, tout a commencé avec les remontrances d'une personne que je connaissais à peine, Jean-Pierre Cagnat, illustrateur fameux : alors que je m'attristais sur mon sort, en aparté, lors d'une partie de campagne, il enregistra mes plaintes, quasiment sans mot dire ; mais quelques jours plus tard, au téléphone, il fit pleuvoir sur moi un tel déluge

---

* Ainsi Alain Finkielkraut, dans *La Défaite de la pensée*, Paris, Gallimard, 1987.

d'injures, il me mit si bien en demeure de cesser d'attendre quoi que ce soit des institutions (et des autres en général) qu'il me convainquit de tenter ma chance seul. Depuis quelque temps, j'y songeais. Je pensais entreprendre quelque chose, mais avec un ami qui enseignait l'art du commerce dans les classes supérieures et déplorait l'absence de la philosophie dans le monde des affaires, Hervé K. C'était un dandy, très *high school*, dont le regard ne s'allumait vraiment que lorsqu'il parlait du dernier ouvrage de Baudrillard. Persuadé que c'était ma discipline, et non la sienne, qui avait les plus beaux jours devant elle, il me poussait de temps à autre à concocter des formes nouvelles d'enseignement philosophique... Las, il avait de son côté trop de travail pour passer véritablement à l'acte. Lorsque je le fis, il était radieux, mais pas disponible. Néanmoins, je ne manquais pas de soutiens. Or, pas plus que Cagnat, ceux qui se déclarèrent partants n'étaient issus du milieu universitaire : Éric était photographe, Bertrand avocat, Pascal conseiller en informatique. Je les ai évoqués plus haut : ce sont eux qui m'ont aidé à m'élancer, à défendre ma cause et à établir mon programme.

Que de chemin déjà parcouru! À côté du Cabinet, une association a été fondée. Demeurée un certain temps plus virtuelle que réelle, elle a pris, maintenant, bonne tournure. Y ont adhéré nombre des « habitués » du dimanche, dont certains ont pris le mors aux dents pour promouvoir une pratique nouvelle de la philosophie dans la cité. Pour ne donner que deux exemples, voici d'abord Sylvie Antona, prof de gym à Meudon, qui s'est mise à noter quasi in extenso les débats du café des Phares afin d'en garder une « trace », avant de fournir régulièrement des résumés publiés dans la *Lettre* de l'association. Il est vrai qu'elle devait avoir la nostalgie de l'Agora, puisqu'elle accompagne depuis des années des classes de son lycée en Grèce. Je pense aussi à Gunter Gohran. D'origine autrichienne, juriste de profession, il est maître assistant de droit à la Sorbonne, ce qui ne l'empêche pas d'avoir un éventail de préoccupations beaucoup plus étendu. Qu'on en juge : animateur de séminaires en entreprise, il part souvent en mission culturelle; germaniste (l'allemand est sa langue maternelle), il est traducteur de Freud. Mais quelque chose lui manquait, que le débat du café lui a révélé (ce sont ses termes) : la controverse philosophique, libre et sans concession, mais aussi sans argument d'autorité. C'est pourquoi, après une longue phase de « consommation », il s'est décidé à prendre part à sa mesure à la promotion de ce type d'initiative en acceptant de présider l'association.

Je le concède, ces quelques exemples ne battent pas encore en brèche les menaces qui pèsent sur la civilisation. Ils ne réfutent pas de facto les prédictions fatales des pourfendeurs indignés de la « sous-culture ». Je ne crie pas victoire, loin de là. Je dis simplement que la « pensée » dispose encore d'un énorme potentiel, et j'émets des réserves sur sa « défaite ». Autant dire que je souhaite la réouverture du dossier. Il me semble en effet que l'on est allé dans cette affaire beaucoup trop vite en besogne. Un point décisif dans ce procès a été éludé, « mal pensé » : le centre de gravité. Celui des avertissements lancés contre l'approche de la barbarie culturelle ne me paraît pas être le bon. S'il est vrai que nous vivons une crise majeure, qu'un mal inexorable nous ronge, je crains que le bon diagnostic n'ait toujours pas été rendu.

Les analyses des pessimistes peuvent bien reposer sur des faits. Leur approche de ces faits constitue elle-même un problème. À supposer que la « pensée » décrive une courbe analogue à la course du Soleil, sur une durée équivalente à celle du jour, qu'elle ait connu son aurore, son apogée, son crépuscule et que désormais la nuit s'annonce, l'approche de cette nuit – de la barbarie, si l'on préfère – serait donc tout aussi inévitable que le fut l'arrivée du jour lors de la Renaissance. Alors se justifierait ce glas lugubre, qui annonce une barbarie équivalente à celle dont la Renaissance nous a fait sortir. S'il en était vraiment ainsi, il faudrait en effet nous attendre à une nouvelle nuit, longue de plusieurs siècles, emplie d'immenses catastrophes et de terribles souffrances. En sonnant le glas des clercs, c'est le glas de l'humanité que sonnerait la « défaite de la pensée ».

Mais en est-il vraiment ainsi? Faut-il en croire le son de cette cloche? Remarquons en premier lieu que le drame, tel qu'il se joue là, ne concerne que l'activité de l'esprit. C'est la « pensée » qui est défaite, la « sous-culture » qui l'emporte, laissant la main libre au « fanatisme ». Est-ce à dire que le destin de l'Occident, si ce n'est de l'humanité tout entière, *ne se joue que dans les idées*? Que, dans le procès en cours, n'importe que ce domaine-là? Que le reste est à négliger? Est-ce parce que les clercs trahissent, parce qu'ils se soumettent au *Volksgeist*, à l'esprit de leur peuple, parce qu'ils renoncent à leur mission, que la sous-culture l'emporte et que la barbarie s'annonce? Autrement dit : la pensée serait-elle le moteur de l'histoire? D'où savons-nous qu'il n'y a pas d'autres forces motrices? Et si la pensée, loin d'être le moteur de l'histoire, était soumise à d'autres forces, des forces qui lui imposeraient leur loi tant qu'elle ne les aurait pas reconnues? À miser sur l'omnipotence de l'esprit, on favorise, lorsque cet esprit se révèle impuissant, le culte des forces occultes.

Remarquons ensuite que la plupart de ces auteurs cautionnent à leur manière la victoire de la barbarie. Si la barbarie s'empare du monde moderne comme les ténèbres s'emparent de la surface du globe à la fin du jour, il va de soi que toute résistance est vaine, qu'il faut renoncer à tout espoir de rendre le monde meilleur, qu'il faut se faire une raison, se résigner au cours des choses, laisser le monde aller à sa perte et garder pour soi, le cas échéant, le peu de lumière qu'on possède encore. On a beau jeu, dans ce cas, de fustiger la capitulation des clercs : au bout du compte, on capitule soi-même. Pis : on invite les autres à capituler. À moins que l'on ne croie pas vraiment à ce qu'on avance. On ne le dit que pour faire peur, pour alerter, mettre en garde et, en fin de compte, provoquer un sursaut, un réveil, pour mobiliser. Mais, dans ce cas, que devient l'analogie sur laquelle on s'appuie? Cette victoire sur l'obscurantisme, ce jour qui s'est levé sur les ténèbres médiévales, en un mot, l'histoire de la pensée occidentale, qu'en est-il? Si elle ne tire pas sur sa fin, si la nuit n'est pas venue, quelle heure est-il? Combien de temps s'est-il écoulé? Combien de temps reste-t-il?

Notons enfin que ce type d'analyse se situe tout entière dans une perspective *géocentrique*. C'est de ce point de vue, et uniquement de ce point de vue, que l'on voit le Soleil « se lever », qu'on le voit s'envoler au zénith pour décliner et enfin « se coucher ». Or cela ne correspond pas au mouvement *réel*. Lorsque nous *croyons* que le Soleil se couche, nous nous trompons. Ce que nous disons repose sur quelque chose de vrai, assurément, puisque nous pouvons voir de nos yeux le Soleil s'abîmer au-delà de l'horizon. Mais ce vrai ne réside pas dans notre formule : le mouvement du Soleil n'est qu'apparent; en vérité, c'est la Terre qui se meut, non le Soleil. Dire que le Soleil se couche, c'est se fier au témoignage direct de nos yeux et c'est, par conséquent, en être victime. Dire que la nuit tombe sur le monde moderne, n'est-ce pas une illusion analogue? N'est-il pas aussi faux de dire que la barbarie s'empare du monde que de dire que le Soleil se couche?

La nuit tombe, certes, lorsque le Soleil disparaît. Mais, si les Lumières nous ont appris quelque chose, c'est que le Soleil ne se couche pas : en réalité, c'est la Terre qui tourne sur son axe. Il est par conséquent pour le moins discutable de déplorer la disparition des Lumières en se fondant sur une métaphore que les Lumières elles-mêmes ont rendue caduque. Avant de nous résigner, il convient donc d'y regarder de plus près.

II

Les Lumières

Rien n'est plus normal que de voir dans l'avènement des Lumières la victoire de la raison sur le préjugé et l'ignorance. L'offensive concertée des encyclopédistes au milieu du XVIIIe siècle contre les prérogatives des hommes d'Église provoque de manière incontestable la déroute de l'obscurantisme : à l'hégémonie du dogme, fondé sur la Révélation, s'imposent enfin massivement les performances de la technique, de la science et du labeur humains. Le clergé résiste, il est vrai, avec d'autant plus de vigueur, mais il est sur la défensive tandis que l'« entreprise » avance. À quelque Église qu'ils appartiennent, les directeurs de conscience reculent, quand bien même ils frappent encore. En face d'eux, les esprits libres parviennent au seuil du pouvoir. L'esprit nouveau va l'emporter.

Il suffit d'évoquer Voltaire pour donner corps à cet esprit. Certes, Voltaire se disait déiste et il lui arriva de clamer sa foi jusqu'au sommet de telle montagne ; mais son Dieu était l'Être suprême et non point le Dieu des chrétiens – tout au plus était-ce le Père : « *Quant à Monsieur le Fils et à Madame sa Mère* », ajouta-t-il s'il faut en croire la légende, « *c'est une tout autre affaire* ». Voltaire, c'est le libre esprit, c'est la liberté faite homme, qui ne s'arrange d'aucune tutelle, surtout pas de la religion. Son Dieu n'est pas le Dieu qui surveille, qui condamne et qui punit : nul besoin d'un rédempteur pour racheter le péché d'Adam, ni d'une Vierge qui l'eût mis au monde. Ce ne sont là que des balivernes, des histoires à dormir debout, faites pour abêtir le monde. Et qui profite de cet abêtissement ? Les despotes et leurs valets, gardiens des livres « sacrés » ! Contre cet avilissement du peuple, Voltaire se bat sans répit. Et il connaîtra la gloire : il incarnait l'air du temps.

Toutes ces choses sont bien connues. Mais ne sont-elles pas trop connues? À nous contenter de ces faits, ne restons-nous pas en surface? Si « Lumières » s'oppose à « obscurantisme », n'est-ce pas en un sens plus profond? Si les préjugés sont vaincus, est-ce bien par la seule « raison »? Si l'ignorance recule, est-ce parce que la « pensée » avance? À dire vrai, pourquoi parler de « lumière »? Pourquoi une telle métaphore? La lumière en tant que telle, celle qui nous parvient du Soleil, n'a-t-elle vraiment servi aux contemporains, à ceux qui ont désigné par ce terme le phénomène culturel, que de terme de comparaison? L'émergence des lumières de l'esprit, l'avènement de la raison, qu'ils ont salué de cette manière, n'entretient-il avec l'apparition du jour, avec le passage de la nuit au jour, avec l'apparition du Soleil physique, de cette majestueuse boule de feu céleste, avec cette source bénéfique de lumière, qu'un simple rapport d'analogie? La victoire des Lumières n'a-t-elle vraiment rien à voir avec le processus physique et la force matérielle qui provoquent l'illumination de la surface de notre globe?

Quand les Lumières gagnent la Prusse, elles prennent le nom d'*Aufklärung*. Sous le règne de Frédéric II, la Prusse s'ouvre en effet à l'esprit nouveau au point de saluer Voltaire en héros. La « victoire » n'est pas assurée, le peuple n'est pas « éclairé », mais le processus est en cours. Et trouve en Kant son héraut. « *Qu'est-ce donc que les Lumières?* » écrit un jour de manière provocante un pasteur hostile [*]. Kant réplique aussitôt dans un opuscule : les Lumières, affirme-t-il en substance, c'est la fin de la période dans laquelle l'homme n'avait pas le courage de se servir de son entendement. Jusqu'alors, l'homme était mineur, puisqu'il recevait des directives d'un autre et les appliquait. Le soin de son esprit, de son âme et de son corps, il n'en avait pas la charge. D'une certaine manière, il y trouvait son compte, puisque être responsable de soi-même comporte une grande part de risques; mais quel profit pour ses tuteurs! Ils le dirigeaient à leur gré, comme on dirige des bêtes de somme, et pouvaient jouir impunément des fruits de son propre labeur...

Aussi bien ne faut-il pas entendre par la « lumière » qu'apportent les « Lumières » une simple affaire de « culture ». L'esprit des Lumières tient tout autant à une audace nouvelle

---

[*] *Qu'est-ce donc que les Lumières?* La question n'est pas de Kant, mais du pasteur Johann Friedrich Zollner, qui la posa de manière provocante dans une revue de Berlin en septembre 1783 (cf. le recueil *Was ist Aufklärung?*, publié chez Reclam, Stuttgart, 1974).

qu'à un savoir nouveau. « *Sapere aude!* »Tel est le mot d'ordre de Kant : « *Aie le courage de te servir de ton propre entendement* *!* » Kant n'hésite pas à le reprendre et à le crier plus fort encore. Il revendique la liberté absolue d'expression pour les savants et les érudits, bien sûr, car c'est la condition nécessaire pour que les « dogmes » et les « formules toutes faites » cessent d'enchaîner l'esprit des individus. Mais il faut encore que s'accomplisse le processus d'autoéducation du public. Autant dire que la victoire des Lumières n'est pas la victoire d'un universel, atteint une fois pour toutes, qu'il ne s'agirait plus, dès lors, que de transmettre, de « cultiver », mais la victoire de l'audace, du courage de penser par soi-même.

Kant sait de quoi il parle. Peut-être convient-il de le rappeler. On connaît bien le Kant « critique », ennemi de tout dogmatisme religieux ou philosophique, on connaît son goût de la morale et son vœu d'une paix perpétuelle et on le voit se promener, comme une pendule bien réglée, en père tranquille de Königsberg, aux confins de la mer Baltique. Mais on néglige un trait décisif. L'ambition première de Kant, c'est de décrire la genèse du monde. Ni plus ni moins... Avouons que ce n'est pas rien : Kant rédige en 1754, à l'âge de trente ans, une *Histoire générale de la nature* qui doit fournir la réponse à la question : comment s'est constitué l'Univers? Il s'agit d'une *Théorie du ciel* (c'est la seconde partie du titre), à savoir (et c'est le sous-titre), d'un *Essai sur la constitution et l'origine mécanique de l'ensemble de l'édifice du monde, élaboré d'après les principes newtoniens* **. C'est dire que ses préoccupations concernent au premier chef... le Soleil et sa lumière.

Jeune, Kant ne manque pas d'aplomb. Il affirme qu'il est possible de décrire la genèse du monde grâce à la théorie de Newton : « *Donnez-moi seulement de la matière et je vais vous construire un monde* ***!* » Attendu que la force d'attraction règne de façon universelle dans l'Univers tout entier, que tout astre et tout corpuscule possèdent cette propriété de s'attirer mutuellement, Kant se fait fort de montrer, étape par étape, comment s'est construit

* Kant, *Was ist Aufklärung?*, Reclam, 1974, p. 9. Traduction de l'auteur.
** Emmanuel Kant, *Allgemeine Naturgeschichte und Theorie des Himmels, oder Versuch von der Verfassung und dem mechanischen Ursprunge des ganzen Weltgebäudes nach newtonischen Grundsätzen abgehandelt.* Leipzig, 1755, reproduit dans *Vorkritische Schriften bis 1768*, Frankfurt, Suhrkamp, 1977, tome I.
*** Traduction personnelle, *op. cit.*, p. 236.

l'édifice. Dans une première partie, il propose une nouvelle « constitution » de l'Univers, en regroupant les « étoiles fixes » dans des « figures elliptiques », d'après l'idée qu'il se fait de la forme de la Voie lactée ; puis il passe à la genèse proprement dite d'un de ces systèmes, dans lequel se situe le « monde » qui nous concerne : le système solaire.

On aurait tort de sourire. C'est avec plus de quarante ans d'avance sur Laplace qu'Emmanuel Kant émet l'hypothèse de la « nébuleuse originelle », dans des termes et avec une rigueur qui laissent pantois. Bien entendu, il ne se fait pas d'illusions sur l'accueil qui sera réservé à son essai dans les sphères dites « supérieures » : on l'accusera d'impiété, d'athéisme, d'épicurisme. C'est pourquoi il tente par avance de neutraliser les réactions qui pourraient lui être funestes. Il sait bien que les préjugés des savants et des religieux s'opposent à son entreprise : aussi annonce-t-il que sa tentative repousse enfin l' « obscurité » qui régnait sur la genèse du monde, sans compromettre pour autant la *souveraineté de l'Être suprême**. Mais, sur le fond, il est intraitable : animée d'une force d'attraction, la matière engendre les mondes. Qu'on le laisse seulement le montrer, sans prévention !

Ainsi voyons-nous clairement quelle relation privilégiée Kant entretient avec la lumière du jour : celui qui en 1784 se fait porte-parole des « Lumières » est celui-là même qui osa, pour ses débuts dans la carrière, proposer une « théorie du ciel », tirée des principes de Newton. Il en va de même pour Voltaire. C'est en effet à Voltaire que l'on doit la notoriété de Newton en France. Certes, il ne fut pas le premier à faire l'éloge des *Principes*, mais il les rendit « populaires ». Fontenelle et Maupertuis le précédèrent sans conteste ; mais leur public était restreint. C'est Voltaire qui en fit grand bruit. Il a trente-deux ans lorsqu'il s'embarque pour l'Angleterre. Il est alors à peine « Voltaire ». De sa carrière de « clerc », d'avocat de la pensée, de la raison universelle et des « Lumières » nouvelles, il y a encore peu à dire. Il sort tout droit de la Bastille, mais c'est pour une obscure querelle avec le chevalier de Rohan, après une bastonnade sous le porche de l'hôtel Sully. Il a derrière lui deux tragédies, dont l'une fut prometteuse et l'autre désespérante, deux comédies qui furent deux échecs et une épopée qui n'est pas encore éditée. À la Cour, on connaît ses impertinences et l'on reconnaît ses talents en lui versant quelque pension, sans doute pour lui épargner de frayer avec les frères

---

* ID., *ibid.*, préface, p. 227.

Pâris, riches banquiers fort peu scrupuleux. Voltaire? Le grand public l'ignore et l'on ne peut dire qu'il soit déjà « penseur ». « Clerc », le jeune Arouet le fut à vingt ans, mais il était clerc... de notaire.

Son voyage en Angleterre va tout changer. Soudain, il devient « majeur ». Comment? En devenant newtonien. Bien sûr, Voltaire trouve outre-Manche bien des raisons de s'enthousiasmer. Il y respire un air plus pur, du point de vue politique du moins, que celui qu'il respirait en France : point de monarchie absolue mais un régime parlementaire où le pouvoir du roi est borné par les représentants du peuple; point d'Inquisition jésuitique mais la tolérance religieuse. Chez les Anglais, il se sent chez lui. Dès lors, il n'aura de cesse de faire la leçon aux Français et commence à rédiger ces « lettres » qui vont le rendre soudain célèbre. Mais, justement, sur quoi insistent le plus les *Lettres philosophiques* : sur la merveilleuse découverte des lois de la gravitation universelle. À Londres, Voltaire devient l'avocat de Newton. Sur les vingt-cinq lettres publiées, quatre sont consacrées à Newton. Seuls les quakers, qui inaugurent l'ouvrage, ont droit à un tel honneur, tandis que tous les autres sujets sont traités en une ou deux lettres, y compris le « gouvernement ». Or les quakers, on s'en doute, sont loin de recevoir un traitement aussi favorable que celui que l'auteur accorde à Newton.

Voltaire se trouve en Angleterre en l'an 1726. Newton a encore une année à vivre : il meurt en 1727. Nombreux sont ses adversaires, mais sa gloire est déjà immense. Ses *Principes mathématiques de la philosophie naturelle*, publiés quarante ans plus tôt, gagnent chaque jour plus de partisans dans les hautes sphères de la société. Pour la première fois, en effet, dans l'histoire de l'humanité, l'ensemble du système du monde, des corpuscules aux étoiles fixes, se soumet au joug d'un principe, d'une loi simple et unique, mathématiquement vérifiable, dite « attraction universelle ». Les têtes bien faites en sont convaincues et répandent la bonne nouvelle. À peine arrivé à Londres, Voltaire leur emboîte le pas, avant de s'en faire, de retour en France, le propagandiste. La « quinzième lettre » a pour objet de rendre compte des performances de la théorie de Newton dans l'explication des mystères qui obscurcissent encore l'image qu'il convient de se faire du monde. Voltaire résume en quelques pages comment Newton est parvenu à définir « *la cause qui fait tourner et qui retient dans leurs orbites toutes les pla-*

nètes * ». Il montre qu'il faut considérer comme une seule et même cause ce qui provoque la rotation des planètes et ce « *qui fait descendre ici-bas tous les corps vers la surface de la Terre* ». D'où l'anecdote de la pomme, qui passera à la postérité, mais aussi des raisonnements fort condensés, qu'il n'est pas si facile de suivre...

Fort brusquement, on est bien loin du poète fantasque et caustique joué par le courtisan. C'est avec le plus grand sérieux que Voltaire se préoccupe de « propager » la doctrine du grand Newton. Et surtout qu'on n'aille pas croire qu'il s'agissait d'une lubie, d'un caprice pour une mode encore ignorée de la France. Car aux quelques pages des lettres se substitue bientôt un livre de quatre cents pages environ! Voltaire publie cinq ans plus tard, en l'an 1738, un traité complet de physique pour mettre « à la portée de tout le monde » les *Élémens de la philosophie de Newton*! Il reconnaît dans sa préface que cette sublime philosophie « *a semblé jusqu'à présent à beaucoup de personnes aussi inintelligible que celle des Anciens* ** », ce qui pourrait bien valoir comme autocritique indirecte des quatre « lettres anglaises » qu'il lui a consacrées. Aussi s'applique-t-il cette fois à décomposer les difficultés et à présenter les choses de manière systématique : il commence par analyser le phénomène de la lumière solaire « *et comment elle vient à nous* *** » », ce qui l'occupe pendant huit chapitres; puis il en tire les « *preuves qu'il y a des atomes indivisibles* **** », afin de conclure à l'existence de l'attraction et de son universalité. Au XXIIIᵉ chapitre, tout est enfin consommé et il ne reste plus qu'à formuler la « *théorie de notre monde planétaire* ***** ».

Peut-être faut-il ici répéter qu'il s'agit de Voltaire et préciser que d'Alembert, Diderot et consorts n'en sont qu'aux balbutiements de leur lutte contre l'obscurantisme : il faut attendre encore quatre ans pour que paraisse le *Traité de dynamique* et neuf pour que la grande *Encyclopédie* soit vraiment mise en chantier. Il serait donc tout à fait injuste et surtout parfaitement faux de négliger l'apport de Voltaire dans la propagation des « lumières »

---

* Voltaire, *Lettres philosophiques* [1733], Paris, Gallimard, coll. « Folio », 1986, p. 102.
** Voltaire, *Élémens de la philosophie de Newton*, Amsterdam, chez Jacques Desbordes, 1738, p. 12.
*** Voltaire, *Élémens...*, *op. cit.*
**** ID., *ibid.*
***** ID., *ibid.*

fournies par l'œuvre de Newton. Mais, dès lors, comment parler des Lumières sans parler de la lumière comme telle?

Résumons. Il est devenu banal de parler de l'ère des Lumières comme d'un phénomène « culturel ». On dit qu'un « esprit » s'empare de l'Europe au XVIIIᵉ siècle et repousse à ses confins les dogmes et les préjugés : qu'on l'appelle « raison » ou « pensée », on voit cet esprit s'incarner dans un Voltaire ou un Kant. Or cette façon habituelle de parler occulte (il n'y a pas d'autre mot) le rôle joué par la théorie de Newton. Lorsqu'on évoque Voltaire ou Kant comme porte-parole des Lumières, on omet bien de préciser qu'ils furent adeptes des *Principes* et s'en firent les ardents apôtres. Autrement dit, les termes qui sont utilisés d'habitude pour qualifier l'avènement des Lumières nous cachent qu'il est directement lié à la découverte de l'attraction universelle, la force qui régit le monde, dont notre système solaire. L'universel cache l'Univers.

N'est-ce pas étonnant?

III

La révolution héliocentrique

À ce point, quelques doctes fronceront sans doute les sourcils. L'histoire des sciences est une discipline exigeante, qui n'admet pas le dilettantisme. L'un émettra des réserves sur l'importance de la théorie de Newton : il demandera s'il convient de réduire l'ensemble à l'un de ses éléments. Un autre formulera des doutes sur le caractère lumineux de la doctrine de l'attraction : car on dispute fort, à l'époque, de la nature de la force que Newton appelait ainsi ; pour nombre de savants de l'époque, Newton faisait régresser la science dans la mesure où il retombait dans le vieux défaut d'Aristote, celui des qualités occultes ; en attribuant à la matière ce pouvoir d'attirer à distance, la cosmologie newtonienne introduisait subrepticement ce que Descartes venait de chasser, la croyance des alchimistes en un pouvoir obscur des corps. D'ailleurs, Newton était alchimiste, précisera un troisième : il manipulait l'antimoine pour obtenir une substance sublime – le mercure philosophique, dont les pouvoirs devaient être, à en croire ses nombreux collègues, fascinants et prodigieux... Peut-on vraiment le considérer comme le promoteur principal des Lumières ? Est-ce vraiment par lui qu'elles passent ?

Tel docte, d'obédience cléricale, préviendra toute tentative de voir dans la loi de l'attraction universelle une défaite de la foi, car il est tout à fait sûr que l'atomisme newtonien fut doublé d'une foi inébranlable dans la puissance d'un Dieu créateur : pour Newton, le monde exprimait la puissance de Dieu, à savoir son intelligence ; la matière, il la concevait comme « expression » de cette intelligence et non comme sa substance. Elle était soumise aux « principes mathématiques », par conséquent, au monde des idées. S'il fait la part belle aux « atomes » et aux « forces » qui déterminent leurs rapports, il ne fait aucunement triompher le matérialisme, ou, alors, il faut admettre que celui-ci n'est rien de plus que le mode de description auquel l'homme doit se résigner, compte tenu des bornes étroites qui déterminent sa pensée. Newton, lui, ne considérait pas la « matière » comme l'essence de la véritable nature du cosmos : il savait que son approche était soumise aux faiblesses de la pensée humaine...

Quant à Voltaire, tel autre affirmera qu'il ne mérite pas un tel crédit. Que c'est un excellent conteur, mais un piètre philosophe. Que, s'il faut vraiment un promoteur à la victoire des Lumières, on ne peut encenser Voltaire et se taire sur Descartes. Ce que Kant est à l'*Aufklärung*, n'est-ce pas Descartes qui l'est aux Lumières? Comparé à René Descartes, Voltaire n'est qu'un dilettante. Car si quelqu'un a fait place nette de tous les préjugés scolastiques sur lesquels reposaient les dogmes de l'Église, c'est Descartes qu'il faut nommer : le souci de ne rien admettre qui ne fût durement soumis à l'épreuve de l'évidence, la confiance dans les pouvoirs de la raison naturelle, l'élaboration d'une méthode pour décomposer les difficultés que présentent les énigmes de la « matière » à la mesure de l'étendue, n'est-ce pas beaucoup plus décisif que l'enthousiasme voltairien? Newton ne doit rien à Voltaire, mais que ne doit-il pas à Descartes?

Aussi nombreux et avisés que puissent être ces bons doctes, ils ne doivent pas nous égarer. Les lois établies par Newton avaient pour objet de fournir la solution à un problème qui se posait dans des termes très simples. Ce problème était issu du changement de perspective dans l'observation du ciel proposé par Copernic dans son traité *Sur les révolutions des orbes célestes*[*]. Copernic affirmait que, malgré les apparences, ce n'est pas le Soleil qui tourne autour de la Terre, mais la Terre autour du Soleil. Pour expliquer l'alternance du jour et de la nuit, nul besoin, selon lui, de supposer autre chose qu'une rotation de la Terre autour de son axe. Et, pour comprendre l'alternance des saisons, qu'on fasse tourner la Terre autour du Soleil : cela lui prendra bien un an! Le problème, s'il en est ainsi, c'est qu'alors il faut admettre que la Terre est en mouvement dans l'espace. Sur le plan géométrique, la chose est bien concevable, mais sur le plan physique? Comment est-il possible que cette masse colossale se meuve aussi aisément dans l'espace, avec une telle régularité et sans que nous en ayons

---

* Copernic, *De Revolutionibus orbium coelestium* [1543], traduction de A. Koyré des onze premiers chapitres du livre I, Paris, éd. Alcan, 1934, rééditée aux éd. Blanchard, Paris, 1970.

l'impression? Comment se fait-il que nous ne soyons pas expulsés de la surface de la Terre par la force centrifuge? On le voit, ce à quoi Newton s'est attaqué, ce n'est à rien d'autre qu'à des questions de bon sens...

Bien sûr, ces questions on ne peut plus simples reposent sur des controverses plus complexes. Le modèle ébauché par Copernic, l'héliocentrisme, concurrence depuis 1543 le modèle de Ptolémée*, qui eut cours pendant tout le Moyen Âge. On concevait alors la Terre comme une sphère immobile au centre du monde et les autres corps célestes en rotation autour d'elle, selon une subtile hiérarchie, de la Lune aux « étoiles fixes », en passant par le Soleil et les planètes. Ce modèle expliquait admirablement la plupart des phénomènes observés, mais il avait deux inconvénients majeurs. Le premier, c'est que la taille du Soleil était gigantesque, et que sa distance à la Terre était colossale; si bien que, pour rendre compte de sa réapparition chaque matin, il fallait lui supposer une vitesse vertigineuse : qu'on attache une pierre au bout d'une corde et qu'on se mette à la faire tourner, plus la corde sera grande, plus il faudra faire tourner rapidement la pierre pour lui faire décrire une rotation en un temps invariable. Avec le Soleil, il en alla de même; tant qu'on pouvait le croire petit, sa distance à la Terre pouvait être modeste, et sa rotation n'impliquait pas une vitesse prodigieuse; mais lorsqu'on parvint à mesurer sa taille réelle et qu'on allongea d'autant son éloignement de la Terre, on fut contraint, compte tenu des vingt-quatre heures imparties à sa rotation, de lui attribuer une vitesse si grande que cela frôlait l'incroyable...

Le second défaut majeur du système, c'est qu'il ne permettait pas de prédire les positions exactes des planètes. D'un mois à l'autre, d'une semaine à l'autre, voire d'une nuit à l'autre, elles échappaient à toutes les prévisions. Tandis que l'immense majorité des astres garde des positions fixes dans le ciel et conserve de ce fait les mêmes distances entre eux (au point qu'on peut considérer qu'ils sont attachés à la voûte céleste), car ils se meuvent tous en même temps dans un mouvement de rotation unique, les planètes ne cessent d'errer. C'est pourquoi on les appelle « errantes ». Leur nom vient du grec *planétès*, qui signifie « chèvre », car, comme des chèvres bondissant dans la montagne d'un rocher à l'autre de manière imprévisible, elles errent sur le fond des fixes, tantôt se dirigeant vers l'ouest, comme l'ensemble

---

* Ptolémée, *Almageste* (éd. Henri Grand, 1813).

de la voûte céleste, tantôt allant à reculons et en toute indépendance, n'obéissant qu'à leur « caprice » – comme tant de caprins. Au terme de quatorze siècles de patience et de pièges tendus, les astronomes « géocentristes » ne s'avouaient pas battus : ils cherchaient encore à les capturer à l'aide de figures géométriques sophistiquées, tels les « épicycles * ».

Vains subterfuges! Copernic en eut assez. Quand bien même on serait parvenu à domestiquer les planètes, que faire de cet encombrant Soleil et de sa ronde infernale? N'était-il pas beaucoup plus raisonnable de mettre le plus gros des astres au centre du monde que d'y loger une Terre minuscule, à laquelle il était censé se soumettre? Ne valait-il mieux supposer l'inverse et subordonner la Terre au Soleil, comme un sujet à son monarque? Un tour de la Terre autour de son axe, et l'on épargnait à Sa Majesté une course insensée! Ce faisant, on faisait d'une pierre deux coups. En supposant que la Terre se trouvait non pas au centre du monde mais à la périphérie du Soleil, tout devenait beaucoup plus clair pour les planètes. Elles cessaient de faire des caprices et s'ordonnaient fort régulièrement elles aussi autour du Soleil. Les irrégularités provenaient seulement du fait qu'on observait leur orbite à partir de la Terre et qu'on s'obstinait à faire de la Terre le centre de leur rotation. En les faisant graviter autour du Soleil, tout s'éclairait soudain. Tout devenait simple et harmonieux. D'un seul coup, grâce à ce simple renversement de perspective, le monde devenait beaucoup plus raisonnable.

Mais tout n'était pas réglé pour autant. Tout d'abord parce que, malgré sa merveilleuse harmonie, malgré la superbe ordonnance de ses planètes en rotation autour de l'astre solaire, le système laissait encore beaucoup à désirer dans le détail; quelque chose ne collait pas dans le temps de rotation de chaque planète autour du centre ainsi que dans la distance par rapport à ce centre : le calcul de leur orbite circulaire ne correspondait pas à ce qu'on observait de leur position (à moins de tricher, comme auparavant); ainsi, l'astronome Tycho Brahe, qui doutait de la position excentrique de la Terre, fit de son côté tant d'observations sérieuses qu'il compromit la thèse de Copernic sur un point : la Terre ne pouvait se mouvoir en cercle, avec une vitesse uniforme, autour du Soleil. De plus, on se trouvait pris au dépourvu pour donner la *raison physique* de ces rotations dans l'espace : Copernic supposait qu'elles étaient fixées sur une sorte de sphère en mouvement, les

---

* Petits cercles ajoutés sur leur orbite qui permettaient de tenir compte en particulier des régressions visibles dans leur parcours.

« orbes célestes » (en quoi il s'était contenté de reprendre l'hypothèse de Ptolémée). Aussi les partisans du géocentrisme n'avaient-ils pas baissé les armes. Ils continuaient à défendre Ptolémée et à tancer Copernic.

L'année où naquit Newton mourut un certain Galilée. Grâce à lui, le débat avait pris une tournure décisive : car, à la stupéfaction générale, Galilée eut l'audace de prétendre qu'on pouvait avoir l'image du système du monde en observant la planète Jupiter ! Aussi incongru que cela puisse nous paraître aujourd'hui, cette invitation de Galilée bouleversa les données de la question du cosmos. En effet, Galilée [*] avait pointé vers le ciel une lunette et avait observé minutieusement la ronde de minuscules satellites autour de la superbe planète. Il n'en était pas resté là, bien sûr, il avait scrupuleusement noté les heures de ses observations de l'astre, il avait braqué sa lunette sur la Lune, comme il se doit, et relevé les reliefs impressionnants qui défigurent sa surface puis il l'avait laissé balayer le ciel, ce qui eut pour effet de décupler le nombre d'étoiles que l'on croyait connaître exactement et compromit définitivement l' « image » qu'on se faisait du « ciel ».

Tout le monde n'apprécia pas. Les autorités religieuses se mirent à grincer des dents. Copernic, de son vivant, avait eu la hantise de cette réaction. C'est pourquoi il s'était placé sous la protection du pape de l'époque [**], et c'est pourquoi son éditeur avait cru bon d'ajouter un avertissement dans lequel il présentait le travail de l'auteur comme une hypothèse de travail, un modèle mathématique, qu'il ne fallait surtout pas prendre à la lettre et considérer comme un modèle *physique* du monde – en quelque sorte une vue de l'esprit. Copernic savait bien qu'il mettait en défaut les Écritures sur un point très sensible, celui de l'ordre du monde. Dès les premières pages de la Bible, dans le récit de la Création du monde, on peut lire en toutes lettres que les « luminaires », le « grand » et le « petit », autrement dit le Soleil et la Lune, sont faits pour éclairer la Terre, l'un le jour et l'autre la nuit [***]. On ne peut guère supposer une relation autre que de subordination de ces astres envers la Terre, qu'il est bien difficile de ne pas concevoir au centre de la Création – et immobile. Ce sont les astres qui se meuvent, le Soleil y compris, comme l'évidence le montre. Toute autre perspective compromettrait l'intérêt

---

[*] Galileo Galilei, *Sidereus Nuncius* [1610], traduction partielle d'Émile Namer, Paris, Gauthier-Villars, 1964.
[**] Voir la préface : *Au très Saint Père le Pape Paul III, op. cit.*, p. 35.
[***] *Genèse* 1.

théologique de ce texte. Dieu fait en sorte que la végétation croisse, que les animaux prolifèrent, et, lorsqu'Il crée l'homme et la femme, il leur accorde tout de suite la domination sur la nature entière, autant dire qu'il fait tout pour leur bien ; et que la rotation du Soleil autour de la Terre a pour vocation d'y contribuer. Il n'est pas question de voir les choses autrement. D'autant que ce récit passe pour être de Moïse, qui le reçut directement de Dieu. C'est ce qu'on appelle la Révélation. À travers Moïse, c'est Dieu lui-même qui parlait.

Peu confiant dans l'accueil que l'Église ferait à son travail, Copernic avait attendu le plus longtemps possible, l'année de sa mort, pour publier sa *Révolution*. Il avait eu tort. Il faut le dire et le souligner : des décennies durant, la curie romaine fut très séduite par l'idée que le Soleil, et non la Terre, fût au centre du monde. La réaction d'hostilité fut tardive. Il fallut attendre 1600 pour voir l'Église changer d'attitude. Et encore fut-ce, pour l'essentiel, l'œuvre de l'Inquisition. On commença à pointer le doigt sur les Écritures en criant au blasphème, au sacrilège, et Galilée en fit les frais. On le mit en procès une première fois en 1606 pour lui faire abjurer le détestable système dont il venait de se faire l'avocat. À toutes ses superbes observations on opposa non seulement le texte de la *Genèse,* mais aussi le passage du *livre de Josué* où Dieu arrête le Soleil au-dessus de la vallée d'Ajalon, alors que Josué livre bataille, ce qui prouve bien que ce n'est pas la Terre, mais le Soleil, qui bouge... Et comme cela ne suffisait pas, comme Galilée continuait de communiquer au monde savant ses découvertes, on l'emprisonna en 1633 pour le reste de ses jours.

Ainsi, les mérites du système héliocentrique ne furent pas partout reconnus... Cependant, l'affaire prenait bonne tournure. Çà et là, en Europe, on pouvait enfin poser les questions dans les bons termes : les planètes n'étaient-elles pas en rotation autour du Soleil comme les satellites autour de Jupiter ? Le rapport de la Terre à la Lune n'était-il pas le même que celui de Jupiter à sa petite famille céleste ? Ces satellites n'étaient-ils pas des « lunes » ? Y avait-il vraiment besoin de supposer des « orbes », des sphères solides, pour comprendre la rotation des planètes autour du Soleil ? En ce temps-là aboutirent les spéculations du grand Johannes Kepler. Copernicien convaincu, mais élève de Tycho Brahe, Kepler dut longtemps affronter la critique acérée d'un maître qu'il vénérait mais qui ne partageait pas sa foi. Il dut bien admettre que l'orbite de la Terre ne pouvait être parfaitement circulaire et que sur ce point la thèse de Copernic, qui voyait des

138

cercles partout, était réfutée; mais, au lieu de se résigner et de rejeter le système entier, il finit par trouver que, si la Terre ne se mouvait pas en cercle, elle se mouvait en *ellipse**. Ce qui compromettait la thèse de Copernic, c'étaient les irrégularités du mouvement éventuel de rotation : sur son orbite, la Terre devait avoir des vitesses différentes à des moments différents. Kepler parvint à trouver une loi satisfaisant aux exigences de Tycho : celle des aires égales parcourues en des temps égaux. Qu'on imagine une rotation dans une ellipse dont le Soleil occupe un des foyers, et l'on comprendra comment la Terre peut se mouvoir par moments plus vite, par moments moins vite! Kepler fit mieux. Après avoir mis les planètes en rotation elliptique autour du Soleil, il fournit la loi de leur distance au Soleil. Constatant que plus elles sont éloignées du Soleil, plus leur temps de rotation est long, il chercha une formule donnant le rapport entre toutes les distances et toutes les vitesses – et la trouva**.

De quoi confondre, assurément, les adversaires les plus revêches de l'héliocentrisme! Et, pourtant, rien n'était encore réglé, car la question physique demeurait. Elle devenait d'ailleurs plus lancinante que jamais. Si les coperniciens avaient raison, comment le système du monde fonctionnait-il? Par quel miracle la Terre pouvait-elle « tenir » en l'air? Comment pouvait-elle se mouvoir dans le vide? Et pourquoi n'en avions-nous pas le moindre sentiment? Pourquoi n'étions-nous pas propulsés dans l'air par la force centrifuge provoquée par sa rotation, qui était fort rapide, compte tenu de sa circonférence? Et les autres planètes, comment tenaient-elles dans l'espace? Et comment pouvaient-elles se mouvoir avec cette régularité? En un mot, quelle force constante les animait? Telle était l'énigme. C'est à cette énigme que répond Newton. Pour montrer que Copernic avait raison, il conjugue les acquis de Galilée et de Kepler. Il part du principe selon lequel « *tout corps persévère dans l'état de repos ou de mouvement uniforme en ligne droite dans lequel il se trouve, à moins que quelque force n'agisse sur lui, ne le contraigne à changer d'état**** » – c'est le principe d'inertie. Il faut s'étonner avec lui

---

* Johannes Kepler, *Astronomia nova* [1609].

** Johannes Kepler, *Harmonices mundi* (1619) : le rapport des temps de révolution est égal au rapport des cubes de distances moyennes au Soleil. Si T1 et T2 sont les temps nécessaires à deux planètes pour accomplir leur révolution et R1, R2, les distances moyennes, on a donc $(T1/T2)^2 = (R1/R2)^3$.

*** Isaac Newton, *Principes mathématiques de la philosophie naturelle*, par feue Mme la marquise du Châtelet à Paris, 1759, tome I, p. 12.

que la Lune ne fuie pas la Terre en ligne droite, ce qui serait la moindre des choses, puisqu'elle est dotée d'un « mouvement uniforme », c'est-à-dire qu'elle court dans l'espace à vitesse régulière ; et il faut bien constater qu'il en va ainsi de tous les autres corps célestes ; ainsi des « lunes » de Jupiter : pourquoi les satellites de Jupiter ne poursuivent-ils pas leur course en ligne droite ? Pourquoi sont-ils « retenus » en orbite ? Quelle force les contraint à quitter sans cesse la tangente ? Si l'on tient compte des lois établies par Kepler sur les relations entre la distance des planètes au Soleil et leur vitesse de rotation, on peut calculer les forces nécessaires à leur gravitation de l'ensemble du système. Le bon modèle n'est donc pas celui dans lequel la Terre fait office de centre, car elle ne dispose pas de la masse suffisante pour attirer les astres de telle sorte qu'ils restent dans leur orbite. Le bon modèle, c'est celui dans lequel le centre est le Soleil...

On le sait, Newton n'est pas le premier à formuler l'hypothèse de l'attraction universelle. Avant lui, déjà, Francis Bacon avait émis l'idée d'une force attractive entre les corps célestes ; Kepler lui-même y avait songé ; et, du vivant de Newton, l'idée était dans l'air : Hook, son grand concurrent dans la course à la solution de l'énigme, avait fourni une formulation précise de cette doctrine *. Mais Newton ne se contente pas d'une formulation hypothétique : il donne les formules mathématiques qui la confirment. Telle est la vocation des *Principes mathématiques de la philosophie naturelle*, qui lui valent très vite la gloire – et l'admiration d'un jeune poète en mal de centre de gravité, qui se nomme Voltaire.

> « *Dieu parle et le chaos se dissipe à sa voix ;*
> *Vers un centre commun tout gravite à la fois,*
> *Ce ressort si puissant, l'âme de la nature,*
> *Était enseveli dans une nuit obscure,*
> *Le compas de Newton mesurant l'Univers*
> *Lève enfin le grand voile et les cieux sont ouverts* ** . ».

Sans doute faut-il insister. Si Newton provoque l'événement, c'est parce qu'il *démontre* que le problème cosmologique trouve sa réponse dans le système héliocentrique. Et c'est pour cela qu'il

---

* Voltaire crédite Bacon de ce mérite dans sa douzième lettre. Quant à Kepler et à Hook, voir l' « Exposition abrégée du système du Monde », à la suite de la traduction française des *Principes*, au chapitre VIII.
** Voltaire, *Élémens, op. cit.,* p. 5.

fut célébré, parce qu'il résolut le fonctionnement du système du monde, parce qu'il trancha de manière décisive le débat sur l'ordre de l'Univers, parce qu'il fit rendre raison aux partisans du géocentrisme.

Pour caractériser les Lumières, il ne suffit donc pas de faire état de l'émergence de la raison face à la croyance. D'autant que la raison s'oppose à la raison. Newton s'oppose à Descartes. La raison cartésienne, en l'occurrence, s'oppose à l'attraction universelle. La géométrie de Descartes fut sans conteste un instrument d'analyse mathématique très précieux dans la bataille, mais sa raison? Malgré sa raison, sa clarté et son évidence, Descartes s'était fourvoyé dans l'étude des corps célestes. De ce point de vue, sa contribution à la propagation des Lumières est problématique. Si Descartes fut un pionnier, il fut aussi un obstacle. Car sur la voie du problème décisif – la question du « comment ça marche? » – Descartes a semé le trouble. Il avait bien commencé par adopter l'héliocentrisme, et c'est dans cette perspective qu'il abordait son *Traité du monde**, mais, outre qu'il renonça, par crainte de l'Inquisition, à publier son livre, il n'y posait pas du tout les questions qui s'imposaient alors : à quelle figure géométrique obéit le mouvement des corps célestes en orbite autour du Soleil? Quelle est leur vitesse de rotation? Quelle est leur distance au centre? Quelle relation y a-t-il entre leur distance au Soleil et leur vitesse de rotation? Au lieu de quoi, Descartes se précipita dans la recherche des causes des mouvements et de la genèse du système – et s'y égara. Niant la possibilité du vide dans la nature, il fut contraint d'inventer un moteur mécanique pour expliquer les mouvements des corps – les « tourbillons ». Ainsi, ce n'est pas seulement d'Aristote et de la dogmatique ptoléméenne que Newton dut triompher, c'est aussi de la précipitation cartésienne. Entre-temps, suite à la publication posthume du traité de Descartes, la négation du vide et ses subtils tourbillons avaient fini par faire des adeptes et s'imposer à l'Angleterre. Or le monde ainsi conçu s'opposait aux lois de Kepler, et ce, *au nom de la raison*, car le vide est « inconcevable » et l'action à distance interdite. Il faudra justement toute la puissance des *Principes mathématiques* pour balayer le *Traité du monde*. Newton prendra

_____

* Descartes travaillait à ce traité en 1633, l'année même où fut condamné Galilée (pour la seconde fois). Dès qu'il apprend la nouvelle, au mois de novembre, il s'interrompt – par prudence. Cf. les lettres au père Mersenne de fin novembre 1633 et de février 1634, in *Œuvres philosophiques* (1618-1637), Paris, Garnier (« Classiques »), 1963, p. 487-493.

longuement soin de montrer l'inanité des tourbillons cartésiens (dès lors qu'on tient compte des lois établies par Kepler et de la nécessité du vide), si l'on veut comprendre le phénomène des comètes. En ce sens, il va de soi que la victoire de Newton passe par la défaite de Descartes. Il se peut bien qu'avec Descartes ce soit la « France » qui fut défaite : n'étant que fort peu patriote et peu touché par le *Volksgeist*, Voltaire prend parti, dès 1727, en faveur d'Isaac Newton. Il ne méprise pas Descartes et reconnaît ses mérites, mais il perçoit dans les *Principes* la solution de l'énigme que Descartes n'avait su résoudre. Fut-ce là vraiment le signe d'une médiocre philosophie?

Enfin, s'il est vrai que Newton fut alchimiste et s'adonna à d'obscures lubies, comme celle d'établir une nouvelle chronologie de l'histoire humaine, qui sait si ces travaux d'apparence scabreuse n'ont pas leur logique et n'entretiennent pas une affinité particulière avec l'intuition de l'attraction universelle? De l'alchimie au magnétisme, y a-t-il si loin? Du magnétisme à la construction des temples et des pyramides, n'y a-t-il pas quelque relation? Une chose est sûre : ces recherches occultes ne compromirent pas les lumières que Newton fit surgir dans l'ordonnance du cosmos, contrairement aux lubies de Descartes, nées pourtant du libre exercice de sa pure raison. Au demeurant, Newton sut bien répondre lui-même aux objections que fait surgir le concept d'attraction. « *Jusqu'à présent*, dit-il, *j'ai exposé les phénomènes des cieux et de notre mère au moyen de la force de gravité mais je n'ai pas encore assigné de cause à la gravité.* » Supposer l'action à distance des corps célestes et des corpuscules, reconnaît-il à la fin de son ouvrage, cela est requis par l'ensemble des observations. « *On pourrait ajouter, maintenant*, dit-il, *quelque chose comme cet esprit subtil, qui pénètre dans les corps solides et est caché en eux [...] mais ceci ne peut s'exposer en deux mots et, de plus, les expériences qui doivent faire connaître et déterminer avec exactitude les lois des actions de cet esprit ne sont pas en nombre suffisant* [*].* » Cette attraction, de cette propriété de la matière, il avouait lui-même l'ignorer et laissait à ses successeurs le soin de la découvrir.

Partant d'une vision héliocentrique, Descartes produisit force brouillard – et s'y égara lui-même. À croire que la raison peut aussi produire des idées confuses et indistinctes. Par bonheur, à

---

* Isaac Newton, *Principes mathématiques de la philosophie naturelle* [1687] Scolie général, trad. Marie-Françoise Biarnais, Paris, Christian Bourgois, 1985, p. 117-118.

l'aide d'une intuition a priori condamnable, Newton en déjoua le piège. Et, comme Fontenelle, comme Maupertuis, Voltaire ne s'y trompa pas.

> « *Déjà ces tourbillons, l'un par l'autre pressés*
> *Se mouvant sans espace et sans règle entassés*
> *Ces fantômes à mes yeux disparaissent.*
> *Un jour plus pur me luit; les mouvements renaissent*
> *L'espace qui de Dieu contient l'immensité*
> *Voit rouler dans son sein l'univers limité,*
> *Cet univers si vaste à notre faible vue,*
> *Et qui n'est qu'un atome, un point dans l'étendue**. »

Voltaire, piètre philosophe? Il avait pourtant vu juste : il avait compris, lui, que la victoire de la raison sur l'obscurantisme passait par la victoire de l'héliocentrisme sur le géocentrisme.

---

* Voltaire, *Élémens, op. cit.,* p. 415.

IV

Révolution marchande

Étrange! D'abord, l'appréhension habituelle de la victoire des Lumières sur l'obscurantisme médiéval occulte le fait qu'elle passe par l'installation du Soleil à sa vraie place, à savoir au centre du monde, négligeant par là même le rôle décisif de Newton dans la confirmation de la pertinence du modèle héliocentrique élaboré par Copernic. Et voici maintenant qu'à l'examen il s'avère que la réussite de Newton repose sur une intuition qui n'a rien de « rationnel » mais tient à l'une de ces idées occultes que la pensée cartésienne, dont nous faisons volontiers le prototype de la pensée des Lumières, considérait comme obscurantiste – c'est à n'y rien comprendre!

Ce que l'on appelle victoire des Lumières, ce moment où le « jour » triomphe enfin de la « nuit », c'est la confirmation géniale fournie par Isaac Newton de la justesse de la doctrine héliocentrique. Cette confirmation était attendue depuis longtemps par les partisans de la révolution cosmologique. Les adeptes de la Révélation chrétienne étaient réduits à la défensive, car la seule tentative sérieuse faite pour renforcer la thèse géocentrique, celle du grand Tycho Brahe *, s'était bien vite retournée en faveur de la thèse concurrente, grâce au zèle ardent de son meilleur élève, Johannes Kepler; et les observations à la lunette, inaugurées par Galilée, rendaient très grande la probabilité de la rotation de la Terre. Mais la victoire n'était pas acquise tant que

---

* Tycho Brahe avait fini par voir toutes les planètes en orbite autour du Soleil. Seule la Terre faisait exception et il s'obstinait, compte tenu de ses observations, à la maintenir au centre du système. Cf. son ouvrage de 1588, *De mundi aetheri recentioribus phenomenis*, publié à la librairie Blanchard sous le titre *Sur les phénomènes plus récents du monde éthéré*, Paris, 1974.

manquait l'explication physique de cette rotation et de toutes les autres. Or le cartésianisme fit obstacle à cette victoire en rejetant la possibilité du vide et en inventant des tourbillons de matière pour « porter » en quelque sorte les astres sur leur orbite et les pousser dans la bonne direction et à la bonne vitesse. La victoire de l'héliocentrisme passe par l'adoption d'une idée obscure, qui suppose l'action à distance d'un corps sur un autre : l'idée de l'attraction de tous les corps entre eux, des corpuscules aux corps célestes. C'est en supposant que les planètes et leurs satellites, la Terre et la Lune, le Soleil et la lumière, possèdent cette propriété, que Newton réussit à synthétiser toutes les données fournies par les coperniciens et à faire capituler leurs adversaires...

Un tel paradoxe mérite qu'on s'y arrête. Newton reconnaît lui-même que l'idée de l'attraction universelle n'est ni claire ni distincte et qu'elle laisse prise à la critique, tant elle se rapproche des puissances occultes chères aux astrologues et aux alchimistes. Il reste à savoir d'où elle lui vient. Étant donné qu'il ne s'en vante pas, la question reste ouverte. On me permettra de faire une suggestion. Plutôt que de chercher du côté du passé, de la culture passée, de la scolastique médiévale, de l'alchimie, de l'astrologie, et de remonter ainsi jusqu'aux Mésopotamiens et aux Égyptiens de la plus haute Antiquité, je suggère qu'on ouvre l'œil sur un phénomène dont Newton est contemporain, qu'il a pu voir de ses yeux, dont il a pu apprécier l'extraordinaire efficacité, et qui est tout à fait apte à l'avoir mis sur la piste. Je veux parler de la *victoire de la bourgeoisie marchande...*

Que la victoire de l'héliocentrisme coïncide avec l'hégémonie des relations marchandes dans la vie des nations, cela va de soi. En quelques siècles, inexorablement, la bourgeoisie commerçante d'Europe s'est affirmée comme la classe la plus importante de la société : la protection que la noblesse offrait au travail des serfs dans les champs des seigneurs est devenue dérisoire et a fini par disparaître dans le mouvement impulsé dans la vie des hommes par le commerce à l'échelle mondiale. Le labeur patient et acharné, l'audace et la ténacité des marchands, des entrepreneurs et des banquiers ont peu à peu fini par être payants : leur position médiocre et subalterne, ils ont su la transformer en position de pouvoir. Désormais, c'est d'eux que dépend le sort des nations. Ce sont eux qui donnent aux États les moyens de leur politique, et, bientôt, c'est à eux que les États devront obéir...

Or il faut bien parler d'une révolution, car le commerce, l'industrie et la banque n'ont pas toujours dominé les rapports sociaux. Ils ont dû, en Occident, s'imposer au pouvoir des seigneurs féodaux, ce qui ne fut pas une tâche aisée. Les seigneurs sont des prédateurs. S'ils convoitent un bien, ils s'en emparent, du moins, ils tentent de s'en emparer. Leur mode d'appropriation favori est la guerre, pas l'échange. Bien sûr, ils connaissent l'échange. Mais ils échangent surtout des services : entretien contre protection. Cet échange, ce contrat, remonte à l'installation des conquérants germains, lors des grandes invasions, qui s'étaient réparti les fiefs et avaient ainsi permis aux populations paysannes, lassées d'être la proie du premier barbare venu, de travailler enfin les champs sans craindre en permanence de se voir dépouiller ; bien qu'attachés à la glèbe et soumis à la corvée, les paysans trouvaient leur compte à sacrifier leur liberté et à céder une part de leur temps de travail à leur seigneur : accepter le joug d'un maître, c'était être défendu contre les autres ; céder une part de leur récolte à leur seigneur, c'était nourrir leur protecteur, sa monture, et le cas échéant ses hommes de main ; c'était élever des remparts autour de sa demeure, creuser des fossés et édifier des tours : c'était, le jour venu, pouvoir aller s'y réfugier. Ils lui forgeaient donc de bon cœur ses armes, ils entretenaient volontiers son cheval. Ils ne lui *vendaient* pas leur temps de travail, ils le lui donnaient – « en échange » de sa protection. Quant au seigneur, il n'achetait pas, il prenait. Ce faisant, il s'engageait à mettre sa vigueur, son cheval et ses armes, ses remparts au service de ses serfs : pour leur sauver la vie, il s'engageait à risquer la sienne. De même envers son suzerain, c'est-à-dire le seigneur dont, compte tenu de sa généalogie, et de l'origine de la présence de sa famille sur sa terre, il était le subordonné : à son suzerain, un seigneur, en principe, n'achetait ni ne vendait rien. Il lui devait un service, militaire essentiellement, et s'en acquittait en payant de sa personne. Si bien que l'achat et la vente, dans le système féodal, n'étaient que des activités subalternes, en aucun cas le centre de gravité de l'existence.

Autant dire que l'émergence du commerce dans l'Europe de la Renaissance puis son hégémonie croissante constituent une véritable révolution. Avec lui, le prédateur doit céder le pas devant le marchand. On ne dérobe plus, on achète ; on ne donne plus, on vend. Ce qu'on échange, ce ne sont plus des services, dont la valeur est incalculable, mais des marchandises, dont le prix est connu. Pour que personne ne soit lésé, on se sert d'un moyen équitable, dont la valeur est reconnue pour tous : la *monnaie*. Qui possède assez de monnaie peut acheter tout ce qu'il désire, pour peu que cela soit disponible sur le marché. C'est elle qui sert d'équivalent général pour toutes les transactions nécessaires. Auparavant, tout au plus achetait-on çà et là des marchandises venues d'ailleurs, avec quelques pièces frappées à l'effigie du seigneur local un peu au petit bonheur. Désormais, la plupart des biens s'achètent : pour avoir de la terre, il faut l'acheter, de même pour les animaux et le travail des autres ; et, pour travailler, il faut vendre ce que l'on produit ou, le plus souvent, simplement son temps de travail (on devient alors salarié) ; si l'on n'en trouve pas l'occasion (s'il n'y a pas d'acheteur de temps de travail sur le marché), ou si l'on ne veut pas travailler, alors on peut vendre sa vie, on touche une solde (on prend le nom de soldat) : au retour d'une guerre, qui sait si l'on ne pourra pas à son tour acheter de la terre ou du temps de travail ? La prédation rentre donc elle-même dans le circuit mercantile.

Le nec plus ultra du marché, c'est que l'on peut y gagner beaucoup sans échanger aucune marchandise. Car nombreux sont les nouveaux marchands qui se lancent dans des entreprises exigeant toujours plus d'argent : qu'ils partent pour l'Inde ou pour l'Amérique, qu'ils construisent des manufactures ou des voies de communication, qu'ils édifient des châteaux ou des villes, sans cesse l'argent leur fait défaut, et sans cesse ils doivent emprunter. Des banques poussent donc comme des champignons, au rythme des « compagnies » de toutes sortes, qui sillonnent bientôt la planète. Plus les bénéfices attendus sont gros, plus les revenus de ceux qui leur avancent les fonds sont gros. De là à spéculer, il n'y a pas loin, et c'est bien sûr le jeu favori d'une nouvelle race d'aventuriers. À côté des aventuriers du négoce et de la fabrique, voici les aventuriers de l'argent !

On se tromperait lourdement si l'on réservait à la Révolution française le mérite d'avoir abattu le régime de la féodalité. De fait, non seulement en France, mais dans quelques autres pays d'Europe, les rapports sociaux sont bouleversés bien avant. Le « modèle » féodal est battu en brèche bien plus tôt. Dès l'époque de la Renaissance, la bourgeoisie a conquis des positions importantes, voire dominantes : en Hollande, par exemple, mais aussi en Angleterre, en Allemagne, en Pologne, en Autriche, en Italie, en Espagne, au Portugal. Dans le détail du destin de chaque nation, la rapidité de l'ascension de la bourgeoisie vers le pouvoir se révèle inégal : ainsi, malgré la fortune de ses banquiers les plus fameux, les Fugger, le processus stagne en Allemagne, comme paralysée par la Réforme et les conflits armés qu'elle a provoqués; l'Italie végète, incapable d'exploiter l'élan donné par les Médicis, et bridée par la Contre-Réforme impulsée par le Vatican. En Pologne, les nobles ont repris le dessus. Quant à la Russie et aux autres pays slaves, ils semblent à peine sortir de leur torpeur. Mais, qu'on ne s'y trompe pas, dans l'ensemble, le mouvement est irrévocable : *c'est l'argent qui impose sa loi.*

Peut-on parler de hasard si les partisans des Lumières sont les premiers à s'en réjouir? Quand Voltaire crie victoire en 1733 dans ses *Lettres anglaises*, quand il acclame Newton, il y a fort à parier que le spéculateur jubile en lui; car il s'y connaît, le bougre, à jouer avec la monnaie pour amasser des fortunes! À quoi bon posséder de la terre, comme s'y obstinent les grands seigneurs, quand il s'agit de s'enrichir? Il suffit de savoir « placer » ses fonds au bon endroit au bon moment, et l'or produit de l'or, toujours plus d'or : il se reproduit lui-même de manière exponentielle, comme par magie. Sans être alchimiste, Voltaire sait néanmoins transformer une petite quantité d'or en un très gros magot. Certes, c'est tout un art; il y a parfois des ratés, mais celui qui étudie sérieusement la chose dispose d'une science qui, pour être relativement moins mystérieuse, n'a rien à envier à celle des Égyptiens. D'ailleurs, c'est beaucoup moins éprouvant, cela demande beaucoup moins de travail et permet de jouir davantage de la vie... C'est l'époque des « écrivains heureux [*] ».

Nul besoin d'être grand clerc pour lire entre les lignes des encyclopédistes la jubilation de la bourgeoisie victorieuse. D'Alembert, Diderot et consorts, dans leur fascination pour les machines, jubilent de sentir à la portée de leur bourse, ou de celle de leur nation, des possibilités illimitées d'exploitation de l'énergie de la nature et de la force de travail humain. Tous expriment donc à leur manière leur enthousiasme pour la subordination des forces productives de la nation au marché. Faut-il s'étonner que la monarchie d'un Louis XIV leur ait donné un tel élan? Le roi, qui n'était jadis qu'un seigneur comme un autre, imposa à tous les seigneurs féodaux une loi unique sur tout le territoire national, au détriment du pouvoir absolu que possédait le seigneur sur ses terres et sur ses sujets. Les seigneurs sont ainsi devenus les sujets du roi. Or, pour la prospérité de son royaume, il obéit lui-même à des lois nouvelles, qui n'étaient pas forcément codifiées, mais qui fonctionnaient de fait : les lois du commerce, de l'échange, sur lesquelles il fallut l'instruire sérieusement. C'est grâce à lui désor-

---

[*] Pour prendre au mot Roland Barthes, dans sa belle préface aux *Romans et contes de Voltaire*, Paris, éd. Gallimard, coll. « Folio », 1972.

mais que le commerce, l'industrie et la banque prospèrent. Quoi d'étonnant si celui qui régna en monarque sur la nation tout entière, si celui qui avait la vertu de l'éclairer et de la faire croître encore, fut appelé... le *Roi-Soleil*!

Un phénomène analogue se passa en Prusse. À l'époque de Frédéric II, qu'on nommait un « despote éclairé », la Prusse est enfin devenue le centre de gravité d'une foule de petits États. À l'instar du Roi-Soleil, Frédéric s'était efforcé de créer une nation moderne en favorisant le développement du marché. Kant voit donc à l'œuvre une force d'attraction surpuissante : celle qu'exerce la soif de s'enrichir sur les hommes, au point de les faire graviter autour d'un centre unique. Ce centre a son siège dans une capitale et s'incarne dans le monarque. Se révèle monarque éclairé non pas seulement celui qui s'entend à converser des dernières nouveautés des « choses de l'esprit », mais celui qui sait soumettre à la raison les féodaux, qui les attire à la Cour, qui fait le vide des préjugés religieux, celui qui monétarise les privilèges et brise les entraves à la liberté de circulation des marchandises – y compris de la marchandise que constitue le temps de travail humain !

Il faudrait relire sous cet angle le premier traité de Kant, dans lequel il lance sur le marché des idées sa *Théorie du ciel*. En posant à l'origine du monde la force d'attraction de Newton, qui sait s'il ne traduit pas en termes cosmologiques le spectacle qu'il a sous les yeux : celui de la transformation du royaume des Hohenzollern en nation soumise à la loi d'attraction du marché ? Et lorsque, quelques années plus tard, il prend explicitement la défense des Lumières contre la réaction cléricale, lorsqu'il revendique le droit de l'homme à prendre en main son destin, ne s'agit-il pas pour lui de conserver l'acquis ? Kant ne combat pas seulement des *idées* réactionnaires et « obscurantistes »; il combat les reliquats du Moyen Âge, rendus caducs par les progrès du marché à l'échelle des nations modernes : il décrie la sujétion des serfs au seigneur. Bien sûr, il rejette le joug du clergé et de l'armée nobiliaire, bien sûr, il condamne le despotisme, mais ce qui est en jeu dans la lutte entre bourgeoisie et noblesse foncière, c'est surtout la « liberté » de la force de travail : en revendiquant pour tout homme le droit de se servir de sa propre raison, Kant milite en faveur de l'abolition du servage, encore dominant en Europe centrale (pour ne rien dire de la Russie), et qui subsiste, ô scandale, en Prusse. Plaider pour les « Lumières », c'est plaider pour le « libre-échange ».

La thèse qui émerge ici, c'est que la loi découverte par Newton doit beaucoup à l'ascension de la bourgeoisie marchande. Un peu d'histoire nous aiderait sans doute à en décider. Newton est contemporain de Cromwell : il naît en cette année même où commence la guerre civile. La bourgeoisie puritaine, représentée par les « Têtes rondes », réclame sa part du pouvoir, ce que la noblesse anglicane, qui lance contre elle ses « Cavaliers », ne paraît pas du tout apprécier. Cet épisode est souvent négligé : on oublie que, bien avant la Révolution française, la guerre civile fit rage en Angleterre, que les enjeux étaient les mêmes et qu'elle se traduisit aussi par un régicide. La révolution dirigée par Cromwell fera tomber la tête de Charles Ier. Isaac Newton avait alors sept ans. Il n'était pas trop jeune pour être bouleversé par les événements. Certes, la paix civile sera rétablie : Cromwell, qui menait le pays d'une poigne de fer, sera à son tour exécuté, la royauté sera rétablie, mais rien ne sera plus comme avant. La noblesse conservera le pouvoir, mais au détriment de son nouveau roi, qu'elle destituera elle-même sous la pression de la bourgeoisie, regroupée derrière le parti des Whigs. L'année qui suivra cette seconde révolution, en 1689, Newton publiera ses *Principes*.

Une tête royale qui tombe, comme une pomme bien mûre, au pied de son arbre, voilà de quoi rendre rêveur un enfant. Pourquoi est-elle tombée ? Et pourquoi toutes les autres têtes ne tombent-elles pas ? Quelle force a fait choir ce chef ? Quelle force retient les autres en place ? Que cet enfant se rende sur le marché de Woolthorp, et il se posera d'autres questions : pourquoi tout ce monde ? Par quoi ces gens sont-ils attirés ? D'où vient cette force d'attraction ? Et ces marchandises, d'où viennent-elles ? Pour peu qu'il fréquente les quais d'un port, il apprendra que certaines viennent des antipodes, de l'autre côté de la sphère terrestre, et que d'autres seront vendues dans le monde entier. Laissez cet enfant grandir dans l'Angleterre puritaine, mais *affairée*, du XVIIe siècle, fière de l'empire que son commerce édifie dans le monde, et laissez-le, en même temps, observer le ciel, apprenez-lui à ne pas se laisser abuser par les apparences, familiarisez-le avec le principe de la relativité du mouvement, celui qui permet de comprendre pourquoi on croit voir un paysage bouger alors qu'on est soi-même en mouvement, laissez-lui entendre qu'il y a toutes chances pour que la Terre se meuve et que le Soleil soit immobile, *mais qu'on ne sait toujours pas comment ça marche*, et vous verrez qu'il sera tenté d'appliquer aux corps célestes ce qu'il observe dans le monde des hommes, à voir le cosmos à l'image de l'ordre marchand. Après tout, la force qui subordonne toutes les forces de la nation anglaise est aussi mystérieuse que celle qui contraint les planètes à graviter autour du Soleil. Comme elle, elle agit à distance, puisqu'il n'y a pas d'intervention mécanique : pour l'essentiel, tout s'opère sans contact direct, sans pression, sans poussée. Malgré sa défaite politique, c'est plus que jamais la bourgeoisie commerçante qui impose au nouveau monde son ordre : tout gravite déjà de fait autour de l'éclatante puissance de l'or, qui prodigue ses bienfaits de loin, par l'entremise du commerce. Nul ne sait d'où vient son pouvoir, mais une chose est sûre, c'est que ça marche ! C'est *de lui* que vient la richesse, et non du travail de la terre.

Parvenu à maturité, Newton présente sa découverte d'une manière qui laisse prise à une telle conjecture. Les termes mêmes dans lesquels il résout le problème du cosmos sont analogues à ceux qui valent pour le monde marchand. Après avoir posé ses huit « définitions », développé sa « scolie » sur le temps, l'espace, le lieu, le mouvement et rappelé les « lois du mouvement » qu'il tient de Galilée, il consacre son premier livre des *Principes mathématiques* au « mouvement des corps ». Or on est loin de toute mathématique pure, comme pourrait le laisser penser le titre. La mathématique ne règne pas sur le travail de Newton comme une reine sur son sujet. S'il faut parler d'une reine, alors, il s'agit de la physique, puisque le royaume dans lequel Newton nous fait pénétrer est celui des corps, des mouvements et des forces : dans ce royaume, la mathématique est conseillère, si l'on veut, ou intendante, mais elle est au service de la physique. Par ailleurs, qu'on ne s'y trompe pas ! La physique de Newton n'est pas cette souveraine indifférente, inaccessible, dont nous gardons l'image après l'école. Elle se soucie au premier chef de savoir comment le système héliocentrique fonctionne.

La forme « mathématique » à laquelle Newton soumet sa démonstration est destinée à décomposer les difficultés : elle ne doit pas nous faire oublier son but. Ce n'est pas parce que les *Principes* attendent le « livre troisième » pour traiter explicitement du problème cosmologique que ce problème n'est pas le centre de gravité de l'exposé tout entier. Bien au contraire, Newton ne se fait « physicien », au sens strict, que pour préparer les éléments de la solution de ce problème. Or les termes dans lesquels il pose ce problème, au début du troisième livre, coïncident avec le problème de la nature du système social qui règne désormais en Angleterre et qui tend à conquérir le monde. Le vide énigmatique dont le cosmos est constitué, si le Soleil en occupe le centre, est régi par la force qui règne désormais en maîtresse dans le monde moderne. De même que l'or exerce son empire à distance sur une foule d'êtres en mouvement, de même, une force d'attraction centrale, celle du Soleil, retient dans son royaume tout un cortège de « planètes » avec leurs satellites. Et, tout comme le pouvoir de fascination de l'or s'exerce sur chaque individu (chaque atome du grand corps social) en gravitation au sein du marché, eh bien, cette force s'exerce aussi à l'intérieur de chaque corps céleste, sur chacune de ses particules, de sorte que ces corps demeurent consistants, c'est-à-dire solides.

Si Newton parvient à élaborer sa théorie de l'attraction universelle, gageons que la victoire de la bourgeoisie marchande lui offre, dans le cosmos humain, la loi qui manquait aux coperniciens, pour rendre compte des phénomènes célestes. Du reste, la monarchie anglaise ne s'y est pas trompée : Isaac Newton ayant fait honneur à l'Angleterre en fournissant, le premier, la réponse au mystère de la marche du monde, l'Angleterre fit honneur à Isaac Newton en lui accordant de régner en maître sur le centre de gravité des activités de la nation. Le devine-t-on ? C'était un poste fort attractif : Newton devint, dès 1699, *maître de la Monnaie.*

V

Galilée

Il ne manquera pas d'érudits pour s'élever contre ces nouvelles élucubrations. La plupart des historiens de la révolution copernicienne postulent que les bouleversements dans la pensée scientifique *précèdent* les bouleversements dans la société, comme la pensée précède l'action. En l'occurrence, ils feraient ici état de l'antériorité des travaux de Copernic et de ceux de Galilée sur les performances du commerce anglais...

Galilée, en particulier, passe pour l'homme clé dans cette affaire : sans lui, pas de science moderne, par conséquent, pas de monde moderne! Sur ce point, il y a consensus. S'il faut en croire la tradition universitaire en histoire des sciences, la naissance du monde moderne passe par la *loi de la chute des corps*, par la physique, plus que par la cosmologie, car elle passe par le primat de la *mesure*.

En effet, tant qu'on en reste à la physique aristotélicienne, la qualité importe plus que la quantité. Une pierre tombe parce qu'elle rejoint son lieu naturel, c'est-à-dire celui avec lequel elle a des affinités; la flamme s'élève pour la même raison : son lieu naturel est le monde supralunaire, où l'attendent tous les corps de lumière. Du reste, le déplacement d'un corps dans l'espace n'est qu'un cas particulier de « mouvement » et sans doute est-ce le moins important : la croissance d'un végétal, par exemple, est aussi un mouvement et compte infiniment plus pour connaître la nature. La quantité n'est pas le centre d'intérêt de la pensée scolastique, en conséquence de quoi, la mesure n'est pas son obsession. D'autant qu'au-dessus de la physique (y compris les corps célestes) il y a la métaphysique, la science de l'Être, qui est, justement, sans mesure, car il est ce qui ne peut être conçu de plus grand. Or, sans mesure, pas d'échanges bien fiables de marchandises, pas de garantie d'équité, pas de marché important. Et, sans marché important, pas de monnaie digne de ce nom. Par conséquent, pas de *modernité*. Sans Galilée, donc, pas de monde moderne... C.Q.F.D.!

C'est un point sur lequel j'aimerais m'arrêter, au risque de paraître redondant, si ce n'est ennuyeux. Car ce qui est ici en jeu, c'est le statut de *la science*. Est-elle aussi autonome qu'on le dit? A-t-elle la vertu de se produire elle-même, d'éveiller elle-même la conscience des hommes? Je crains que cette idée ne soit plus proche du sommeil dogmatique que de l'éveil de l'esprit et que, pour toute vertu explicative, elle n'ait qu'une vertu dormitive. Que Galilée précède d'un siècle l'essor prodigieux du commerce anglais *ne prouve pas* la prééminence de la pensée de l'époque sur l'évolution des rapports sociaux. Il y a là une affirmation qui conforte les clercs dans le sentiment de leur autorité sur les autres acteurs de la société, mais qui n'est pas fondée pour autant. Les bourgeois durent attendre Voltaire pour crier enfin victoire, mais leur lutte était déjà longue : elle remontait à quelque trois siècles! On nous parle de la Renaissance, de l' « esprit » de la Renaissance, comme si elle n'avait à voir qu'avec la « culture »! Si la Renaissance mérite d'être comparée à l' « aube », si c'est le moment où s'achève la longue nuit qui régna sur les esprits en Europe pendant tout le Moyen Âge, encore faut-il tenir compte de ce qui se passe dans la vie de tous les jours, et pas seulement dans la sphère des idées. Il se trouve que les rapports marchands y font des débuts prometteurs, en direction du Levant, partant de Gênes, de Venise! Le triomphe qu'ils connaissent en Angleterre au XVIIᵉ a été amorcé trois siècles plus tôt en Italie...

On présente en général Galilée comme le premier à battre en brèche la pensée aristotélicienne, au terme d'une sorte de corps à corps avec la physique du maître; on le montre affrontant tout seul les *dogmes* péripatéticiens, révisant avec audace tous ceux qui concernaient le mouvement, les poids et la chute des corps; on loue son ingéniosité, son art de faire des expériences; et l'on insiste sur sa « démarche », vouée à un si grand avenir. Dans le meilleur des cas, on tient compte du stade atteint par la « technique » dans l'Italie de l'époque et l'on souligne que Galilée (à l'instar de Léonard de Vinci) se plaisait à observer les machines nouvelles, en plein essor à cette époque. Dans le pire des cas, on crie au scandale et l'on dénonce les forfaitures dont il serait reconnu coupable, faussant à son gré ses « expériences ». Mais jamais on n'envisage de donner corps à cet esprit. Pourtant, si l'on prend assez de recul, on peut percevoir le bon savant au beau milieu d'une lutte à mort, où deux classes, et non seulement « deux systèmes du monde * », s'affrontent pour la suprématie.

L'entreprise de Galilée prend en effet son point d'appui sur la base du développement des techniques et des machines. Or ce développement lui-même n'est que l'un des éléments du drame qui se noue sur la scène de l'Histoire. Ce qui est en jeu, c'est de savoir *qui doit disposer du pouvoir sur les forces de production* : les nobles ou les bourgeois? En Italie, cette lutte passe par des compromis, comme une sorte de dialogue où l'on cherche à s'entendre; une fusion partielle tend à s'opérer entre les deux classes antagonistes. Cette fusion s'opère dans les villes où le commerce a repris vigueur, où l'industrie renaît, où les banques prospèrent, après des siècles de stagnation durant la plus grande partie du Moyen Âge. La renaissance des lettres, de l'esprit de l'Antiquité, c'est avant tout la renaissance du commerce par le biais des échanges avec le monde arabe! Mais, tandis que la reprise du négoce enrichit de manière considérable une nouvelle classe, à laquelle s'associe une fraction des seigneurs locaux, par ailleurs vassaux de l'empereur, cette fusion autour du commerce et de l'industrie dans les villes paupérise les seigneurs qui restent sur leurs terres et détruit bientôt l'essentiel : la vieille tradition féodale! Ce que nous appelons Renaissance, c'est la mort de l'ère féodale. Plus le commerce et l'industrie prospèrent, moins la tradition peut se maintenir, moins le noble peut se prévaloir de son sang pour maintenir son rang : moins l'un peut justifier l'autre. Plus les villes enrôlent de soldats, moins les seigneurs peuvent prétendre à être leur dernier rempart contre le danger extérieur. Et moins ils peuvent y prétendre, plus ils deviennent parasites – sauf à commercer eux-mêmes. Le procès est irréversible! La noblesse en tant que telle est bien condamnée.

Sa chute est à l'ordre du jour, car le mal a gagné l'Europe. La rotation de la Terre autour de son axe n'est que l'expression cosmologique adéquate de ce bouleversement colossal, qui ébranle toutes les consciences. Galilée l'a sous les yeux. On ne s'étonnera donc pas qu'il devienne rapidement copernicien en voyant d'un côté disparaître le corps céleste de la noblesse, et en apercevant de l'autre l'ascension prodigieuse de l'or. Le pouvoir de la noblesse décline, celui de la bourgeoisie monte. Au début du XVIIe siècle, si

---

* Tel est le titre d'un ouvrage que Galilée rédige après son procès pour « faire appel », en quelque sorte.

le « soleil » n'est pas encore totalement vainqueur, si l'or n'a pas encore « gagné » complètement la partie, si le marché ne s'est pas encore emparé de toutes les forces productives de l'Occident tout entier, le mode de production bourgeois gagne sans cesse du terrain. Et c'est la même révolution, à ses débuts, que celle dont Voltaire puis Kant se feront les hérauts! Ce qui valait jusqu'alors comme centre de l'activité des hommes se trouve peu à peu dégradé à un rang tout à fait subalterne tandis que ce qui paraissait subalterne se révèle comme le véritable centre.

Ce qui vaudra pour Newton, quelques décennies plus tard, vaut *déjà* pour Galilée! Il a lui aussi sous les yeux, dans le spectacle que lui donnent ses contemporains, de quoi comprendre l'ordonnancement réel des cieux. Le changement qui s'opère dans l'ordre des choses humaines lui permet de comprendre la logique du ballet auquel se livrent les corps célestes. La révolution qui s'accomplit dans les rapports sociaux porte sur deux points décisifs : elle rend la terre mobile et la subordonne à un centre autour duquel gravite toute l'activité du nouveau système. En effet, considérée jusque-là comme inaliénable, transmise de génération en génération aux descendants des seigneurs germains, la terre devient une marchandise que s'approprient les bénéficiaires du grand négoce avec l'Orient – et avec les Amériques. Le commerce commence donc à violer les lois séculaires de la propriété féodale et devient à son tour le moteur de l'activité des hommes. Avec les grandes découvertes, l'afflux d'or décuple sa puissance : les négociants étendent à la surface du globe un réseau toujours plus dense d'échanges et subordonnent bientôt la campagne à la ville, la propriété à la production, la production au marché, la terre à l'or. Galilée en est le témoin. L'ordre ancien est ébranlé : bientôt, ce n'est plus la Terre qui constituera le centre de gravité du système...

Il est vrai que Galilée commence sa carrière « révolutionnaire » en physicien. Mais est-il bien sûr que ce sont ses « découvertes » en physique qui font de lui un copernicien? N'est-ce pas bien plutôt l'inverse? N'est-ce pas plutôt parce qu'il est intimement convaincu de la justesse de la doctrine de Copernic qu'il se met à établir la loi de la « chute des corps »? Selon les meilleurs spécialistes de l'histoire des sciences, Galilée serait parvenu à l'héliocentrisme *après* avoir élaboré sa dynamique. Il se serait converti à la doctrine de Copernic concernant le mouvement de la Terre après avoir découvert lui-même les « preuves » de sa double rotation [*],

---

[*] Ainsi Émile Namer, dans sa présentation de *Sidereus Nuncius*, *op. cit.*, p. 47.

qu'il publie en 1610 dans le *Sidereus Nuncius*, le « messager céleste ». Or il me semble que c'est exactement l'inverse.

D'abord, il se trouve que tous les problèmes de physique pure dont il s'occupe avant le *Sidereus Nuncius* correspondent bien à ceux que la polémique entre ptoléméens et coperniciens a rendus aigus. Ainsi, les trois « principes » essentiels, celui de « composition des mouvements », celui d' « inertie » et celui de « relativité ».

1. Le principe de la composition, c'est la possibilité pour un mobile d'être le siège de deux mouvements de nature différente en même temps, contrairement à l'affirmation d'Aristote; ce serait, bien sûr, le cas de la Terre, si Copernic avait raison : elle serait en rotation autour de son axe et décrirait une orbite autour du Soleil.

2. Le principe d'inertie affirme qu'en l'absence de toute intervention extérieure un corps au repos garde le repos et qu'un corps en mouvement conserve son mouvement : si Copernic a raison, il ne faut donc pas s'étonner que la Terre ne cesse de tourner uniformément dans l'espace et qu'elle ne « tombe » pas.

3. Le principe de relativité énonce l'impossibilité, à l'intérieur d'un système donné, de discerner si ce système se meut ou est en repos, ce qui répond très bien à la vieille objection des péripatéticiens selon laquelle, si la Terre était en mouvement, cela aurait une foule de conséquences à sa surface et nous en saurions quelque chose...

Ainsi, à l'examen, toute la dynamique galiléenne s'inscrit comme un moment préalable à la *vérification* de la justesse de l'héliocentrisme. C'est, là encore, se laisser abuser par la forme de son propos que de voir en lui tout d'abord un physicien. Pour Newton, nous l'avons vu, la démarche du physicien s'inscrit dans une problématique copernicienne; or c'est déjà le cas pour Galilée.

Qui plus est, il le dit lui-même. Qu'il n'ait pas attendu d'avoir élaboré sa dynamique pour se reconnaître dans la doctrine de Copernic, il le confie dans une lettre à Kepler le 4 août 1597! On sait que c'est en 1602 qu'il expose ses lois sur le pendule, en 1604 ses lois sur la chute des corps, que c'est seulement en 1609 qu'il construit sa lunette et commence ses observations astronomiques et qu'enfin, en 1610, il annonce publiquement, dans le *Sidereus Nuncius*, que ses observations confirment l'héliocentrisme. C'est sur cette succession chronologique qu'on s'appuie en général pour démontrer le caractère *tardif* de la foi copernicienne de Galilée.

Or Galilée était partisan de l'héliocentrisme bien avant 1602. Pour s'en s'assurer, il suffit de consulter sa correspondance... En effet, dans sa lettre à Kepler d'août 1597, Galilée affirme qu'il est « *parvenu à la conception de Copernic depuis de nombreuses années!* » Kepler vient de lui faire parvenir son ouvrage sur le *Mystère cosmographique*. Galilée le remercie chaudement et lui promet de le lire avec attention, avec « *d'autant plus* » d'attention qu'il partage sa foi en Copernic depuis longtemps et que ce « *point de vue* » lui « *a permis de découvrir beaucoup de choses qui sont inexplicables d'après l'hypothèse communément admise* * ». Comment peut-on être plus clair?

Galilée est né en 1564. Il a donc trente-trois ans lorsqu'il fait cette confidence au grand Kepler. Il est depuis quelque huit ans professeur de mathématiques à l'université de Pise d'abord, puis à l'université de Venise, dans la bourgade de Padoue. Il a derrière lui des travaux divers : une balance hydrostatique, une étude sur le centre de gravité des solides, des travaux littéraires (notamment sur Dante) et un livre *Sur le mouvement*. Il vient de composer un ouvrage *Sur les mécaniques* et un ouvrage *Sur la sphère*. S'il faut l'en croire, il a déjà, *depuis de nombreuses années*, l'habitude de poser les problèmes d'un point de vue copernicien et c'est de ce point de vue-là qu'il en a résolu plus d'un. N'est-il donc pas assuré que c'est en copernicien que Galilée est devenu physicien? Certes, il n'en fait rien paraître. À Pise ainsi qu'à Padoue, il enseigne le géocentrisme, et c'est seulement en 1610 qu'il se décide à enseigner l'inverse. Mais n'est-ce pas tout simplement qu'il avait alors acquis l'assurance de convaincre les plus réticents? Ce n'est pas du tout l'absence de conviction personnelle qui lui fait garder le silence pendant de si nombreuses années. Comme il l'écrit à Kepler, la conviction ne suffit pas : il faut des preuves convaincantes! La résistance à la « vérité » est telle, Copernic est alors si « raillé » et ses partisans si peu nombreux qu'il lui semble préférable d'attendre.

Kepler, lui, pense au contraire qu'il faut tout de suite croiser le fer et, le 13 octobre suivant, il presse Galilée de le faire; il entend, pour sa part, constituer un réseau de coperniciens et rendre impuissants les doctes qui s'opposent à la vérité, en isolant ceux qui commettront l'erreur de se mettre trop en avant. On le voit, le désaccord est tactique. Kepler veut frapper fort et vite, Galilée, lui, préfère attendre. Et c'est d'ailleurs ce qu'il fera, au risque de

---

* Traduction personnelle à partir de l'édition allemande, Galileo Galilei, *Schriften, Briefe, Dokumente*, Berlin, Rütten & Löning, 1987, tome II, p. 9.

provoquer l'impatience de tel ou tel des « compagnons ». Il lui faudra encore douze ans pour compléter son arsenal avant que de partir en guerre. Mais, douze ans plus tard, Galilée n'hésitera plus. Il estimera disposer de « preuves » suffisantes pour démontrer le mouvement de la Terre, c'est-à-dire sa qualité de planète et sa subordination au Soleil. Il déclenchera alors une tempête de protestations de la part des obscurantistes et se retrouvera bientôt au banc des accusés, provoquant de surcroît la mise à l'index de l'ouvrage de Copernic. En 1597, Galilée préfère se taire. Mais il n'en est pas moins convaincu de la justesse de l'héliocentrisme : lorsque le physicien Galilée braque pour la première fois une lunette à longue portée sur le pâle visage de la Lune, il sait depuis bien longtemps que la Terre se meut dans l'espace. Ce qu'il cherche n'est pas à s'en convaincre, mais à en convaincre les autres.

Au travers de ses deux lentilles, Galilée distingue ce qui ne se voit pas : il voit des montagnes sur la Lune, il voit d'innombrables étoiles nouvelles, il voit même des nébuleuses, il voit des taches sur le Soleil : beaucoup de choses, donc, susceptibles de compromettre la vision de l'Univers défini par les scolastiques. Mais il voit quelque chose de plus. Que la Lune possède un relief[*], voilà qui compromet bien sûr la conception immaculée qu'on se faisait des corps célestes, conception qui garantissait la différence de nature entre les corps célestes et la Terre, au nom de quoi on s'opposait à faire de la Terre une planète, un corps céleste comme un autre. Que le nombre des étoiles soit bien plus grand que ce que l'on croyait alors, que leur densité soit, par endroits, extrême et que la Voie lactée ne soit justement rien d'autre qu'« *une collection d'étoiles sans nombre regroupées en tas*[**] », dont l'intensité peut décroître jusqu'à être infime, voilà qui compromet l'idée d'un monde borné à ce qu'on appelle la voûte céleste. Non seulement il y a toutes chances pour que les étoiles soient elles aussi des soleils, analogues au nôtre, pour qu'elles se trouvent à des distances prodigieuses les unes des autres, mais encore leur regroupement, ici ou là, en véritables nuages, laisse présager qu'il n'y a pas qu'une Voie lactée, ce qui repousse à des profondeurs considérables les limites de l'Univers, si tant est qu'il ne soit pas infini.

Tous ces faits sont bouleversants. Et Galilée se réserve d'en développer toutes les conséquences dans un ouvrage exhaustif qui

---

[*] Dans l'édition de Rütten & Löning déjà citée, cf. tome I, p. 103-110.
[**] ID., *ibid.*, p. 122.

aura pour titre : *De Systemate mundi*[*]. Mais là n'est pas le plus
« important[**] », selon sa propre expression. Pour son « entreprise
actuelle », ce qui importe davantage, c'est ce par quoi s'achève le
message : la découverte de satellites autour de la plus grosse des
planètes, la planète Jupiter. On peut ici s'étonner de l'importance
que Galilée accorde à ces petits corps célestes après avoir, d'un
seul coup, ouvert un champ extraordinaire à l'exploration scientifique du « ciel ». Alors qu'il vient d'un seul élan d'ouvrir le
monde à l'infini, le voici qui exige qu'on se concentre sur trois,
quatre points dérisoires en orbite autour d'une simple planète.
Car enfin, pour s'appeler Jupiter, qu'importe cette planète au
regard de la galaxie qu'il vient de nous décrire? Quelle mouche
pique donc Galilée? Il prend la chose tellement au sérieux qu'il
presse « *tous les astronomes à se consacrer à la recherche et à la
détermination des orbites* » de ces minuscules satellites et noircit
des pages entières pour donner ses premiers résultats et fournir
tous les schémas de toutes les configurations relevées pendant ses
nuits de veille.

La raison de cette exigence est en vérité fort simple. On la
comprend aisément si l'on revient à ce que cherchait Galilée en
utilisant sa lunette. Il cherchait le moyen de convaincre le public
de la justesse de l'héliocentrisme. Ce qu'il « découvre » dès
l'abord compromet certes le cosmos des scolastiques, mais cela ne
prouve pas vraiment que Copernic avait raison; en un sens,
même, Copernic en devient victime, car son cosmos était limité
(comme celui de ses adversaires) à la sphère des étoiles fixes : en
la faisant éclater, Galilée fait autant de tort aux uns qu'à l'autre, il
compromet tout aussi bien l'héliocentrisme au sens strict que le
vieux géocentrisme, puisqu'il devient impossible de faire du seul
Soleil le centre de tout l'Univers... Mais Zeus (Jupiter) vient à son
secours. Même si le cosmos explose, même si le Soleil n'est pas
seul, même si, parmi des millions d'étoiles qui sont autant de
soleils, le Soleil n'est pas le centre, il n'empêche qu'il est le centre
de la rotation des planètes et de la rotation de la Terre. Si l'on nie
qu'il en est ainsi, qu'on observe donc Jupiter, et l'on verra de ses
yeux ce qui se passe pour la Terre! Jupiter a lui aussi des lunes
qui gravitent autour de lui : cela l'empêche-t-il d'être lui-même
subordonné à un autre centre? Être le centre de ses lunes ne
l'empêche pas d'être en rotation autour du Soleil. Mieux encore!
Il se trouve que le temps de rotation de chacun de ses satellites

---

[*] Id., *ibid.*, p. 117.
[**] Id., *ibid.*, p. 123.

varie selon la distance, le plus proche est le plus rapide, le plus éloigné le plus lent. Autrement dit, ils se comportent comme les planètes autour du Soleil selon le grand Copernic : Mercure est le plus proche et c'est aussi le plus rapide ; Saturne est le plus lointain et c'est aussi bien le plus lent. Dès lors, n'a-t-on pas sous les yeux une image du système lui-même, dont le Soleil est le centre ? Supposons, ne fût-ce qu'un instant, que Jupiter soit le Soleil : n'est-ce pas exactement ainsi que se présente tout le système ? Les planètes ne sont-elles pas, de la même manière, en rotation autour du Soleil ? Et la Terre fait-elle autre chose que ce que font ces satellites ? Galilée estime tenir là le moyen de briser « *toutes les réticences* » des adversaires du « *système copernicien*[*] ». Et c'est tout simplement pourquoi il laisse libre cours à sa joie en annonçant la bonne nouvelle...

Autant dire qu'il faudrait cesser d'inverser la réalité. Certes, il n'est pas si facile de trouver la bonne distance, tant tout s'agite autour de lui ; peut-être vaut-il mieux d'ailleurs le présenter comme « physicien » que de perpétuer des légendes scabreuses[**]. Mais il est temps d'en finir avec l'idée trop commode de la « naissance » de la science moderne dans le cerveau de Galilée. Galilée n'était pas qu'un cerveau. Il n'a pas servi de réceptacle à un « nouvel esprit scientifique ». Cet esprit nouveau qui souffle, correspondant aux transformations qui s'opèrent dans les rapports sociaux, Galilée le capte ; il ne l'invente pas, pas plus qu'il ne le précède. Il n'y a pas de « décalage » entre la naissance de la science moderne et celle de la société marchande dans le sens voulu par les doctes : la « pensée » de la Renaissance ne précède pas l'action de ses marchands. S'il n'a pas encore vaincu le féodalisme, le marché est déjà bien là. Loin de servir l'autorité des doctes, le « décalage » perçu entre l'essor du nouvel esprit scientifique et la victoire des rapports marchands ne peut être que le résultat d'une erreur de perspective.

Ou bien veut-on supposer que si le commerce occupe à son époque, dans l'existence de tous les jours, la place qu'occupait, pendant le Moyen Âge, la terre, à savoir la place centrale, si « les affaires » sont devenues l'essentiel de la vie des cités, si la bourgeoisie s'empare toujours davantage du pouvoir, c'est *parce que* cet esprit est le *moteur* de l'histoire ? Est-ce parce que cet esprit

---

* Galileo Galilei, *op. cit.*, p. 143.
** Tous nos écoliers « savent », par exemple, que c'est Galilée-qui-a-prouvé-que-la-Terre-était-ronde ; il serait donc intéressant de savoir ce que « savent » leurs maîtres.

souffle que la noblesse est en chute libre et que l'édifice médiéval s'effondre? Cet « esprit » n'est que l'expression de l'enthousiasme qui accompagne le processus de subordination de l'Occident à la loi du marché. C'est ce processus qui fait émerger les Lumières. Ne voir à l'œuvre qu'un « esprit », c'est se laisser prendre au piège des apparences. Et cette illusion, il faut parvenir à la vaincre, sous peine de s'y laisser piéger lorsqu'on cherche à comprendre la suite des événements – jusqu'à aujourd'hui.

VI

Copernic

Reste le cas de Copernic. Car c'est lui le promoteur de l'hélio-centrisme. Et s'il est possible, compte tenu de leur biographie, d'inscrire les *défenseurs* du système nouveau dans le processus qui bouleverse le monde des hommes, qui expose l'Occident aux rayons toujours plus puissants des affaires, n'est-ce pas hors de question avec son *inventeur*? Nicolas Copernic n'est-il pas né beaucoup trop tôt pour subir les effets de ce courant? Surtout, n'a-t-il pas vécu totalement à l'écart de cette « modernité », environ un siècle avant l'époque de Galilée? Il vécut en Pologne, aux confins de la Prusse Orientale, loin de tout, dans les brumes de la Baltique. De surcroît, c'était un homme d'Église... Aussi, à supposer qu'il faille situer l'œuvre de Galilée, de Kepler, de Newton dans le sillage des progrès du commerce, *quid* de Nicolas Copernic? S'il est vrai qu'il est bien difficile de dissocier la pensée de ses successeurs de l'essor de la bourgeoisie marchande dès la fin du XVIᵉ siècle, en quoi cela prouve-t-il que la sienne, qui impulsa la révolution en astronomie, y soit liée puisque Copernic la précède, qu'il se trouve à mille lieux du centre de gravité des événements, et que son statut ecclésiastique laisse présumer que ses « spéculations » étaient d'un tout autre ordre...

L'obstacle est de taille : même s'il faut tenir compte des profonds changements économiques, sociaux et politiques pour expliquer la victoire de la révolution copernicienne, sa *conception*, elle, pourrait lui demeurer étrangère. Ainsi, malgré tout, la pensée garderait-elle le *primat* sur l'action et, par là même, sur le cours des choses. Du reste, on s'imagine bien Copernic méditant, solitaire, dans quelque sombre cellule puis, la nuit venue, contemplant jusqu'à l'aube le ciel étoilé – et, tel un Thalès moderne, ne sortant que le nez en l'air pour jouir du spectacle des corps célestes, au risque de tomber par mégarde dans un puits, sous les quolibets de quelque servante.

Ce point mérite donc lui aussi un examen. Or, on va le voir, cette image ne résiste pas à la vérification. Première surprise : Copernic est le *fils d'un marchand*. Oui, lecteur, tu as bien lu : « marchand »! Son père est un négociant, pour ne pas dire un *spéculateur*, qui, de Cracovie, vient s'installer à Thorn, car il compte sur le nouvel accès de la Pologne à la mer Baltique pour s'enrichir sur une grande échelle. On le sait peu, mais la Pologne connaît alors un essor économique sans précédent. Entre l'Allemagne, déchirée par la guerre civile qui oppose les catholiques aux protestants, et la Russie, obsédée par la reconquête du Bosphore, la monarchie polonaise profite de manière inespérée de la croissance du négoce entre le Nord (la Suède) et le Sud (l'Italie). Ainsi, le jeune Nicolas baigne d'emblée dans le flux d'échanges qui transforme alors la Pologne en véritable nation moderne, au même titre que l'Espagne, le Portugal et la Hollande.

Hélas, ses parents meurent prématurément. Néanmoins, ce coup du sort le précipite davantage encore dans le bouleversement qui s'effectue au cœur de l'État polonais; son tuteur l'envoie faire ses études à Cracovie, centre d'une nation en plein développement, qui vibre au rythme de la Renaissance italienne. Ce n'est pas là une simple vision de l'esprit; ainsi son professeur de philosophie vient-il de Padoue... Du coup, Copernic partira lui-même en Italie : à deux reprises il séjournera dans la ville de Padoue, à deux pas de Venise, et chaque fois assez longuement. Il aura donc un contact direct avec l'extraordinaire dynamisme de l'Italie des xve et xvie siècles, celle des Médicis, de Machiavel, de Raphaël et de Léonard de Vinci, avec ses innovations étonnantes et ses luttes farouches pour le pouvoir.

De retour en Warmie, croit-on que Copernic s'enferme dans la solitude et la méditation? Il n'en est rien. Certes, il fait carrière dans l'Église catholique, mais il a pour mandat de s'occuper de la gestion financière du clergé. Loin de consacrer, comme on s'y attend lorsqu'on prend les choses à l'envers, ses jours et ses nuits à l'observation méticuleuse des mouvements des planètes, il est en permanence confronté aux difficultés et aux bienfaits de l'*argent*. Aussi n'est-ce pas accidentellement qu'il rédige un traité de la monnaie, le *De monete cudende ratio*. Nouvelle surprise! Cet homme d'Église, au lieu de fuir le monde profane, prend sa plus belle plume pour traiter de ce qu'il offrait de plus scabreux :

la monnaie. Et non point pour la condamner, comme on pourrait s'y attendre, pour la dénoncer comme l'instrument de Satan, à l'instar de son voisin Luther*, pour rappeler aux riches qu'ils n'ont pas plus de chances d'accéder au paradis qu'un chameau de passer par le trou d'une aiguille, pour consoler les pauvres en affirmant que les premiers seront les derniers... Non, au contraire, pour militer en sa faveur! Si Copernic condamne quelque chose, ce n'est pas du tout la prospérité qu'autorise la richesse, et s'il s'en prend à certaines mœurs, ce n'est pas à la soif de profit des marchands qu'il s'attaque. Ce qu'il condamne, ce sont les mœurs perverses des princes polonais quant à la frappe de la monnaie. Son traité a pour objectif principal de *libérer le cours de la monnaie de sa patrie de l'arbitraire des seigneurs.*

On dira peut-être que, pour être en effet surprenante, l'existence de ce traité n'éclaire nullement la raison pour laquelle Copernic est passé à la postérité, à savoir le renversement de perspective qu'il a opéré dans l'approche des phénomènes célestes. S'il y avait un quelconque rapport, cela se saurait. Or personne, parmi les spécialistes de la question, dont certains, tout de même, savent que Copernic s'est aussi intéressé à la monnaie, n'a encore établi de lien entre les deux activités; du reste, Copernic exerçait aussi la fonction de médecin, et qui sait s'il n'avait pas d'autres occupations?

Une telle réticence me paraît vaine. Il y a une relation profonde entre la position qu'adopte Copernic à l'égard du cours de la monnaie et celle qu'il adopte à l'égard du cours des astres. Comment ne pas voir, en effet, qu'il défend la même chose dans les deux cas? Dans son traité sur la monnaie, Copernic combat la pratique qui consiste à laisser le soin de la frappe de la monnaie au seigneur local, comme il est d'usage à l'ère féodale; ce qu'il déplore, c'est le manque de raison, de rationalité, la folie, l'irresponsabilité, l'arbitraire qui règnent dans cette affaire de la plus haute importance: on soumet la valeur de la monnaie aux caprices de simples vassaux. On le sait, pourtant, les nobles s'entendent à modifier à leur gré le poids des pièces et leur composition en or, en argent ou en cuivre; pour renflouer leurs coffres ou payer leurs dettes, ils font varier à volonté, sans le dire, la teneur des pièces de monnaie en diminuant le taux d'or ou d'argent dans l'alliage ou en trichant sur le poids de chaque pièce... Voilà ce qui le met hors de lui! Voilà, selon l'audacieux

---

* Copernic est né en 1473, Luther en 1483. Copernic est mort en 1543, Luther en 1546.

chanoine, l'une des causes principales du chaos de l'économie de la province prussienne, qui fait obstacle à son renouveau sous l'égide de la royauté polonaise *.

De fait, Copernic est l'un des premiers auteurs modernes à affirmer la nécessité de la « fixité » de la monnaie pour la bonne marche des affaires. Le bon ordre de la société ne peut être établi, selon lui, que si la déplorable tradition du Moyen Âge en cette matière est renversée ; il appartient au roi, et à lui seul, de frapper la monnaie à son effigie, comme garantie de sa composition et de son poids. Il faut une monnaie unique et fiable. Encore ce souverain, lui-même, qui doit disposer du monopole de la frappe, ne doit-il pas davantage « jouer » avec ce pouvoir. En vérité, il ne lui appartient pas de *décider* arbitrairement de sa valeur ni de la varier selon son intérêt du moment ** : il ne doit le faire que si le bien de la nation l'exige. En un mot, Copernic subordonne l'activité du prince à la fixité de la monnaie ; il tente de renverser l'obstacle au progrès économique que constitue l'errance de la monnaie autour du maître de la terre.

Autrement dit, il tente de porter remède aux rapports entre les sphères de la vie polonaise de la même manière qu'il portera bientôt remède aux rapports entre les sphères célestes. De même que le chaos des cieux et les difficultés mathématiques du géocentrisme se résoudront par l'*immobilisation du Soleil au centre du monde*, de même, le chaos de la société et les calculs enchevêtrés des partenaires commerciaux doivent se résoudre par l'immobilisation de la monnaie. À ses yeux, la monnaie occupe la position qu'occupera bientôt le Soleil : la position centrale. Tout le reste se retrouve à la périphérie... Dans le monde des hommes, c'est le monarque, garant de la fixité de la monnaie – source de prospérité pour tous ceux qui la méritent. Dans le cosmos, c'est « *le Soleil* qui *au milieu de tous repose* *** », distribuant majestueusement, mais équitablement, la lumière de ses rayons.

On peut, à la rigueur, contester que la pensée de Copernic travaille dans ce sens, à savoir de la question économique à la question cosmologique, et prétendre le contraire : que Copernic a appliqué au monde des affaires sa vision du monde céleste. In

---

* Nicolas Copernic, *De monete cudende ratio* (1526), publié notamment à la suite du *Traictie de la première invention des monnaies* de Nicolas Oresme, Paris, Librairie de Guillaumin, 1864, par M. L. Wolowsky, p. 49-79.

** Copernic prescrit ce « remède » avec fermeté à partir de la p. 67.

*** Nicolas Copernic, *De revolutionibus orbium coelestium*, livre I, chapitre 10, *op. cit.*, p. 115.

extremis, cela permettrait peut-être de maintenir l'idée de l'antériorité de la pensée sur l'action. Mais les dates de rédaction de chacun des ouvrages ne favorisent pas cette ultime ligne de défense. Le traité sur la monnaie a été publié en 1526, le traité sur le cosmos en 1543. Certes, c'est bien connu, cet ouvrage est resté longtemps tenu secret, ou presque. Mais, outre qu'on ne sait pas si l'autre n'a pas été rédigé, lui aussi, bien avant d'être publié, n'est-il pas assuré que, par sa fonction même, celle d'intendant, et compte tenu de ses antécédents familiaux, Copernic devait être enclin à considérer le monde des astres à partir des pratiques financières qui lui sont familières? Ce n'est pas pour en finir avec les caprices des planètes et l'absurdité de la rotation vertigineuse de l'énorme Soleil qu'il est mandaté, mais pour mettre de l'ordre dans les finances de l'Église et de ses domaines...

Du reste, Copernic n'a aucun scrupule à faire de la bonne vieille Terre une planète comme les autres, encadrée par Vénus et Mars, les divinités tutélaires de l'amour et de la haine, de la paix et de la guerre, qui portent la vie et la mort. Ce que son « esprit » conçoit est déjà une *réalité*; le renversement est en cours. Il commença en Italie, un siècle auparavant déjà, mais toute l'Europe est touchée. Le règne de l'argent a commencé. L'Italie a ses Médicis, l'Allemagne ses Fugger. Et la hiérarchie catholique, à l'exemple de Sa Sainteté le pape, s'est déjà laissé tenter par le commerce : celui des indulgences. Ce qui a déclenché la fureur de Luther (alors qu'il fait encore partie de la même Église, puisqu'il ne sera excommunié qu'en 1521), c'est que les évêques, séduits par la ruse du pape, aient mordu à pleines dents dans le fruit de la connaissance de ce qui est bon et de ce qui est mauvais pour les affaires, au point que le Vatican était devenu l'une des plus grandes banques d'Europe!

Oui, l'argent renverse les rôles! Mais s'il a le pouvoir de faire régner Satan sur le trône de Pierre, selon le mot du terrible moine de Wittenberg, il a aussi bien celui d'illuminer l'esprit du chanoine de Thorn, qui publie alors son plaidoyer en faveur de la frappe centralisée de la monnaie. Il a même le pouvoir de lui donner les moyens de protester à son tour contre une attaque aussi réactionnaire : et si le ciel était à l'image du monde nouveau? Si, au lieu d'être satanique, l'argent était divin, bénéfique? Si, au lieu d'être un simple auxiliaire du pouvoir des seigneurs, ce pouvoir bénéfique était beaucoup plus puissant que tout potentat? Les banques soumettent l'Europe à leur loi. Copernic l'a vu de ses yeux en Italie. Il le voit depuis son retour dans sa patrie. Elles lui donnent l'intuition du remède à apporter ici-bas. Comment croire qu'elles n'aient pas le pouvoir de lui donner l'intuition du remède à apporter au désordre, à l'absurdité du monde des astres?

Il reste que Copernic doit être prudent, tant ses thèses sur l'argent compromettent le pouvoir temporel de la noblesse germanique, dont il habite l'une des contrées (l'une des plus attachées à la tradition féodale), et tant ses thèses sur le cosmos ébranlent l'autorité spirituelle de l'Église à laquelle il appartient (déjà fortement secouée par la Réforme). Mais il peut aussi être optimiste. En effet, malgré la protestation des réformateurs, la hiérarchie catholique pourrait se laisser définitivement gagner à l'idée que la position centrale du Soleil accroît magnifiquement la puissance de Dieu. Quant aux seigneurs germains de la Prusse Orientale, ils sont sur le point d'être attirés dans l'orbite de la Pologne, qui a une formidable chance de sortir de l'étroitesse et de l'arbitraire de l'existence médiévale. Ce moment est unique dans l'histoire polonaise. Sans doute est-ce la raison pour laquelle il est passé à la postérité sous un nom fort éloquent : il est désigné par les historiens comme le plus beau siècle de l'histoire de la Pologne. On l'oublie souvent, le XVIᵉ siècle fut, pour la Pologne, le « siècle d'or ».

Ainsi l'aventure de Nicolas Copernic constitue-t-elle le prélude à l'apparition des Lumières. Mais, dès lors, on peut comprendre de mieux en mieux pourquoi le renversement qui va prendre un tel nom ne se jouera pas, pour l'essentiel, dans la pensée, entre la raison et la croyance, entre des « esprits libres » (les philosophes encyclopédistes) et le clergé (le fameux : « *Écrasez l'Infâme!* » de Voltaire); en réalité, si l'on ne se fie pas aux apparences, il met avant tout aux prises dans une lutte à mort l'aristocratie féodale, de souche germanique, et la bourgeoisie marchande, d'humble origine. En vérité, par conséquent, la victoire des Lumières consacre la victoire de la classe qui s'est enrichie par le négoce en quelques siècles, et elle passe par une défaite de la noblesse de sang.

Hélas, pour Copernic, dans son pays, la réaction de la noblesse sera plus vive que l'action de la bourgeoisie marchande, et son plan destiné à assurer la prospérité à la Prusse polonaise en jugulant l'arbitraire féodal échouera. La Pologne laissera échapper sa chance et sombrera dans la réaction. Comme nation, elle disparaîtra pour longtemps de la scène. Et d'autres prendront sa place. Maigre consolation, malgré son Kepler, ce ne sera pas l'Allemagne, du moins pas de sitôt. L'Italie elle-même, malgré son Galilée, ne parviendra pas à constituer un centre unique autour duquel toutes ses provinces auraient gravité, rejetant dans le passé l'ombre de ses nobles et de son clergé. La monarchie espagnole, grâce à son or tiré d'Amérique, la France, sous l'égide de son Roi-Soleil, parviendront à domestiquer leur aristocratie en l'attirant à la Cour. Mais cette victoire ne fait que préparer celle de la monarchie anglaise. C'est de ce côté que l'histoire va basculer pour de bon. C'est là que le système de Copernic va définitivement l'emporter. Là – sous les yeux de Newton.

Doit-on s'étonner si c'est en Angleterre que l'on retrouve le mieux formulé le programme antiféodal de Copernic, à l'époque même de Newton? On le trouve sous la plume d'un auteur aujourd'hui oublié, et pourtant fort méritoire. Il s'appelle William Petty. Avec la même fermeté que le chanoine de Thorn, Petty formule, en effet, à son tour la doctrine de la monnaie « fixe ». Certes, il n'est pas astronome et ne semble pas goûter les joies de l'observation du ciel. Petty était médecin et peu soucieux du cours des astres, si ce n'est, peut-être, pour leur « influence » sur le corps humain. Mais, dès lors qu'il s'agit du cours de la monnaie, il reprend à son compte avec détermination la doctrine *héliocentrique*. Comme Copernic, d'ailleurs, Petty veut soigner son pays. D'abord au service de Cromwell, devenu souverain sans couronne, il se résigne à la restauration de la dynastie soutenue par les Chevaliers. Monarchie pour monarchie *... Car il sait, lui, que les dés sont jetés et que, malgré sa défaite politique, la bourgeoisie seule est en mesure de sortir pour de bon l'Angleterre de la barbarie.

Exactement comme Copernic, William Petty demande au roi de ne pas se laisser aller à la facilité en jouant sur la teneur de la monnaie en métal précieux : dans son petit *Traité des taxes et des contributions* de 1662, il conjure les responsables des finances de résister à la tentation de déprécier la monnaie anglaise en frappant de nouvelles pièces contenant moins d'or ou d'argent que ne l'indique leur valeur nominale. Si l'État a besoin d'argent pour faire face à une situation difficile, qu'il se garde de falsifier la monnaie! lance Petty. Qu'il se garde de « *la faire passer pour plus*

---

* William Petty naît en 1623, trois ans avant Cromwell, qui devient « protecteur de la république » en 1653. Il abdique en 1658. Petty rédige sa fameuse *Arithmétique politique* en 1671. Il meurt en 1687, juste avant la publication des *Principes*... de Newton.

grande qu'elle n'est* ». Car « *cette opération se ramène, ni plus ni moins, à une taxation sur la partie du peuple envers lequel l'État est débiteur* », ce qui « *en fait et à la vérité* » compromet l'essor du commerce.

En passant, Petty fait malicieusement remarquer qu'une telle pratique pénalise aussi les rentiers ; mais, s'il n'y avait que cela, sans doute ne lèverait-il pas le petit doigt. Le problème, c'est que cette pratique appauvrit la classe de la société à laquelle l'État doit sa prospérité, la classe des marchands, et qu'elle affecte la confiance universelle dans la monnaie anglaise. Comme Copernic, Petty insiste sur la nécessité absolue de considérer la monnaie comme le centre immobile autour duquel gravite toute activité économique bien réglée. Et de proposer d'autres moyens d'assainir l'état des dépenses publiques... Comme il se doit, le seul véritable remède ne peut être administré que si ce sont les hommes d'affaires qui gouvernent. Petty ne cessera de faire la leçon au monarque. La monnaie n'est pas un jouet dont le prince puisse user à sa guise ; elle se venge très sévèrement si l'on méconnaît ses lois. Sa nature est *mystérieuse*** et ses réactions redoutables. Si l'on y porte assez de soin, on peut en percer le mystère, mais que découvre-t-on alors ? Que telle pièce de monnaie vaut autant que le travail qui fut nécessaire pour la produire : si elle s'échange contre telle quantité de blé, c'est parce qu'il faut *un laps de temps**** de travail équivalent pour produire cette quantité de blé et cette pièce de monnaie.

La nature de la monnaie une fois révélée, ne faut-il pas en tirer, avec courage, toutes les conséquences ? En 1660, le courage dut encore manquer à Petty, car il ne mit pas son nom sur la couverture de son livre. Ce courage semble lui avoir encore fait défaut pour le traité suivant, le *Verbum Sapienti*, qui ne fut publié qu'après sa mort. Mais ses intentions se précisent encore. Puisque ce qui est en jeu, c'est la prospérité de l'Angleterre, eh bien, il donnera la mesure de l'effort à fournir ! Partant d'un bilan chiffré de « *la richesse du royaume* », il aboutit à définir les moyens susceptibles de permettre à l'Angleterre de reprendre l'initiative sur le marché mondial : force est de constater que les Hollandais font de l'ombre aux Anglais et qu'ils leur ont ravi, par exemple, leur

---

* William Petty, *Traité des taxes et des contributions*, traduction Dussauze/Pasquier, in *Les Œuvres économiques de sir William Petty*, Paris, 1905, tome I, p. 100.

** ID., *ibid.*, chapitre IV, p. 41.

*** ID., *ibid.*, p. 43.

« *commerce de drap* ». Pour reconquérir l'hégémonie, il faut produire « *à meilleur marché* » qu'eux et, pour produire à meilleur marché, il faut d'une part diminuer le temps de travail nécessaire à la production du drap, d'autre part diminuer le nombre de bras nécessaires à la production du blé. En d'autres termes, il faut accroître la productivité du travail aussi bien dans l'industrie que dans l'agriculture, en « *introduisant de meilleures méthodes de travail* [*] ». Autant dire que, si elle veut vraiment contribuer à la prospérité de l'Angleterre, la noblesse foncière doit se soumettre – ou se démettre.

Un programme d'une simplicité renversante!

---

[*] *Verbum Sapienti*, chapitre X, p. 140.

VII

Petty & Smith

Dans son *Arithmétique politique*, rédigée en 1671, Petty se bat contre l'illusion qui consiste à attribuer le miracle hollandais à l'intelligence supérieure, voire au « génie », de ce peuple. Son chapitre Ier déclare tout de go qu'« *un petit pays et une population peu nombreuse, par leur situation, leur commerce et leur politique, peuvent égaler en richesse et en puissance un peuple et un territoire beaucoup plus grands et spécialement que les avantages, au point de vue de la marine et de la navigation, y conduisent d'une manière éminente et fondamentale* * ». Ainsi la prospérité des Hollandais ne vient-elle, en réalité, que de leur labeur assidu en tant que commerçants et marins, favorisé par leur position géographique. Non seulement leur succès n'est pas un miracle, mais c'est surtout un exemple à suivre : « *On gagne beaucoup plus par l'industrie que par l'agriculture et plus par le commerce que par l'industrie* ** ». Qu'on se le dise!

À ce point, Petty ne se retient plus : « *les vrais piliers de la fortune publique* », ce ne sont pas ceux qui s'accrochent à leurs privilèges, à leurs rentes et aux rênes de l'État, ce sont « *les cultivateurs, les marins, les soldats, les artisans et les marchands* ». Si l'Angleterre veut battre en brèche la suprématie hollandaise, si elle veut faire face à la menace de la France, dont les ambitions n'ont pas de bornes, si elle veut, en un mot, se faire sa place au soleil, c'est sur ses professions laborieuses qu'elle doit compter : « *Toutes les autres grandes professions ne viennent que des imper-*

---

* *Arithmétique politique*, chapitre Ier, *op. cit.*, p. 270.
** ID., *ibid.*, p. 277.

fections et des insuccès que peuvent comporter les premières ».
Comment mieux dire son fait à la noblesse?

Une fois de plus, il est vrai, Petty doit garder pour lui la vérité
qu'il établit : c'est encore à titre posthume que cette œuvre sera
publiée. Et pourtant, quand Shelburne la fera parvenir, en tant
que fils aîné de Petty, « *à Sa Très Gracieuse Majesté le roi* », en
l'année 1690, Petty sera déjà « *reconnu par tous comme l'inventeur* * » d'une théorie très performante du cosmos des affaires
humaines. Par-delà censure et autocensure, Petty est ainsi devenu
« *l'inventeur de la méthode d'investigation par laquelle les événements complexes et embrouillés du monde sont expliqués au
moyen d'une petite somme de science* ». Comment mieux dire
qu'avec Petty s'opère de manière satisfaisante, dans l'appréhension des affaires humaines, le renversement réussi par Copernic
dans l'appréhension des affaires célestes? En faisant graviter le
problème de la prospérité autour du commerce, en soumettant
toutes les sphères de la production à la fixité de la monnaie, c'est-
à-dire au temps de travail nécessaire à la production des marchandises, Petty découvre le vrai centre du monde et redonne à la
terre sa liberté de mouvement! Que la noblesse gravite encore
autour de la terre à la manière de la Lune autour de la Terre, voilà
qui est dans l'ordre des choses, mais cela ne peut empêcher son
centre de gravité de tourner lui-même, comme la Terre autour de
son axe, et d'être livré au pouvoir du commerce, comme la Terre
aux rayons du Soleil! Cela ne doit pas l'empêcher de *changer de
propriétaire*! Copernic avait fait de la Terre une planète comme
les autres, Petty fait de la terre une *marchandise* comme une
autre.

Comme la théorie de Copernic concernant l'ordonnance du
ciel, la théorie de Petty exprimait à merveille la réalité des affaires
humaines. Depuis la découverte de l'Amérique, le commerce
mondial progressait au rythme de l'afflux de l'or et rien n'était
plus légitime que de tenir pour un fait établi la subordination des
affaires humaines à cet astre fascinant. Depuis qu'il était apparu à
l'horizon de l'Occident, l'or était tenu de facto pour la source de
richesse par exellence. Or, on pouvait maintenant calculer sa
masse et, dans son rapport à la terre, il avait tant pris d'avantage
que la terre devenait dérisoire. Il n'était donc plus raisonnable de
le considérer comme à son service, de le voir en rotation autour
de la terre et autour des seigneurs : l'or ne « circulait » qu'en

---

* ID., *ibid.*, p. 263.

173

apparence; en réalité, il était le centre autour duquel tout s'organisait. La question était de savoir pourquoi, justement, tout s'ordonnait autour de l'or; et Petty fournit la réponse. Tout s'ordonnait autour de l'or parce que l'or servait d'*équivalent universel au travail humain* nécessaire à la production des marchandises.

Dans cette ronde des sphères de production, la terre, c'est-à-dire l'agriculture, ne pouvait prétendre à l'hégémonie. Elle n'était qu'une sphère parmi d'autres, plus proche du centre, assurément, mais sans aucun doute moins importante que d'autres sphères de la production, l'industrie manufacturière, par exemple. Si l'agriculture continuait d'importer, son sort n'en était pas moins directement lié aux performances accomplies dans l'industrie et, en vérité, il convenait moins d'accroître le nombre de bras dans l'agriculture que de le réduire, en augmentant la productivité du travail agricole. Foin de tout fétichisme! À la limite, si une nation étrangère produisait du blé à moindre coût, il ne fallait pas hésiter à lui en acheter (c'est-à-dire à en « importer »), pour lui vendre des produits manufacturés.

Comme on devait s'y attendre, ce système tout à fait renversant n'eut pas que des partisans. La réaction ne fut pas immédiate, mais elle fut d'autant plus vive. Elle vint de France et fut l'œuvre des « physiocrates ». À la suite de François Quesnay, les très sérieux « économistes » s'obstinèrent à démontrer que seule la terre était « productive », qu'elle était au centre des activités humaines et qu'elle devait y demeurer! Comme Tycho Brahé, en quelque sorte, ils se cramponnaient au géocentrisme... Mais ici, chacun le devine, Petty eut son Galilée.

Ce rôle fut joué par un Écossais, professeur de philosophie, nommé Adam Smith. À tous ceux qui prétendaient que le système de Petty était purement théorique, qu'il était certes séduisant, mais qu'il ne pouvait être « vrai », Smith opposa des « preuves » confondantes : tel est l'objet de ses *Recherches sur la nature et les causes de la richesse des nations*, publiées en 1776[*]. Pour « prouver » la justesse des vues de Petty, Smith prit néanmoins des précautions. Sans avoir l'air d'y toucher, il commença par établir la loi de la « division du travail » qui, par le biais de la machine, fait croître en raison directe la prospérité des nations : expérience presque anodine, reposant sur un principe bien connu, celui de la réduction de la peine nécessaire à la production d'une

---

[*] Adam Smith est né en Écosse, à Kirkcaldy, en 1723, juste avant l'arrivée de Voltaire à Londres. Il enseigna la philosophie. Il est mort en 1790.

marchandise quelconque, grâce à l'introduction d'un procédé mécanique dans le travail de l'ouvrier. Smith développe à satiété les avantages de la mécanisation du travail; il prend l'exemple des aiguilles que cent des meilleurs forgerons ne sauraient produire aussi bien, aussi vite et en telle quantité quotidienne qu'un seul travailleur chétif dans un atelier spécialisé.

Mis en confiance par la mise en équation d'une expérience si commune, le lecteur « géocentrique » devra admettre ce qu'elle implique. Car le principe de la division du travail une fois admis, il faut en conclure que ce qui paraît naturel ne peut plus servir de critère de jugement. Avec les « *progrès de l'opulence* » à l'échelle du globe tout entier, « *l'ordre naturel des choses** » a été tout à fait inversé dans tous les pays d'Europe. Les progrès de l'opulence sont en relation directe avec la subordination de la production des marchandises à la *commande* de travail par ceux qui disposent d'un capital. Le capital, c'est tout simplement la somme d'argent qui permet d'acheter du travail**. Cette somme d'argent est généralement issue de l'accumulation réalisée dans les affaires commerciales qui s'intensifient depuis quelques siècles à la surface du globe. En achetant du travail, le négociant devient manufacturier et tend à conquérir un marché toujours plus vaste pour vendre toujours davantage; il tend donc à faire produire toujours plus, en un temps de travail toujours moindre, et c'est pourquoi il introduit volontiers tous les procédés mécaniques souhaités par Petty, qui diminuent les coûts de production et permettent à une nation de devenir plus prospère. Simple leçon de choses...

Or, aussi imperceptible fût-il, ce processus a renversé le cours apparent des choses : « *l'action lente et insensible du commerce étranger et des manufactures*** » soumit le travail de la terre à un principe nouveau, qui n'est autre que celui du profit. En achetant des terres, puis en améliorant leur rendement par l'introduction de procédés adéquats, les capitalistes ont contraint les anciens propriétaires à s'adapter ou à disparaître. C'est pour en tirer le « salaire » du capital, le profit, que les marchands ont acheté des terres. Ils ont subordonné la terre à l'or, profanant sans scrupules les liens sacrés qui unissaient l'homme à l'homme, le serf à son

---

* Adam Smith, *Recherches sur la nature et les causes de la richesse des nations*, traduction de Germain Garnier (1843), partiellement rééditée chez Gallimard, coll. « Idées », en 1976, livre III, chapitre Ier, p. 207-214.

** ID., *ibid.*, livre I, chapitre IV, p. 62.

*** ID., *ibid.*, livre III, chap. IV, « Comment le commerce des villes a contribué à l'amélioration des campagnes », p. 221.

seigneur et le vassal à son suzerain ; mais qui peut résister au dieu nouveau qui répand autour de lui ses bienfaits en abondance ? L'esprit d'entreprise des marchands contribue depuis des siècles au bien-être de tous, car « *le commerce et les manufactures introduisirent par degrés un gouvernement régulier et le bon ordre* * ». Pour avoir été jusqu'alors *le moins observé*, cet *effet* n'en est pas moins *le plus important*, puisqu'il rend évident le sens dans lequel l'Histoire doit continuer de tourner pour en finir avec l'insécurité permanente et les horreurs de l' « ordre » antérieur. En un mot, que Smith finit par lâcher, la « *révolution* » accomplie par les marchands a contribué de manière décisive au « *bonheur public* »...

Une « révolution » en douceur ! Tandis que les marchands achetaient la terre pour en tirer du profit, la noblesse licenciait sa domesticité et se soumettait à son tour au culte de l'or tout-puissant. « *La même cause agissant toujours* ** », elle commença par échanger le surplus du travail des serfs contre quelque objet de valeur, puis se mit à céder des baux pour tirer de l'argent des « fermiers », accorda des baux toujours plus longs et finit par perdre tout droit sur les terres de ses ancêtres. Ayant perdu leurs droits, les anciens seigneurs de la terre « *devinrent aussi peu importants que l'est un bon bourgeois ou un bon artisan d'une ville* *** ». À leur place et sur leurs terres régnait désormais la même loi pour tous : la loi du capital, c'est-à-dire la loi du profit !

Qui donc pouvait nier la réalité de ce processus ? Que changeait en vérité le fait que cette révolution ait eu lieu dans l'inconscience ? Certes, ni les nobles ni les bourgeois ne songeaient à ce qui se passait en poursuivant leurs propres buts : « *Pas un d'eux ne sentait ni ne prévoyait la grande révolution que l'extravagance des uns et l'industrie des autres amenaient insensiblement à sa fin* **** ». Mais il suffit maintenant d'un minimum d'efforts pour constater qu'il en est bien ainsi. À la manière de Galilée défendant Copernic, Adam Smith cherche donc à « confondre » ceux qui ont lu Petty à la légère, qui le considèrent comme un esthète irresponsable, un poète de l'arithmétique et refusent de prendre au sérieux, de prendre avec « gravité », la rotation de l'histoire humaine autour de son axe, qui fait émerger le vrai centre du monde des affaires : l'étalon-or.

---

* ID., *ibid.*, p. 216.
** ID., *ibid.*, p. 223.
*** ID., *ibid.*, p. 224.
**** ID., *ibid.*, p. 225.

Autant dire qu'on néglige sans doute l'essentiel lorsqu'on présente Smith comme le fondateur de l' « économie politique » alors qu'il veut défendre Petty. C'est fausser la perspective que d'en faire un point de départ au lieu de montrer qu'il poursuit la voie ouverte par son audacieux prédécesseur. D'autant plus que cette filiation a un aspect implicitement politique : comme Petty au lendemain du régicide, Smith apporte sa caution à la chute de la noblesse féodale et s'efforce d'en assumer toutes les conséquences. C'est pure illusion que de croire sa réflexion indépendante du processus qui l'a rendue possible. Si l'on y prend garde, on s'aperçoit que Smith, comme Galilée, prend parti dans la lutte qui oppose la bourgeoisie d'affaires à la noblesse de sang. Comme la « physique » de Galilée, la science que « fonda » Adam Smith théorise le processus réel qui bouleverse l'histoire depuis la Renaissance italienne, l'ouverture décisive de l'Occident au marché mondial. Et, comme la recherche de Galilée, les recherches de Smith se déploient comme entreprise de justification de ce renversement.

Si l'on néglige cet aspect de l'histoire des idées, il y a toutes chances que l'on rate l'essentiel. Car l'essentiel ne se présente que sous cet angle. L'essentiel, c'est la promesse qu'implique un tel renversement des valeurs. Certes, il est difficile de voir autre chose dans l'apparition des Lumières que la victoire de la raison, mais cette évidence occulte l'optimisme sur lequel reposent les travaux de Copernic, Galilée, Kepler, Newton, Petty et Smith. Ce qui est en jeu, c'est la prospérité des nations. Tous sont convaincus que l'ordre ancien devait être renversé parce qu'il interdisait le développement du commerce et, par là même, des forces productives humaines. À l'époque des Lumières, non seulement ce n'est pas la raison, en général, qui l'emporte sur ses adversaires; non seulement cette victoire de la raison passe par une théorie cosmologique qui l'emporte sur les autres; non seulement c'est une pratique, celle du marché, qui permet de renverser la perspective, mais ce renversement implique la promesse pour les hommes de passer de la pénurie à l'abondance en quittant la guerre de « tous contre tous » par le commerce de « tous avec tous ». Engagement est pris.

L'épanouissement des Lumières est bien celui de la bourgeoisie marchande. Comme la rotation de la Terre sur son axe nous fait sortir de la nuit à l'aube et « propulse » le Soleil jusqu'au zénith, une révolution a lieu dans les rapports sociaux : de la domination de la noblesse foncière, on passe à celle des commerçants et des industriels. C'est un processus insensible, qui n'aboutit qu'à l'issue de plusieurs siècles, mais pas moins réel que la rotation de notre planète, insensible aussi, et qui laisse paraître ce jour qui arrache les humains à l'immobilité et à la torpeur de la nuit. Or, par son irrésistibilité même, ce processus implique la garantie, à terme, de parvenir à la paix et à l'abondance.

C'est une bonne nouvelle, une très bonne nouvelle, qu'annoncent tous ces puissants travailleurs de l'esprit. C'en est fini, à coup sûr, de la malédiction qui pèse sur l'humanité. Du moins de celle que le clergé faisait peser sur elle. *Tu gagneras ton pain à la sueur de ton front*, est-il écrit dans la *Genèse*. Des siècles durant, en Occident, les hommes s'y sont résignés. Difficile de croire le contraire, si ce n'est pour une minorité, affranchie du travail grâce à celui des autres, mais qui payait d'un autre côté le prix fort pour jouir de ce privilège, puisqu'elle devait mettre à l'improviste sa vie en jeu afin de protéger ses subordonnés. Combien de ces preux ont ainsi mordu la poussière en faisant rempart de leur corps pour défendre les humbles! Et combien, parmi ces humbles, préféraient encore leur servitude à l'idée de devoir payer de leur vie le plaisir de ne pas travailler!

Mais vient le temps où la sentence fatale commence à perdre sa pertinence. Insensiblement, la vie des hommes continue de pivoter sur son axe. Ce mouvement procure toujours plus de lumière et de chaleur. La dépendance progressive des forces de production au marché annonce l'heure de la prise du pouvoir par la bourgeoisie. Par forces de production, il faut entendre les hommes, les bêtes, les sources d'énergie naturelles et les machines. Longtemps, très longtemps, elles furent au service quasi exclusif des seigneurs. Cela dura tout le Moyen Âge. Pendant cette période, quoi qu'on se plaise à en dire aujourd'hui, la circulation des marchandises était réduite, en Occident du moins, au minimum. Pour que les marchands se trouvent maîtres de la situation, il leur fallut beaucoup de patience : de génération en génération, rien ne semblait changer. Au cœur de l'activité de la plupart des hommes, il y avait le travail des champs; à la périphérie, les commerçants ambulants, avec leur monnaie. Pour que l'échange des marchandises devienne la loi des rapports humains, et le marché, le centre de gravité de leur existence, c'est-à-dire de leur travail, de la manière dont ils gagnent leur subsistance, pour que l'argent joue le rôle décisif dans leur destinée, il fallut que beaucoup d'eau coule sous les ponts appartenant aux seigneurs, et beaucoup de sueur du front de leurs serfs, et beaucoup de sang dans leurs champs. Ce fut un mouvement lent, imperceptible, un mouvement de plusieurs siècles.

Pour l'immense majorité des êtres qui vivent à sa surface, la Terre paraît immobile, et c'est dans le « ciel » que ça bouge. Le Soleil « se lève » à l'est, décrit une longue courbe vers l'ouest, avant de « se coucher » derrière l'horizon. La Lune, parfois, prend son relais la nuit, mais sa lumière est dérisoire, et ses apparitions sont fantasques ; néanmoins, elle suit la même courbe et disparaît presque au même endroit. Quant aux étoiles, inutile de compter sur elles pour y voir quoi que ce soit sur Terre : collées à la voûte céleste, elles ne semblent être là que pour le plaisir, ou pour inciter l'homme à plus d'humilité ; il n'empêche, elles aussi décrivent une courbe, et, si on les observe au couchant, parfois on les voit elles aussi sombrer. Ce que l'on ne perçoit jamais, c'est que la Terre en réalité se meut, et qu'aucun de ces astres ne se déplace, du moins de cette manière-là. À la surface de notre planète, nous ne nous rendons pas compte que c'est la rotation de *notre* astre qui nous donne l'impression que *les autres planètes* bougent. Il nous est extrêmement difficile de rétablir le rapport réel entre les autres corps célestes et nous et de percevoir la révolution diurne de la Terre autour de son axe. La difficulté est tout aussi grande avec la révolution marchande. Il faut être copernicien de longue date pour la percevoir correctement.

Le mouvement de rotation qu'opère l'Histoire conduit l'Occident des moulins à vent aux machines à vapeur. Quel progrès dans l'usage des forces de la nature ! Que d'énergie humaine épargnée ! Comment ne pas envisager dès lors la mécanisation générale de la production des biens et espérer par cette voie en finir avec la malédiction chrétienne ? Il restait, certes, à savoir comment faire dans le détail. Mais, depuis Copernic, les choses paraissaient claires : l'hégémonie de la noblesse était un obstacle à la prospérité des nations. Avait été nécessaire la dissolution des relations féodales pour émanciper le travail humain. Sous l'égide des rapports marchands, la malédiction se transformait en providence.

À vrai dire, la noblesse féodale avait joué en son temps un rôle libérateur. Elle avait libéré les peuples de l'Occident des terreurs sans nom issues des invasions barbares. On a peine, aujourd'hui, à imaginer ce que furent les premiers siècles de ce qu'on nomme le Moyen Âge et, faute du recul nécessaire, on ne perçoit pas quels bienfaits procura l'apparition de l'État féodal aux masses paysannes plongées dans les affres des « grandes invasions ». Qu'on pense donc à la nuit la plus noire, où rôdent les monstres les plus terribles, venus de contrées lointaines, ne connaissant ni foi ni loi, n'ayant ni pitié ni remords! Lorsque, dans ce sombre chaos, apparaît lentement la Lune, comment ne pas lui rendre grâce? Aussi faible soit sa lueur, quel réconfort pour les victimes! Au cœur du chaos médiéval, les institutions féodales apparurent comme la Lune dans les plus sombres ténèbres. Par le biais d'une hiérarchie complète, de l'empereur jusqu'au plus humble des serfs, un ordre fut instauré, avec des droits et des devoirs pour les seigneurs et leurs vassaux, les dominants et les dominés.

Mais l'astre bienfaiteur pâlit lorsque parut la véritable source de lumière. La protection que la noblesse fournissait aux paysans terrorisés devint totalement superflue, car, outre une lumière plus intense, l'or procurait une chaleur dont on n'avait pas idée. Lorsque le commerce se remit en mouvement dans le ciel de l'Occident, les institutions féodales perdirent donc toute raison d'être. Il était d'ailleurs notoire qu'elles tenaient leur éclat de l'astre qui venait de l'Orient, et que la lumière qu'elles avaient prodiguée ne provenait pas d'elles-mêmes. Il fallait donc qu'elles cèdent la place, qu'on fasse le vide, car dans ce vide se jouait un ballet si prometteur que tous les maux du passé allaient être définitivement rachetés. Foi d'économiste éclairé!

VIII

Marx

Smith était optimiste, mais il n'était pas naïf. Son père avait été contrôleur des douanes, et sans doute avait-il appris à ses côtés que la classe des marchands et des fabricants était prête à toutes les malversations pour parvenir à ses fins. À l'occasion de sa toute première enquête, qui avait pour objet l' « origine des sentiments moraux », il s'était rendu compte de l'importance décisive de l'égoïsme dans le comportement des hommes. Il n'avait pas d'illusion sur ce point, et c'est sans complaisance envers leurs motivations qu'il misait sur les hommes d'affaires pour faire avancer les choses dans le bon sens. Quant à la nature humaine, il n'était pas plus naïf que Voltaire, qu'il rencontra d'ailleurs peu après. Il quitta en effet l'université pour voyager sur le Continent, tenant lieu de précepteur au jeune duc de Buccleugh trois ans durant. Séjournant à Paris, il fréquenta les encyclopédistes, les physiocrates et Voltaire. De retour en 1767, il mettra presque dix ans à venir à bout de son œuvre maîtresse. Dix ans pour montrer aux nobles que l'ancien contrat était caduc et aux nouveaux riches que le nouveau contrat les plaçait devant des luttes nouvelles!

Smith savait que la surbordination des rapports sociaux à la loi du marché entraînait une lutte féroce entre les classes. Il avait observé la lutte que les « ouvriers » avaient commencé à mener contre les « maîtres » de l'Angleterre [*]! Cette lutte avait pour objet les salaires et ne pouvait être qu'acharnée puisque « *les ouvriers désirent gagner le plus possible* et *les maîtres donner le moins qu'ils peuvent* ». Smith précise qu'il ne faut pas s'étonner

---

[*] Adam Smith, *Recherches...*, chapitre VIII, « Des salaires du travail », p. 86.

de la disposition des premiers « *à se concerter pour élever les salaires* » et de celle des seconds à se concerter *pour les abaisser*. Ce qu'entend Smith par *contrat* n'exclut pas cette lutte des classes, elle l'inclut, bien au contraire : c'est même le sens de la « *convention* » qui se fait entre « *l'ouvrier et le propriétaire du capital* ». Cette convention ne peut être formelle, puisque « *entre ces deux personnes, l'intérêt n'est nullement le même* ». Adam Smith estime pour sa part que cette lutte fait partie du jeu et qu'elle doit se déployer librement. C'est, bien sûr, le fond de son credo : il croit la bourgeoisie capable de créer tant de richesses que le prolétariat finira bien par y trouver son bonheur. Il va même jusqu'à déplorer que la lutte ne soit pas égale et que les ouvriers n'aient pas, à l'instar des propriétaires, le droit de se coaliser ! Il proteste contre le peu de « noblesse » d'esprit de la bourgeoisie qui triomphe encore sans gloire, grâce aux *complots* qu'elle trame en silence contre les travailleurs qui se présentent sur le marché, aux accords que ses membres passent entre eux et qui sont « *conduits dans le plus grand secret* * »... Non seulement Smith voit très bien la lutte, mais il la veut au grand jour !

Restait à savoir si le capitalisme pouvait faire croître le bien-être des deux parties de manière équitable. Or, bien vite, les faits prouvent le contraire : les riches s'enrichissent toujours davantage, et les pauvres deviennent toujours plus pauvres. Smith ne vécut pas assez vieux pour voir cela. Mais à peine son message fut-il entendu, à peine la Terre eut-elle assez tourné pour que l'ensemble du peuple anglais profitât enfin du Soleil et non plus seulement de la Lune, à peine les Lumières inondaient-elles victorieusement la surface du globe, du moins là où affluait l'or, à peine cela se produisit-il que l'invention de la « machine à feu » plongea le « prolétariat » dans le noir, dans les entrailles de la Terre, dans les mines où jamais le Soleil ne luit et dans les ateliers sombres où il ne pénètre pas. À peine les gens du peuple avaient-ils entendu dire que c'en était fini de la servitude, que l'homme était né libre et qu'il lui revenait de se débarrasser de ses chaînes, à peine avaient-ils goûté au doux miel des rayons du jour, à peine avaient-ils joui de la douceur de vivre, à peine s'étaient-ils réchauffés à la bonne chaleur de l'astre autour duquel tout gravite que déjà ils devaient sombrer dans une condition plus obscure que la condition servile.

Il est facile de faire de Marx un mauvais prophète et de Smith

---

* Id., *ibid.,* p. 90.

un observateur avisé. Les choses ne sont pas si simples. Il est vrai que Smith fut un observateur avisé, mais il fut un très mauvais prophète ; quant à Marx, s'il a été mauvais prophète, il fut également un observateur très avisé. Aussi paradoxal que cela paraisse, ce n'est pas à ses prédécesseurs mais à lui que revient le mérite d'avoir découvert la force qui assure la victoire de l'économie marchande. Petty a opéré le renversement décisif des perspectives sur le cosmos humain, et Smith a réfuté les objections visant à maintenir le travail de la terre comme la source principale des richesses, mais c'est Marx qu'il faut attendre pour savoir pourquoi il en est ainsi. Si Petty est le Copernic de l'économie marchande, si Smith est son Galilée, Marx est son Newton.

Petty, on s'en souvient, apprit à ses contemporains que la prospérité du commerce dépendait du temps de travail consacré à la production des marchandises. Mais cela n'expliquait pas par quel miracle il se faisait que l'argent produisait de l'argent, que l'or produisait de l'or et le profit du profit. Petty avait très bien montré que les seigneurs étaient parasites et que la richesse des Hollandais venait de leur « industrie », mais, au bout du compte, il manquait la raison ultime du « miracle » accompli. Smith eut beau préciser que le profit du « capitaliste » était un salaire, il renforçait encore l'énigme. Comme Petty, il supposait l'autoproduction du capital : en considérant le travail humain comme la mesure de la valeur d'échange des marchandises, l'un et l'autre permettaient de voir le système fonctionner dans le bon sens, autour d'un centre qui n'était pas illusoire, et ils remettaient les seigneurs à leur place, c'est-à-dire à la périphérie, en les subordonnant à leur tour au marché ; mais ils rendaient d'autant plus nécessaire de répondre à la question incontournable : comment ça marche ? Parler du « droit » que possède le capital d'acheter du travail humain et considérer le profit comme le « salaire » du capital, une fois le travail effectué et la marchandise vendue, cela ne donnait pas la réponse. Car, si la marchandise était vendue à sa valeur, elle était vendue au prix correspondant au coût des denrées nécessaires à l'entretien des forces du travailleur pendant le temps nécessaire à la production de la marchandise. D'où pouvait donc surgir le « profit » ? Passe encore qu'un marchand vendît sa marchandise au-dessus de sa valeur d'échange, mais c'était au détriment de l'acheteur ; cette ruse ne donnait pas plus de valeur à la marchandise. Or, pour que le capitaliste pût s'octroyer un « salaire », il fallait bien un surplus de valeur.

Pas plus qu'Adam Smith, Karl Marx ne semblait prédestiné à

traiter de telles questions. Certes, sa précocité est demeurée légendaire. Mais sa vocation était, comme pour Smith, avant tout philosophique. Jeune homme, il avait donné le change à son père,
avocat de profession, en étudiant le droit et l'histoire. Cependant,
tout en se fiançant en secret, dès l'âge de dix-huit ans, à Jenny
von Wesphalen, il était devenu hégélien et n'eut de cesse de soutenir sa thèse... sur le *clinamen** chez Épicure et Démocrite. Si on
lui avait dit pendant sa soutenance que son goût pour les plaisirs
de l'existence et son affection prononcée pour le matérialisme de
l'Antiquité l'amèneraient un jour à se pencher sur l'énigme posée
par l'économie politique anglaise, il serait sans doute parti dans
un colossal éclat de rire. Il se préparait à enseigner à l'Université,
pas à jouer les devins! Du reste, sa puissance intellectuelle était
telle que ses familiers virent bientôt en lui l'étoile montante de la
philosophie allemande. Alors qu'il n'avait que vingt-quatre ans,
l'un de ses admirateurs affirmait que Marx possédait à lui seul
tous les talents de « Rousseau, Voltaire, Holbach, Lessing, Heine
et Hegel** ». Pour que cet homme-là en arrive à écrire le premier
livre du *Capital*, il fallut que les dieux disposent d'un grand
nombre de complices : à Berlin, pour lui barrer la route de la carrière universitaire; à Bonn, pour censurer la revue qu'il fonda
avec Bruno Bauer, *La Gazette rhénane*, et le pousser à passer le
Rhin; à Paris, pour espionner ses premières relations avec Engels
et avec quelques prolétaires éclairés, avant de l'expulser en Bel-
gique; à Bruxelles, pour l'expulser de nouveau, à la suite de la
publication du *Manifeste du parti communiste*; à Cologne, pour
l'empêcher de tirer bénéfice de la révolution de 1848 et le traîner
devant la justice, avant de le condamner à l'exil. Alors, pour que
son destin s'accomplisse, il leur faudra encore faire en sorte que
Marx s'installe à Londres. À Londres, siège de la Banque d'Angleterre, et patrie du capitalisme industriel. Car c'est là, au contact
direct du capital et du travail modernes, que Marx en viendra à
mesurer l'importance d'une critique de l'économie politique. Et
c'est sur les bancs du British Museum, avec l'aide financière
constante d'Engels, son soutien moral permanent, que Marx
finira par apporter sa « contribution » à l'élucidation du fonctionnement du système.

Au demeurant, la solution fournie par Marx est aussi simple
que la chute d'une pomme. La force qui agit dans la production

---

* *Différence de la philosophie de la nature chez Démocrite et Épicure* (1841).
** Lettre de Moses Hess à Berthold Auerbach du 2 septembre 1841, in *Gesch-
präche mit Marx und Engels*, Frankfurt-am-Main, Suhrkamp, 1981, p. 3.

des richesses n'est pas perceptible dans le moment de l'échange, explique-t-il : ce n'est pas *après* la vente de la marchandise produite que le capitaliste se paie, mais *avant*. Sur le marché, il achète une force de travail qui lui coûte l'équivalent de son entretien et qu'il a le « droit » d'utiliser autant qu'il le souhaite. Marx insiste beaucoup sur ce point : ce n'est pas du travail, une certaine quantité de travail, que l'employeur achète, mais l'emploi d'une force, la mise à sa disposition, pendant un certain temps, d'une *force de travail*. Il nous demande de bien faire la distinction entre le temps nécessaire à la reproduction de la force de travail (que paie effectivement le « marchand », l'acheteur de cette « marchandise ») et le temps de production de ladite force (qui peut excéder de beaucoup le temps nécessaire à sa reproduction)! En consommant sa « marchandise », le capitaliste lui fait ajouter de la valeur aux marchandises qu'elle transforme par son travail, mais il ne paie qu'une part de cette valeur ajoutée et c'est là la source de son profit [*].

Ce n'est pas un vain mot de dire que Marx fournit à l'énigme, rendue lancinante par Petty et Smith, une solution de type newtonien. Car elle éclaire le nouveau par l'ancien. Newton reprenait à son compte la vieille idée médiévale de l'attraction des corps, telle que l'alchimie la supposait à l'œuvre entre les corpuscules composant les métaux; cette idée, inacceptable pour les cartésiens, lui permit néanmoins d'établir les lois qui régissent le fonctionnement physique du système solaire, grâce à l'idée d'une action à distance entre les corps célestes. Marx ne fit ni plus ni moins : il en revint à la relation de travail qui unissait, *à l'ère féodale*, le travailleur et celui qui lui assurait protection, pour mettre en lumière le fonctionnement du système des affaires humaines tel que Petty l'avait élaboré. Il reprend l'idée du « surtravail », si familière aux acteurs de l'époque. Le serf « devait » alors à son seigneur telle quantité de travail par jour et par semaine, car il devait fournir sa quote-part à l'entretien de son protecteur. Or il savait très bien que le travail était du temps qu'il prenait sur sa journée, en plus de celui qui lui était nécessaire pour assurer sa propre survie et celle de sa famille. Et le seigneur le savait tout autant : que ce fût sous forme de denrées ou indirectement en « corvée », les deux signataires du contrat connaissaient la mesure réelle du service rendu par celui qui travaillait. Le serf

---

[*] Les trois premières sections du *Capital* sont consacrées à l'exposé de cette thèse. Si l'on part de l'économie « classique », la démarche de Marx vient donc la « couronner »...

connaissait l'étendue de son devoir, et le seigneur n'ignorait pas jusqu'à quel point il avait droit à l'utilisation de la force servile. D'où le dérapage du système dès lors que le seigneur cherchait à en « profiter ».

Aussi bien, comme Newton, Marx fut-il accusé par ses contemporains de faire régresser la science économique, en faisant usage d'une notion totalement dépassée par le progrès des rapports sociaux et par la raison. Il revenait à l'idée d'exploitation de l'homme par l'homme, alors que le marché rendait apparemment superflue toute injustice de ce type : quoi de plus équitable que la loi de l'offre et de la demande ? Quoi de plus limpide qu'une transaction monétaire ? Quoi de plus absurde et de plus injuste que de considérer les employeurs comme des exploiteurs ? Ce qui, en outre, empêchait ses adversaires d'adhérer à sa découverte, c'était que les choses paraissaient pouvoir s'expliquer autrement, par des sortes de tourbillons de la monnaie, dont la circulation avait été accélérée par les progrès du commerce, et qui permettaient de voir comment on passait d'un échange primaire « marchandise vendue-argent-marchandise achetée », à un cercle beaucoup plus subtil et beaucoup plus intéressant « argent-marchandise-argent ». Car ce qui était merveilleux, avec l'accroissement de la masse et de la vitesse de circulation des marchandises, c'est qu'il rendait possible l'enrichissement fabuleux de ceux qui se contentaient de jouer le rôle d'intermédiaire et qui, sans bouger, jouaient le rôle moteur dans le flux des affaires...

Ce tourbillon des affaires, bientôt centré autour des banques et des « spéculateurs », ne rendait pas la tâche facile à qui essayait de voir clair dans le fonctionnement de l'héliocentrisme commercial. Il occultait à son tour le rapport réel entre celui qui travaille et celui qui en « profite ». Au nom de la rationalité des opérations bancaires, on refusait de considérer le caractère archaïque de la force motrice du système. Pour percevoir convenablement le système de Copernic, Newton avait comparé la Lune à une pomme. Marx eut une « intuition » analogue. Pour comprendre le capitalisme, la faible lumière de la Lune était bonne : aveuglés par l'éclat de l'or et de la monnaie, les économistes classiques ne pouvaient tenir compte de cette qualité occulte de la force de travail qui consiste à produire davantage que ce que nécessite sa reproduction. De même qu'il fallut attendre Newton pour justifier définitivement la révolution qu'accomplit la Terre autour de son axe, de même, il fallut attendre Marx pour justifier définitivement la révolution accomplie depuis la Renaissance italienne.

Cependant, les choses prenaient une telle tournure qu'il n'était pas possible de la justifier sans la critiquer. De même qu'il fut impossible à Newton de cautionner les « orbes » de Copernic, ni même les orbites circulaires sur lesquelles Galilée s'obstinait à faire circuler les planètes, de même, il fut impossible à Marx de défendre l'optimisme quelque peu primaire de ses devanciers. Certes, d'un côté il fallait en finir avec les réactionnaires, car, plusieurs décennies après Smith, la bourgeoisie était loin de diriger comme elle l'entendait les affaires du monde : avec la Restauration en France et la Sainte Alliance en Europe centrale, en effet, la noblesse foncière s'accrochait encore au pouvoir, tandis que l'industrie capitaliste ne gagnait que fort lentement du terrain sur le continent. Mais, déjà, d'un autre côté, se profilaient des perturbations telles dans la sphère de la production et des échanges que ni la simple « rotation » du capital ni les folies de la spéculation bancaire n'étaient défendables.

Smith mourut trop tôt pour voir que dès 1825 la production avait été en proie à des crises terribles. Dans le *Manifeste*, dès 1847, Marx constatait, lui, que « *chaque crise détruit régulièrement, non seulement une masse de produits déjà créés, mais encore une grande partie des forces productives déjà existantes* ». L'absurdité de la situation sautait déjà aux yeux : « *Dans les crises, on voit se répandre une épidémie sociale qui, à toute autre époque, aurait semblé absurde : l'épidémie de la surproduction* ». Ce n'est pas parce qu'elle souffrait de pénurie que la société se trouvait « *subitement ramenée à un état de barbarie momentanée* », c'était au contraire parce qu'elle avait « *trop de civilisation, trop de moyens de subsistance, trop d'industrie, trop de commerce* * »... Marx en tirait alors la conclusion qu'il y avait beaucoup mieux à faire : il suggérait que la classe ouvrière prît les affaires en main, qu'elle *accomplît* la révolution, c'est-à-dire qu'elle mène à son terme de manière cohérente les promesses de la révolution marchande...

Cette suggestion était formulée, il est vrai, de manière catégorique, comme un impératif. Et cet impératif se doublait d'un pronostic : celui de l'effondrement du système dans une crise d'une ampleur inégalée. Prophétie que les faits, dit-on, ont désavouée. Si l'on mesure la validité d'une théorie à sa capacité de prédiction, voilà bien, semble-t-il, la preuve de la nullité de la théorie marxiste. Newton, lui, permit à Halley de pronostiquer le retour

---

* Marx-Engels, *Manifeste du Parti communiste*, chapitre « Bourgeois et Prolétaires », Paris, U.G.E. (10/18), 1962, p. 27.

de sa comète : il permit aussi à Lexell de faire accéder Uranus à la dignité de planète ; il permit au bon Leverrier de découvrir la planète Neptune. Ce sont là quelques performances de la théorie de Newton. Et il peut sembler, de ce point de vue, impertinent de comparer Marx à Newton. Mais est-ce aussi sûr ? Toutes ses prédictions furent-elles fausses ? Quand on reproche à Marx d'avoir été mauvais prophète, sait-on qu'en l'occurrence ce n'est pas le cas ?

L'erreur principale de Marx est une erreur de jeunesse : elle concerne le rythme avec lequel devaient se développer d'une part la crise du capitalisme mondial, de l'autre la nation allemande. Nous savons qu'en 1847 Marx croyait imminente l'ouverture de l'Allemagne au marché mondial, qu'il sentait à sa portée le déclenchement du processus qui conduirait le prolétariat au pouvoir – et que ce double espoir fut déçu. Mais, si l'on veut juger du pouvoir de prédiction de sa théorie, encore faudrait-il tenir compte de sa forme la plus achevée. Juge-t-on Newton sur ses débuts ? En admettant que Marx ait continué à se « tromper » dans les années qui suivirent le *Manifeste*, il faut le juger sur *Le Capital* et non sur ce qui précède. Newton lui-même prit tout son temps pour affiner ses *Principes* : lorsqu'il quitta Londres en 1655, il savait déjà que sa théorie était apte à résoudre l'énigme livrée par ses prédécesseurs, mais il attendit plus de vingt ans avant de publier son œuvre ; voudrait-on le lui reprocher ? Voudrait-on contester ses *Principes* au nom des travaux provisoires ? Exigerait-on de lui que ces travaux fussent aussi « performants » que l'œuvre achevée ?

Marx aussi eut besoin de vingt ans. Lui aussi prit du recul envers son intuition première. Lui aussi chercha à se protéger d'une fièvre qui faisait des ravages : la fièvre de la frénésie, de la révolution à tout prix, de l'action coûte que coûte, dont beaucoup de ses amis de lutte furent atteints au lendemain de l'échec de la révolution démocratique. Marx craignait les retombées de cette vaine excitation : il savait que chez les survivants, chez ceux qui ne sombreraient pas dans le désespoir le plus noir, cette fièvre laisserait des traces qui en feraient des opportunistes, prêts à flirter avec le pouvoir ou à se vendre à la bourgeoisie. Il accepta donc très volontiers cette mise à l'écart forcée et se mit à ses chères études. Si l'on veut lui rendre justice il faut partir du moment où sa théorie apparaît comme la plus achevée et donc se reporter aux années 1870. Or, si l'on part de là pour exiger un pouvoir de prédiction équivalent à celui de Newton, tout change. Il se trouve en effet que Marx a prédit le déclenchement du krach financier le plus violent du XIXe siècle. Cette « performance » est peu connue, car la page a été tournée, mais elle n'en est pas moins vérifiable à qui daigne s'en donner la peine. Prisonniers comme nous le sommes de la perspective géocentrique, nous avons perdu tout égard pour cet événement, décisif aux yeux des contemporains, que constitua le krach de Vienne, le 8 mai 1873.

Tout avait bien commencé pour Vienne, le 1er mai de cette année-là, puisqu'elle accueillait sur le Prater la cinquième Exposition universelle, après celles de Londres et de Paris. La capitale était en fête : elle devenait le centre du monde, ne fût-ce que pour quelques semaines, le lieu où les techniques de l'Occident offraient leurs services à l'Orient. Et la foule ne fut pas peu fière lorsque le *Kaiser* François-Joseph déclara l'Exposition ouverte! Cette joie fut de courte durée, huit jours plus tard, la Bourse s'effondrait : à la baisse vertigineuse des cours s'ajoutait l'insolvabilité d'un nombre considérable de sociétés par actions. Le 9 mai, ce fut la panique. La presse européenne fut avertie par dépêche télégraphique, à midi et demi ; à trois heures, on annonçait la fermeture de la Bourse [*]. Ce fut le plus grand krach de toute l'histoire financière jusqu'alors. Et ce n'était qu'un début : le pire se profilait. On peut suivre le drame de jour en jour, de semaine en semaine, dans les journaux de l'époque comme si c'était aujourd'hui. Tandis que les pertes strictement boursières se mesurent déjà « *en millions et en millions* ^{**} », tandis que le tumulte et la violence gagnent les actionnaires, le gouvernement autrichien reçoit les hommes d'affaires pour décider des mesures à prendre pour éviter que la crise ne gagne l'industrie et le commerce. Rien n'y fait. Bientôt, ce sont des sociétés réputées qui font faillite et, alors qu'on croit avoir atteint le pire, la Bourse s'effondre à New York. Cinq mois plus tard, en effet, c'est au tour de New York de connaître la panique, avec son cortège de faillites : les cours s'effondrent aussi brusquement et les banqueroutes succèdent aux banqueroutes. Sur toutes les places financières, on retient son souffle... Le glas sonnera-t-il encore? À la mi-octobre, l'angoisse étreint Berlin. Et c'est à juste titre, car, à la Bourse de Berlin, les cours s'effondrent soudain. Et, bientôt, les colonnes que consacrent tous les journaux à l'industrie, au commerce, aux banques, se transforment en rubrique nécrologique.

---

* Cf., par exemple, la *National-Zeitung* de Berlin des 8 et 9 mai 1873 (édition du soir).

** *Deutsche Zeitung* du 9 mai 1873.

Vienne, New York, Berlin : trois places financières s'effondrent de mai à octobre ! Cela, nous l'avons oublié car depuis il y eut mieux : le krach de 1929 a effacé de la mémoire collective celui de 1873. Ce n'est pas sans raison : d'une part, il nous est plus proche, d'autre part, il fut encore plus grave, et ses conséquences immédiates furent plus vertigineuses... Mais, si nous voulons mettre Marx à l'épreuve, il nous faut tenter d'oublier le xxe siècle pour nous souvenir du xixe siècle. On s'aperçoit alors que Marx avait « prédit » ce krach et que cette prédiction ne doit rien au hasard. Le 24 janvier 1873, alors que l'euphorie boursière est à son comble sur toutes les places financières, Marx achève en effet la postface qui doit accompagner la deuxième édition du *Capital* à Hambourg. Or non seulement il y dénonce, comme on le suppose, les méfaits du système en général, mais il annonce comme imminent le « *retour* de *la crise générale* ! » À tous ceux qui n'ont rien voulu entendre lors de la première édition, il promet qu'« *elle va faire entrer la dialectique dans la tête même des tripoteurs qui ont poussé comme champignons dans le Saint Empire prusso-allemand* * ». On peut donc constater que Marx ne fut pas si mauvais prophète.

Si l'on veut mettre *Le Capital* à l'épreuve, il faut le mettre à celle des faits qui ont suivi sa publication. La condition à remplir n'est pas du côté de Marx, mais du côté de qui le met à l'épreuve. Il est vrai que Marx ne fut pas le seul à prédire la catastrophe et que, dans les rangs bourgeois, l'alerte était lancée. On l'entend distinctement au cours des débats du Parlement allemand. Si l'on suit de près les délibérations du Reichstag, on s'aperçoit que, déjà, un certain Lasker, qui passait pour un « justicier », sonnait l'alarme. Député du parti libéral, mais inquiet de l'odeur nauséabonde de nombreuses « affaires » entre « initiés », Lasker avait dénoncé les pratiques scandaleuses des « fondateurs » de sociétés par actions qui abusaient la confiance publique en émettant des actions sans aucune valeur réelle et en négociant en secret des marchés avec l'État. Il intervint pendant plusieurs mois à partir de janvier 1873 pour faire cesser ces scandales qui mettaient, à ses yeux, la santé de la Bourse elle-même en péril **. Et Lasker avait raison ! Car déjà le mal avait atteint le cœur du système...

---

* *Le Capital,* livre I, postface, trad. Jules Roy, Paris, GF, 1969, p. 584.
** On trouve ces débats du Reichstag dans le *Stenographischer Bericht der Verhandlungen des deutschen Reichstags*, première législature, quatrième session. La séance du 4 avril 1873 fut particulièrement agitée. Cf. p. 214-223 pour Lasker.

Mais, pour un Lasker, combien d'aveugles et d'irresponsables! On le traitait d'oiseau de mauvais augure, d'empêcheur de faire des affaires en rond. Dans les rangs de son propre parti, on lui reprochait de créer lui-même la défiance, de compromettre la sérénité du marché et de provoquer ce qu'il prétendait vouloir éviter. Bref, on le priait de se taire. Plus on se replonge dans l'époque des premières années du Reich, plus on perçoit la frénésie, la jubilation des libéraux. C'est que, après des décennies de patience, le libéralisme l'emporte enfin en Allemagne. Qu'on ne se fie pas trop à l'aspect dynastique de ce bouleversement. C'est sous l'égide de la Prusse que la loi libérant les sociétés par actions du contrôle de l'État a été adoptée. En écrasant la France et en permettant à l'Allemagne de s'unifier, Bismarck permet enfin à la multitude d'États allemands de ne constituer qu'un seul marché et, simultanément, de se connecter directement, par le biais de la Bourse de Berlin, à l'ensemble du marché mondial. De quoi effacer bien des humiliations!

Cette euphorie durera exactement trois ans. Trois années plus tard, les partisans de la libre circulation des marchandises, des hommes et des capitaux durent soudain déchanter. Alors, au cri de joie des philistins succéda le cri de détresse des victimes. Partout s'élevèrent des lamentations contre la spéculation financière. S'il faut mettre *Le Capital* de Marx au pied du mur, il faut le mettre au pied du mur des lamentations.

IX

La révolution ouvrière

La « crise » décrite par Marx n'eut rien de « final », il est vrai. Si l'opinion la plus répandue était douée de parole, elle s'exprimerait à peu près ainsi.

« *Globalement, le pronostic de Marx a été démenti par les faits : à la fin du siècle, le capitalisme avait surmonté sa crise et les prolétaires ne s'étaient pas emparés du pouvoir. Lors du siècle suivant, qui est le nôtre, la bourgeoisie ne céda pas davantage la place aux prolétaires. Ceux-ci, entre-temps, atteignirent un niveau de vie jusqu'alors inégalé et leur lutte, loin de venir à bout de la loi du profit, n'eut pour tout résultat que de les réconcilier avec elle. De révolution, dans tout cela, il n'y en eut point. Du moins pas là où Marx l'attendait. Elle se produisit, certes, mais là où il ne l'attendait pas : en Russie, dans un pays pauvre, grand sans doute, mais périphérique, alors qu'il prévoyait qu'elle aurait lieu en Europe. Dans un pays sous-développé, dans un pays encore arriéré, voilà où la Révolution eut lieu ! Dans un pays où les prolétaires étaient une minorité ! Beau succès de la théorie du surtravail ! Et, qui plus est, pour quel résultat ? Pour la pire des dictatures, qui priva plus que jamais les prolétaires de leur liberté, sans jamais leur permettre d'atteindre le bien-être des ouvriers des pays capitalistes... »*

Difficile dans ces conditions d'accorder un crédit bien durable à l'idée que Marx puisse être considéré comme le Newton de l'économie politique...

Cette opinion s'appuie sur des faits. Il reste à savoir si elle n'est pas, malgré tout, victime des apparences. Le jour, on croit que le Soleil se lève, et l'on oublie que c'est la Terre qui tourne. La nuit, on croit voir des constellations dans le ciel, et l'on ignore souvent que la configuration de ces astres ne tient aucun compte des différentes profondeurs de champ, que les « étoiles » assemblées ainsi ne se trouvent pas du tout sur le même plan, et que, la plupart du temps, loin d'être de simples étoiles, ce sont des galaxies entières, aussi grandes que toute la Voie lactée. Or donc, l'opinion connaît-elle les distances réelles entre les faits qu'elle évoque ? Que valent ces figures qu'elle décrit ? Son point de vue ne demeure-t-il pas... géocentrique ? À l'examen, elle commet à tout le moins deux erreurs : celle qui consiste à attribuer à Marx un pronostic « final » sur le capitalisme, et celle qui consiste à croire que la révolution russe ne rentrait pas dans son « schéma ».

S'il est vrai qu'ici ou là Marx laisse parler son optimisme quant à la victoire du prolétariat, il ne considère pas pour autant que le capital ne puisse se relever des crises cycliques qui l'accablent. Même dans le *Manifeste*, là où, avec son compère Engels, il trahit le plus son impatience de voir vaincre le prolétariat, il ne présente pas ces crises comme insurmontables. Elles le sont, tout au contraire, et c'est bien là le vrai drame ! Après avoir diagnostiqué le mal et décrit les ravages qu'il provoque, Marx et Engels posent eux-mêmes la question : *Comment la bourgeoisie surmonte-t-elle ces crises* [*] ? C'est dire qu'ils savent très bien que le capital ne s'effondre pas une fois pour toutes parce qu'une crise éclate ! Le drame, à leurs yeux, c'est que la crise peut être surmontée, car cela prélude à une crise plus profonde. En effet, elle ne peut être surmontée qu'aux dépens des forces productives et par la conquête de nouveaux marchés ou l'exploitation plus grande des marchés anciens. La conséquence de cette « solution » ? *La préparation de crises plus générales et plus puissantes !* Voilà comment le capitalisme trouve remède aux crises qui le secouent : par la concentration du capital et l'extension de son pouvoir, ce qui provoque, à terme, des crises toujours plus graves.

Sur ce point, *Le Capital* ne corrige pas le verdict du *Manifeste*. À la veille de la *crise générale* qui s'annonce, Marx n'exclut aucunement qu'elle puisse être surmontée. Dès le livre I, lorsqu'il analyse en particulier la « *production croissante d'une surpopulation relative ou d'une armée industrielle de réserve* », il répète au contraire que la « *crise générale* est à la fois *fin d'un cycle et point de départ d'un autre* [**] ». Telle une comète, la crise revient à intervalles réguliers : comme celle-ci, qui repart après avoir fait le tour du Soleil, la crise repart après avoir fait le tour de son propriétaire – le marché des forces de travail. La crise est, selon Marx, le résul-

---

* *Manifeste*, op. cit., p. 28.
** *Le Capital*, septième section, chapitre XXV.

tat d'une différence de vitesse de croissance entre les forces productives et les capacités d'absorption du marché : la croissance de la production étant beaucoup plus rapide que celle du marché, il faut bien que, périodiquement, le retard soit comblé, car les marchandises finissent régulièrement par ne plus trouver acquéreur; compte tenu de l'étroitesse relative du marché, on se trouve régulièrement en période de surproduction : c'est le retour de la comète, une fois tous les dix ans, avec son cortège de calamités. Pour « placer » leurs profits (superflus dans le circuit des marchandises) ou au contraire pour établir leur trésorerie (compromise par la mévente), les entreprises vont tenter leur chance à la Bourse : la spéculation s'exacerbe; attirés par la flambée des cours, les petits épargnants se jettent avec ravissement dans l'aventure mirobolante. Jusqu'au jour où les cours s'effondrent, car la confiance s'évanouit lorsqu'on apprend que tout n'est que papier.

Il faudrait ici suivre Marx dans son livre III, par exemple, au chapitre XXX sur le « Capital-argent », pour mesurer à quel point son analyse est parlante. Mais quelque docte, prenant le relais de l'opinion, nous en empêcherait sans doute, un sourire méchant aux lèvres : « *Flagrant délit !* » dirait-il. « *Flagrant délit d'escroquerie ! Ne quittez donc pas si vite le livre I du* Capital *! La page même que vous avez citée contient une "prophétie" qui ruine votre beau discours. Car Marx y écrit en toutes lettres que le cycle des crises doit se raccourcir et que des " dix ou onze ans " habituels, il devrait " graduellement " diminuer* *. *Ce pronostic fut son obsession : il le prenait tout à fait au sérieux (sa correspondance le prouve* ***). Or, s'il eut raison tout d'abord en prévoyant le krach suivant, la suite lui donna tort, car il fallut attendre cinquante-six ans (le fameux krach de Wall Street). Pour votre Newton de l'économie, ce fait n'est-il pas accablant ? Certes, la comète revint, mais avec quel retard !* »

Il y a toujours des trouble-faits. Gageons que ce docte, s'il ne se satisfait pas du plaisir de la polémique, concédera que ce point mérite examen ! S'il est vrai que la Bourse ne va plus connaître avant longtemps de krach aussi mémorable que celui de 1873, il serait pour le moins malhonnête de caractériser la fin du XIXᵉ siècle comme une période de prospérité. À l'époque l'opinion s'estimait en « grande dépression » : c'est ainsi qu'elle appelait

---

* Iᴅ., *ibid.*, *op. cit.*, p. 462.

** Ainsi, la lettre du 18 juin 1875 à Lavrov dans le recueil de lettres sur *Le Capital*, Paris, Éditions sociales, 1964, p. 275.

toute la fin du siècle... Que dire de cette « dépression », qui dura près de trente années, sinon qu'elle fut une *crise chronique*? Et comment fut-elle surmontée, sinon en détruisant une masse colossale de marchandises produites, en immobilisant une proportion considérable de forces productives et en militarisant à outrance la production? Comment cela finit-il? De la manière la plus logique qui soit : par le plus grand conflit de tous les temps – connu sous le nom de Première Guerre mondiale!

Si l'histoire de cette « dépression » n'est plus à faire, du moins reste-t-il à rappeler à l'opinion d'aujourd'hui l'ampleur des dégâts d'alors : combien de spéculateurs ruinés se donnèrent la mort; combien de petits épargnants virent fondre en un éclair les économies de toute une vie et demeurèrent totalement démunis pour le reste de leurs jours; de quel prix la grande masse des travailleurs dut payer la note, perdant partiellement ou totalement leur emploi, contraints d'accepter des baisses draconiennes de leur salaire; et, pour couronner le tout, par quel biais les capitalistes réussirent à sauver leur position : pour eux, ce fut l'heure des règlements de comptes internes, avec pour résultat la concentration, en un nombre de mains toujours plus petit, d'un capital de plus en plus grand. Il restait à l'État de sonner l'heure du retour au protectionnisme et des grandes commandes d'armement, payées par l'accroissement de la dette publique... Si ce bilan pouvait être fait, alors on pourrait décider si Marx eut tort de voir se rapprocher les cycles jusqu'au moment où l'on ne s'en sortirait plus... Si ce n'est par une guerre mondiale. C'est à cette aune qu'il faut juger!

Au demeurant, la guerre mondiale entrait dans le « schéma » de Marx. Pas plus que Smith n'était ébloui par la grandeur future de l'Angleterre au point de ne pas voir qu'elle était déjà le théâtre d'une lutte entre les classes porteuses d'avenir, Marx n'était aveuglé par l'union des prolétaires de tous les pays au point de ne pas voir que le monde était encore le théâtre de guerres entre les nations. Certes, il arrivait à Marx, «*face à la marée romantique,* de répliquer avec *une véritable ferveur lyrique* que *la nation était une forme condamnée*» par le cours même de l'histoire moderne[*]. Mais qu'on ne s'y trompe pas, sa vigilance était extrême envers l'évolution des rapports entre les nations, et il surveillait de très près tout signe de conflit militaire.

Entendons-nous! Marx ne reniera jamais son idée initiale,

---

[*] L'un des rares compliments d'Alain Finkielkraut à Marx dans *La Défaite de la pensée, op. cit.*, p. 91.

selon laquelle les nations modernes n'étaient que des formes provisoires de regroupement de l'humanité et qu'elles devaient céder la place, tout comme le capitalisme, à une forme supérieure d'organisation. Mais cela ne veut pas dire qu'il ait oublié la question. Déjà, dans le *Manifeste*, la signification de la nation n'était pas anecdotique ; s'il pronostique aussi gaiement la disparition de la nation dans la deuxième partie, c'est au moins autant par astuce polémique que par conviction : il s'agit, dans ces quelques pages, de montrer à l'opinion bourgeoise qu'elle n'est pas en droit d'accuser les communistes de n'avoir pas de patrie, alors que le capitalisme tend, au fond, à abolir les frontières nationales au sein du marché mondial. Néanmoins, Marx n'oublie pas que, historiquement, le capitalisme se développe de manière nationale ; c'est l'objet de la première partie que de tracer le schéma de ce processus et l'on voit là que la bourgeoisie parvient au pouvoir dans le cadre de la nation. Si d'un côté, « *par l'exploitation du marché mondial, la bourgeoisie donne un caractère cosmopolite à la production et à la consommation de tous les pays* », si elle sape en l'occurrence la « base nationale » de l'industrie, elle n'y parvient de l'autre que par la « *centralisation politique** ».

En centralisant la production et en concentrant la propriété en un petit nombre de mains, elle favorise la création des marchés uniques : c'est ainsi que « *des provinces indépendantes, tout juste fédérées entre elles, ayant des intérêts, des lois, des gouvernements, des tarifs douaniers différents, ont été réunies en une seule nation, avec un seul gouvernement, une seule loi, un seul intérêt national de classe, derrière un seul cordon douanier*** ».

Ce stade, l'Allemagne, par exemple, ne l'a pas encore atteint au milieu du XIXᵉ siècle. À supposer que Marx ait jamais été tenté de négliger le cadre de la nation, il va de soi que l'échec de la révolution de 1848 le lui interdit. Car cet échec compromet l'unification de l'Allemagne sur laquelle il comptait pour voir son espoir révolutionnaire, c'est-à-dire la prise du pouvoir par la classe ouvrière, se réaliser. Or cela n'est pas négligeable. Pendant vingt ans, Marx (ainsi qu'Engels) n'aura de cesse de voir se réaliser l'unité de la nation allemande. C'était, pour lui, la condition sine qua non du développement complet du capitalisme industriel sur le continent et, par là, de la révolution prolétarienne. Et c'est pourquoi, contrairement à ce qu'on peut croire de loin, pendant vingt ans, il

---

* *Manifeste*, 1, *op. cit.*, p. 24.
** Iᴅ., *ibid.*, p. 26.

suivra « *avec une véritable ferveur lyrique* » les progrès de cette unification.

L'obstacle au développement du capitalisme, ce sont les freins imposés par la domination de la noblesse à la libre circulation des marchandises : 1) L'existence de douanes pour les faire entrer dans chaque « royaume », aussi minuscule fût-il et pour les en faire sortir. 2) L'existence des corporations, réglementant sévèrement l'emploi de la force de travail. Sur ces plans, l'Allemagne a un retard énorme par rapport à l'Angleterre et à la France, lorsque Marx entre dans la carrière. À dire vrai, elle est si émiettée, en un si grand nombre d'États, et si minuscules, qu'au sens strict, en tant que « nation », elle n'existe pas. Ses progrès, c'est à la Prusse et à Bismarck que l'Allemagne les devra. Lorsque le royaume prussien aura, à la manière du tourbillon kantien, attiré autour de son noyau, par le biais du *Zollverein* *, la plupart des petits États du Nord, lorsqu'il les aura arrachés à l'emprise de la dynastie des Habsbourg en instaurant, sous sa protection, la liberté de circulation des « marchandises », lorsqu'il aura libéré de ses chaînes la marchandise force de travail en abolissant la « propriété » seigneuriale sur les serfs et (ce qui ne sera pas le plus aisé) les privilèges des corporations urbaines, lorsqu'il aura affronté, les armes à la main, l'Autriche pour en finir avec son joug, il sera alors en mesure d'attirer la Bavière et la Rhénanie dans son giron, de leur faire envier son « cordon douanier » et de leur faire signer un pacte pour l'unification nationale. Enfin il sera en mesure d'imposer à la « nation » française sa reconnaissance comme nation.

L'échéance arrive en 1866, quand Bismarck lance von Moltke contre von Benedek. Croit-on Marx totalement absorbé par son rêve d'un prolétariat qui mépriserait les frontières nationales ? La victoire de la Prusse sur l'Autriche aurait dû provoquer la riposte immédiate de la France bonapartiste (tout le monde s'y attendait alors) : quand « la » France attaque enfin, après quatre ans d'hésitation, croit-on que les écailles lui tombent des yeux et qu'il découvre dans les journaux qu'il existe une nation allemande ** ?

Encore est-ce trop peu de dire que Marx misait sur l'Allemagne. Si l'on veut vraiment lui rendre justice, il faut cesser de croire – et

---

* « Union douanière », signée le 1er mai 1834.
** Indiquons tout de même des textes qui défient toute cécité : les *Adresses du Conseil général de l'Internationale sur la guerre franco-allemande*, rédigées successivement en juillet et en septembre 1870 ! in *La guerre civile en France*, Éd. sociales, 1972, p. 187.

de faire croire – qu'il n'avait pas prévu la révolution en Russie. Quoi qu'en disent aujourd'hui les ignorants, c'est de là qu'il attendait l'impulsion. De Londres, où il présidait depuis 1864 aux destinées du Conseil général de l'Internationale, Marx suivait de très près l'évolution de la situation en Russie. Percevant depuis toujours le tsarisme comme le *gendarme de l'Europe*, il ne croyait pas aux chances d'une révolution en Europe tant que le pouvoir du tsar ne serait pas ébranlé. C'est pourquoi, en 1871, lorsque la Commune éclata en France, il considéra la tentative d'en finir avec l'ordre bourgeois comme prématurée. Et, tandis qu'on lui imputait de partout la responsabilité de l'insurrection, au moment même où la répression versaillaise s'abattait sur Paris grâce à la connivence de l'armée allemande, il se prenait, lui, à espérer un soulèvement à court terme en Russie : « *En Russie même, des forces sociales volcaniques menacent de secouer les bases les plus profondes de l'autocratie* *. » Marx souhaitait bien entendu que l'Europe tout entière devînt socialiste, mais il avait acquis la conviction que l'affaire commencerait en Russie **.

Sur ce plan, plus que sur aucun autre, il convient d'évoquer la lucidité de son alter ego, Friedrich Engels. On a souvent dit que, sans Engels, Marx n'aurait pu rédiger *Le Capital*. Et c'est juste. De deux ans son cadet, Engels, fils d'un fabricant établi à Manchester, s'était penché beaucoup plus tôt que Marx sur la condition ouvrière. À Paris, à Bruxelles, à Cologne et enfin à Londres, c'est sans conteste grâce à lui que Marx perçut l'importance décisive de l'économie politique dans toute tentative pour bannir la misère, la pénurie et l'injustice de la surface de la Terre; on le sait, c'est Engels qui encouragea par tous les moyens le labeur théorique de son ami. Ce qu'on sait moins, c'est qu'Engels était un observateur remarquable de la scène internationale. Bon connaisseur de Clausewitz, c'était un fin stratège, qui suivait au jour le jour l'évolution des conflits de tout ordre entre les nations et entre les classes. Ainsi, dès le lendemain de la guerre franco-allemande, et sitôt après l'écrasement de la Commune, il affirme que le tsar a besoin d'une guerre de conquête pour rétablir le calme à domicile, mais, qu'en cas d'échec, sa situation sera pire que jamais. En 1875, il rappelle que le tsar demeure « *l'arbitre de l'Europe : Aucune révolution ne pourra triompher définitivement*

---

* « 2ᵉ adresse du Conseil général sur la guerre franco-allemande », in *La guerre civile en France*, Paris, Éditions sociales, p. 187.
** Pour s'en convaincre, il suffit d'étudier le recueil *La Russie*, Paris, U.G.E., 1974.

en Europe occidentale, tant que subsistera à côté d'elle l'actuel État russe*». Or, explique Engels, c'est l'Allemagne, «*qui aura à supporter le premier choc des armées russes de la réaction*»; d'où il conclut que «*la chute de l'État tsariste (...) est l'une des conditions premières de la victoire finale du prolétariat allemand*». Cette chute, tout conflit de la Russie avec une puissance étrangère est susceptible de la freiner, car une victoire du tsar apaiserait le mécontentement de toutes les couches du peuple et resserrerait les rangs de la «nation». Mais, en même temps, elle risque de la précipiter, pour peu qu'elle mette en branle des alliances fatales, car un échec militaire rendrait le tsar incapable de contenir l' «explosion». En septembre 1877, Engels se laisse aller à l'optimisme : «*La révolution commencera cette fois à l'Est*», écrit-il à F.A. Sorge, «*là où se trouvaient jusqu'ici le rempart inviolé et l'armée de réserve de la contre-révolution***.» Optimisme démesuré? Sait-on que ce schéma fut à deux doigts de se réaliser?

Nous avons aujourd'hui l'impression que rien ne compte dans l'histoire des nations que nos deux guerres mondiales du siècle. Dans la mesure où la première a éclaté en 1914, il ne nous vient pas à l'esprit qu'elle ait pu menacer plus tôt la paix établie en Europe. De la guerre franco-allemande de 1870 à la Première Guerre mondiale, nous ne percevons qu'un grand vide sur la scène internationale. Or c'est une erreur profonde, car il s'en fallut de très peu que la guerre n'éclatât bien avant, et ce, dès 1875! Même collective, la mémoire est courte. Les Français ne songent plus un instant qu'après avoir perdu la guerre de 1870 la France fut sur le point de subir une seconde défaite encore plus cinglante***. Et surtout, que la guerre mondiale était imminente. Pourtant, les faits sont là. Engels, lui, est affirmatif : tôt ou tard, la guerre est inévitable. Cette opinion, le Conseil général de l'Internationale la formulait dès le 10 septembre 1870, alors que la France venait de perdre la guerre! Et pour cause : si la tension croît en Europe et si la paix est si fragile, ce n'est pas seulement à l'Ouest, mais c'est bien plus encore à l'Est. Si la guerre est inévitable, ce n'est pas parce que la France peut de nouveau la provoquer, c'est parce que la Russie la veut.

Le Conseil rappelait déjà que le tsar avait misé sur une guerre longue et épuisante entre la France et l'Allemagne : quel dépit dut

---

* Engels, «Problèmes sociaux de la Russie», article du *Volkstaat* du 16 avril 1875 reproduit dans *La Russie*, 10/18, p. 237.

** Engels, lettre à F.A. Sorge, le 27 septembre 1877, in *La Russie*, p. 223.

*** C'est l'épisode fameux de la *Krieg-in-Sicht*, la «guerre en vue», en 1875.

être le sien, en voyant l'Allemagne ne faire qu'une bouchée de la France! Car, d'un coup, émergeait en Europe une Allemagne unie et puissante, ce qui heurtait de plein fouet sa politique séculaire sur le continent. Inévitablement, affirmait le Conseil, il faudra en passer par les armes pour décider, du *Kaiser* ou du tsar, qui devait faire la loi en Europe. Quand aura lieu l'affrontement? Engels révèle, début mars 1874, un plan de guerre déjà achevé à Berlin (y compris le plan de campagne) pour lancer l'assaut sur Moscou! Un plan de 1872, selon lequel, on le voit, Bismarck s'apprêtait à prendre les devants[*]! Il faut croire qu'il y avait renoncé, mais pour combien de temps encore? Et, s'il ne prenait pas l'initiative, ne risquait-il pas de la perdre? La France ne finirait-elle pas par s'allier avec la Russie lorsqu'elle serait suffisamment forte?

La décision de l'affrontement, c'était, selon Engels, par ailleurs qu'elle devait passer : par le biais de l'attaque que préparait le sus-dit tsar de Russie contre le vieil Empire turc. Autant la guerre franco-allemande et la guerre germano-russe étaient inévitables à terme, autant la guerre russo-turque était imminente : le tsar avait tout préparé et allait donner le signal. Cette attaque, Engels la déduit du renouvellement de l'Alliance entre les trois empereurs[**]. De cette valse diplomatique, Engels tire la conviction que la guerre est à l'ordre du jour : Alexandre est venu chercher des garanties auprès de ses « alliés » naturels, c'est-à-dire les a priés de le laisser libre d'agir...

Pourquoi les Turcs? dira-t-on peut-être. À l'époque, cette question eût fait sourire, car personne n'ignorait alors que le tsar de toutes les Russies convoitait Constantinople. Constantinople était, pour les Russes, ce que Jérusalem fut pour les chrétiens : il fallait la reconquérir pour chasser les infidèles des Lieux saints! Peut-être, dira-t-on encore, qu'une telle guerre ne pouvait être si dramatique... Que les Russes affrontent les Turcs à l'extrémité de l'Europe, en quoi cela pouvait-il mener à une guerre mondiale? Qu'on jette plutôt un coup d'œil sur une carte de la région (en tenant compte des positions anglaises aux Indes)! Il se trouve que le détroit des Dardanelles ouvre l'accès d'un côté aux Indes et de l'autre en Méditerranée... En ce temps-là, l'Angleterre ne pouvait se faire aucune illusion sur les intentions du tsar; or voir les

---

[*] « Sur la loi militaire du Reich », Marx-Engels, *Werke*, tome XVIII, p. 512-515.

[**] Ceux de Russie, d'Autriche et d'Allemagne. La rencontre a lieu en septembre 1872 à Berlin. Bien sûr, il suit aussi de très près le déplacement des troupes et autres préparatifs, tels que les journaux les rapportent.

Russes commander les détroits, c'était pour eux tout à fait intolérable. Quant à l'Autriche, qu'en serait-il si les Turcs étaient chassés des Balkans? Ils ne pourraient, eux-mêmes, conserver bien longtemps leur emprise sur leurs peuples slaves : l'offensive russe était donc de leur point de vue tout aussi inadmissible.

Autant dire que l'attaque russe sur Constantinople allait créer une situation explosive : les Anglais s'y opposeraient ainsi que les Autrichiens; mais les Français la soutiendraient et cela suffisait déjà pour faire naître un conflit mondial. Que ferait l'Empire allemand? S'il laissait les mains libres aux Russes, il risquait de laisser passer l'occasion de les abattre une bonne fois pour toutes; mais, s'il se lançait dans la guerre, il découvrait sa frontière française... On le voit, la situation telle qu'Engels nous la présente n'avait rien de très réjouissant. « Vue de l'esprit! » dira-t-on enfin. « Rien de tel ne s'est alors passé. » C'est oublier qu'en juillet 1875 une flotte russe se concentrait sur la Caspienne, qu'une insurrection slave éclatait en Bosnie et en Herzégovine, qu'un an plus tard la Serbie se déclarait en guerre et que, pour « défendre » ses frères chrétiens, la Russie, le 24 avril 1877, déclarait la guerre à la Turquie...

X

Totalitarismes

C'est un fait : le « prolétariat » n'a pas pris le pouvoir là où
Marx le souhaitait. Et, là où il le prit, le rêve tourna au cauchemar... Si l'on en croit les aventures de la pensée narrées par Alain
Finkielkraut, on peut interpréter cela comme une victoire du
Volksgeist. On s'en souvient, le *Volksgeist,* ou « esprit du
peuple », serait né en Allemagne à la fin du XVIIIe siècle avec le
Sturm und Drang sous l'égide de Herder. Non content de devenir
prédominant sous Bismarck au XIXe siècle, il va faire des ravages
avec Hitler au XXe ; vaincu par les armes lourdes de la coalition
démocratico-soviétique lors de la Seconde Guerre mondiale, il a
néanmoins fini par gagner insidieusement le monde occidental
tout entier par le biais de la sous-culture. Mais, avant d'en arriver
là, n'est-ce pas lui qui souffle sur les travailleurs de tous les pays
en 1914 ? N'est-ce pas ce *Geist* qui pousse le peuple allemand,
donc le prolétariat lui-même, à prendre les armes contre les autres
peuples ? Car, lorsque la guerre éclate, celle que Marx avait
annoncée, son parti se range derrière le drapeau de la grande
nation allemande ! Au Reichstag, les députés sociaux-démocrates,
au lieu de respecter leur mandat (qui les engageait à tout faire
pour empêcher la guerre), votent pour l'affrontement avec la Russie et la France[*] ! Un siècle après Goethe, Marx n'a-t-il pas été
défait à son tour par le *Volksgeist* ?
   L'idée peut séduire un instant. D'autant que la défaite militaire
de l'Allemagne ne brise pas l'élan de cet esprit, capable, tel Protée,

---

[*] Cf. Trotski, *La Guerre et la Révolution (1922-1924),* Paris, Éditions Tête de
feuilles, 1974. Voir en particulier dans le tome 1, au chapitre 3 : « Le naufrage de
la IIe Internationale », pp. 93-103.

de prendre toutes les formes, et surtout les plus monstrueuses. Délaissant la démocratie, la fraternité et la raison, le « peuple » italien choisit bientôt une voie belliqueuse, quadrillé par les « faisceaux » du Duce. Dans le même temps, le « peuple » russe s'octroie la suprématie sur toutes les autres nations de l'Union dite « soviétique » : son chef, Djougachvili, dit Staline, devient en quelques années le « petit père des peuples ». On entre alors dans les années trente...

Mais séduire un instant n'est pas une performance bien pertinente. L'esprit qui souffle sur l'Allemagne à l'époque de Goethe, au début du XIXe siècle, est si hésitant, si orageux, si contradictoire! Bien malin qui peut le nommer d'un seul souffle! En revanche, c'est beaucoup plus facile pour les décennies qui suivent. C'est le libéralisme économique qui a le vent en poupe, et c'est lui qui fait de l'Allemagne une nation, protégée par un seul cordon douanier et ouverte à la finance internationale. Ce n'est pas le *Volksgeist* qui pousse les Allemands dans les bras de Bismarck, mais les preuves d'efficacité qu'a données la Prusse en liquidant la première les obstacles féodaux à la liberté de circulation des marchandises, des hommes et des capitaux! Si l'on tient à parler d'esprit, ce n'est pas de ce soi-disant « esprit du peuple » qu'il faut parler, mais, au sens très classique du terme, de l'esprit d'entreprise.

Dès lors, ce qui est en cause, dans la suite des événements, c'est lui. S'il est vrai que le rêve de Marx ne s'est pas réalisé, et si le *Volksgeist* n'est pas le moteur de l'histoire, quelle cause faut-il attribuer aux horreurs qu'a connues notre siècle si ce n'est la puissance de cet « esprit »-là? Si l'affrontement entre la Russie, l'Allemagne et la France a eu lieu en 1914, si le monde occidental a connu un nouveau krach en 1929, et si, après une militarisation de l'appareil de production plus frénétique encore qu'au cours de la Grande Dépression du XIXe siècle, la Seconde Guerre mondiale a éclaté, n'est-ce pas que « *la même force continuait d'agir dans le même sens* »? N'est-ce pas que le capitalisme ne pouvait résoudre sa crise que par une crise plus grave encore? Faute d'avoir été maîtrisée par une force supérieure, n'est-ce pas la loi du profit qui s'est imposée de façon effroyable?

Si l'on y réfléchit, il se pourrait que rien n'ait pu éviter les horreurs déclenchées en 1914, si ce n'est la substitution de la loi du « travail » à celle du « capital ». Le capital pouvait différer l'affrontement, mais il en avait besoin. Il était programmé pour cette « solution ». Il en avait besoin pour sortir de la Grande

Dépression. De ce point de vue, la catastrophe était fatale. Mais, pour peu qu'ils aient eu le temps de resserrer leurs rangs par-dessus les frontières, les travailleurs auraient pu l'éviter. Du moins est-ce la raison pour laquelle, à coup sûr, vers 1877-1878, Marx et Engels craignaient le déclenchement de la guerre. C'était pour eux une hantise que de voir la guerre éclater *avant que le prolétariat ne fût assez fort*, sinon pour l'empêcher, du moins pour en limiter les conséquences. En février 1877, juste avant que le tsar ne lance ses troupes sur Constantinople, le succès du parti social-démocrate aux élections législatives prouve à leurs yeux que la classe ouvrière est dans la bonne voie : « *Encore quelques années de progrès de ce genre* », écrit Engels dans *La Plèbe*, « *et la réserve et le Landwehr, soit les trois quarts de l'armée de guerre, seront avec nous...* » Sait-on pourquoi Engels se réjouit tant de cette perspective ? Parce que cela « *permettra de désorganiser totalement le système officiel et de rendre impossible toute guerre offensive* * »! Engels et Marx ne souhaitaient alors rien d'autre que la paix entre les... « nations ».

Mesure-t-on ce que cela signifie ? Dans le même article, Engels répond à tous ceux qui reprochent au parti allemand de ne pas précipiter les événements en faisant « *immédiatement la révolution* » : le crédit moral des socialistes dans les masses est tel, depuis que la crise se développe, que la chose peut en effet être envisagée. Mais quelles seraient les chances de vaincre ? Engels répond qu'elles sont encore trop faibles, car le Parti ne dispose encore que de « *six cent mille suffrages sur cinq millions et demi* » et que, dans ces conditions, le plus probable serait la défaite et la ruine du mouvement. Quelle conclusion faut-il en tirer, si ce n'est que, au contraire de leurs jeunes années, Marx et Engels n'avaient pas hâte, au lendemain du krach de Vienne, de voir la révolution éclater ? Du calme ! De la patience ! Voilà ce qu'ils conseillent aux travailleurs, malgré la crise et les dégâts qu'elle provoque...

Ce calme et cette patience étaient d'autant plus nécessaires que la répression frappait avec une violence croissante le mouvement ouvrier allemand. En 1878, la guerre entre la Russie et l'Angleterre fut évitée de justesse, grâce à Bismarck, qui, au terme de négociations menées de main de maître au congrès de Berlin, parvint à convaincre le tsar qu'il avait tout à perdre s'il restait sur ses positions (c'est-à-dire tout près de Constantinople). Mais, dans le même temps, le *Kanzler* frappa un grand coup contre les socia-

---

* Cf. le recueil de textes de Marx et d'Engels, sur *La Social-démocratie allemande*, Paris, U.G.E., 10/18, 1975, p. 89.

listes allemands : le parti social-démocrate fut interdit ! Sous le fallacieux prétexte d'attentats à répétition contre la personne de l'empereur, il fut interdit aux socialistes de se réunir, de publier des journaux, de diffuser des tracts, bref, de se manifester de quelconque manière sous leur drapeau et avec leur programme. Compte tenu du dynamisme de la propagande des sociaux-démocrates, cette loi d'exception fut appliquée avec une diligence extrême et donna lieu, dans la plupart des grandes villes industrielles, comme Leipzig et Berlin, à un véritable « état de siège ». Elle fut prorogée à plusieurs reprises, si bien que le « parti » de Marx fut privé de toute liberté d'action jusqu'en 1890 [*] ! C'est ainsi, moyennant quelque compensation financière à l'égard de la Russie pour qu'elle fasse refluer ses troupes (quitte à laisser les « frères » slaves en butte à la revanche turque) et une législation très progressiste envers les travailleurs (assurance-maladie, assurance-vieillesse), que la situation se « stabilisa », aussi bien entre les classes qu'entre les nations.

Cela réfute-t-il le pronostic de Marx ? Selon lui, le seul moyen d'en finir avec les crises (et avec leur « solution », c'est-à-dire la guerre) était d'exproprier le capital à l'échelle mondiale. À ses yeux, le capitalisme n'était pas sans mérite, puisqu'il avait permis à l'histoire humaine d'entrer dans une phase où l'abondance devenait possible et que, de surcroît, ce système avait créé les conditions de son dépassement en mondialisant déjà dans son cours les forces productives à une telle échelle que le cadre national devenait une entrave à tout progrès historique. Qu'on ne se hâte donc pas de mépriser les prévisions de Marx et d'Engels au nom du fait que la révolution n'a pas eu lieu après la guerre. Mieux vaut plutôt se demander si, en effet, tant qu'elle n'a pas lieu, la guerre ne demeure pas suspendue au-dessus de la vie des nations comme l'épée de Damoclès.

Dans leur scénario, la révolution en Russie ne pouvait être qu'un prélude à la révolution en Europe ! À leurs yeux, il était absurde de croire que cette révolution pourrait, d'une quelconque manière, permettre l'instauration du « socialisme » en Russie, puisque socialisme impliquait collectivisation des forces productives dans les pays où le capital avait déjà fait son « travail ». Ils comptaient sur la révolution russe *non pas pour instaurer le socialisme en Russie*, mais pour libérer la classe ouvrière allemande de

---

[*] Cf. un gros album (hélas, non disponible en français), *Das Sozialistengesetz* (la loi d'exception contre les socialistes), ainsi que les débats du Reichstag (de l'année 1878 en particulier).

son « gendarme » et lui permettre d'en découdre librement avec le Reich. Répondant au désir de l'impératrice allemande d'en savoir plus sur Marx, dont le nom avait été sans cesse évoqué dans les débats au Reichstag et dans la presse lors de l'adoption de la loi d'exception contre les socialistes, un aristocrate anglais, sir Mounstuart Elphinstone Grant Duff, saisit l'occasion d'un déjeuner londonien pour faire sa connaissance. Dès le lendemain, il faisait son rapport dans une lettre adressée à Sa Majesté, résumant ainsi l'essentiel des propos du redoutable chef du mouvement ouvrier : « *Il attend, non sans raison, un bouleversement dans un assez proche avenir en Russie, et pense que cela commencera par des réformes venues d'en haut, qui n'empêcheront pas le vieil édifice de courir à sa ruine et le conduiront à sa destruction complète. Ce qui surgira à sa place, cela n'est pas très clair, mais ce qui est sûr, c'est que la Russie ne sera plus en état d'exercer la moindre influence sur l'Europe pendant longtemps.* » À l'évidence, cela suffit à son bonheur. Duff poursuit en effet : « *Ensuite, pense-t-il, le mouvement s'étendra à l'Allemagne pour se transformer en révolte contre le système militariste qui y règne* [*]. » De la révolution russe, il n'attendait donc bel et bien que l'impulsion pour la révolution allemande...

La révolution eut lieu en Russie comme prévu, mais elle n'eut pas lieu en Allemagne. On peut se contenter de constater que leur « schéma » n'a pas été respecté et que leur pronostic a été défait, comme c'est devenu l'usage. Mais c'est avoir la vue bien courte. En rester là, c'est ne pas voir qu'à défaut de se soumettre aux forces révolutionnaires l'Europe resterait la proie du bellicisme. Mis à part les « travailleurs de tous les pays », qui pouvait empêcher le déchaînement sans entraves de la guerre sur des décennies ? Sir Mounstuart Elphinstone Grant Duff soupçonnait cette alternative. Il tenait Marx pour un « rêveur », mais il reconnaissait sa perspicacité sur un point : le danger qui guettait les dynasties régnantes de s'enfoncer dans l'impasse de la course aux armements. Aussi conclut-il : « *Votre Majesté impériale aura ainsi un petit aperçu de la manière dont [Marx] voit l'avenir de l'Europe. Il est trop rêveur pour être dangereux, à ceci près que la situation avec ses folles dépenses d'armement, est incontestablement dangereuse* [**]. » Et il ne put s'empêcher d'ajouter : « *Si les maîtres de l'Europe n'ont pas trouvé dans les dix années qui*

---

[*] Traduction personnelle, lettre du 1er février 1879 à l'impératrice Friedrich [sic] von Deutschland, in *Gespräche mit Marx und Engels, op. cit.*, p. 505.
[**] Id., *ibid.*, p. 507.

viennent le moyen d'en finir avec ce fléau, sans tenir aucun compte de l'avertissement des révolutionnaires, je finirai quant à moi par désespérer de l'avenir de l'humanité, surtout dans cette partie du monde. » Entre deux maux, la révolution et la guerre, le noble ami anglais de l'impératrice d'Allemagne refusait de choisir, mais il reconnaissait que l'avenir était sombre.

Il ne suffit pas de constater que les travailleurs ne prirent pas le pouvoir en Allemagne. Il faut encore savoir pourquoi, puis en mesurer les conséquences. Car le sort du xxᵉ siècle tout entier s'est peut-être joué là, dans ce rendez-vous manqué d'une génération de militants révolutionnaires avec l'Histoire. Car, enfin, comment ne pas constater que *cette* défaite entraîna toutes les générations suivantes dans un cortège de calamités dont la guerre de 1914-1918 ne fut qu'un modeste « prélude » ?

Reprenons brièvement le film des événements. Comme prévu, le carnage sans précédent de la guerre mondiale provoqua une vague révolutionnaire dans tous les pays d'Europe. Et, comme prévu, c'est en Russie que la révolution commença. Mais le relais ne vint pas. Pourquoi ? Parce que c'était écrit ? ou parce que le parti social-démocrate allemand ne saisit pas sa chance ? Qu'on s'y arrête un instant, et l'on verra la direction du parti temporiser puis saborder systématiquement l'élan révolutionnaire en Allemagne. Aussi aberrant que cela paraisse, il est difficile de ne pas imputer à l'état-major social-démocrate une responsabilité colossale dans ce qui passe pour une « erreur de pronostic » de Marx, tant dans le destin de la Russie des soviets que dans celui de la république de Weimar. En effet, si l'on garde à l'esprit la stratégie préconisée par Marx et Engels quelques années auparavant (transformer la guerre que provoquerait la Russie en révolution à l'échelle de l'Europe), on est ébahi de voir que les chefs du Parti ouvrier allemand, après avoir renié leur engagement (refuser de soutenir tout déclenchement des hostilités) en cautionnant l'adoption des crédits de guerre au Parlement en 1914, non contents de ne faire aucun usage révolutionnaire de *la majorité* dont ils disposaient au Reichstag en 1919, contribuèrent de surcroît à noyer dans le sang tout mouvement d'insurrection[*].

Dès lors, le destin de la Russie était scellé. Isolée par la guerre des blancs, coupée de son prolongement naturel en Allemagne, que pouvait la révolution russe ? Elle était condamnée d'avance à « attendre » que la situation se clarifie en Allemagne et dans le

---

[*] Cf. Pierre Broué, *La Révolution allemande,* Paris, Éditions de Minuit, 1972.

reste de l'Europe. Victorieuse militairement mais totalement épuisée, la « révolution bolchevique » ne pouvait que dégénérer. L'instauration du socialisme en Russie ayant pour condition la révolution en Europe, il est évident que plus cette période d'attente durait, moins il devenait possible de « construire le socialisme ». À l'instar de la révolution de 1792, compte tenu de l'élimination sur le champ de bataille des hommes les plus vaillants et les plus désintéressés, de la pénurie provoquée par la guerre et par le blocus des États occidentaux, la « dictature du prolétariat » en Russie avait toutes chances de n'engendrer qu'une nouvelle Terreur, avant de laisser le champ libre... à une nouvelle Restauration.

On s'explique alors la prise du pouvoir par Staline. À partir du moment où s'éloigna la perspective de la révolution en Allemagne, la situation devint absurde : les soviets avaient eu la force de refouler l'agression militaire des nations coalisées, mais la plupart étaient exsangues, et le pays était à bout de forces. Si Staline devint le monstre qu'on dénonça bientôt, c'est parce qu'il assuma l'absurdité de la situation[*].

Présenter sa politique comme un réajustement justifié tant sur le plan théorique que pratique face à la « persistance » des nations[**], cela peut paraître tenir du bon sens, mais c'est cautionner une absurdité. Quoi de plus aberrant que cette tentative de faire naître un monde nouveau dans de telles conditions ? Quoi de plus monstrueux que ce régime, auquel l'avortement de la révolution allemande donne naissance en Russie ? Peut-on même parler de naissance ? Comment qualifier le « pragmatisme » de Staline, si ce n'est d'aberration historique ? Entre-temps, tandis que la répression s'abat sur Trotski, sur Zinoviev, sur Kamenev et sur tous les vieux bolcheviques, tous les rescapés du tsarisme ont pris leur carte du Parti, et ce sont ces gens-là qui instaurent sur des millions d'hommes, en attendant des « jours meilleurs », l'une des plus sanglantes dictatures de l'Histoire – le tout, comme il se doit, au nom de Marx !

Côté allemand, ce n'est pas mieux. La social-démocratie va payer très cher sa trahison. Directement responsable de l'accession de Staline au pouvoir en U.R.S.S., elle l'est indirectement de celle d'Hitler dans son propre pays. En effet, de même qu'il n'y

---

[*] Cf. Léon Trotski, *La Révolution trahie*, Paris, Éditions de Minuit, 1963. Voir en particulier « Le Thermidor soviétique », et en appendice « Le Socialisme dans un seul pays ».

[**] Alain Finkielkraut, *La Défaite de la pensée, op. cit.*, p. 91.

aurait pas eu de stalinisme si la révolution avait été victorieuse en Allemagne, sans Staline, il n'y aurait pas eu victoire du nazisme. C'est grâce à Staline qu'Hitler s'empara du pouvoir dans les années trente. Ce raccourci peut choquer. On me permettra donc un bref rappel. Le national-socialisme s'est nourri – on trouve cela dans les manuels d'histoire – de la rancune née en Allemagne de la défaite de 1918. Ce qu'on ne trouve pas dans les manuels, ou rarement, c'est que cette défaite était la sanction infligée par les nations concurrentes aux prétentions de l'Allemagne à prendre une place hégémonique sur le « marché mondial » en violant quelque peu les instructions d'Adam Smith, c'est-à-dire en misant par trop sur la force. Cette défaite fut donc avant tout une défaite de la grande bourgeoisie allemande. Croit-on que cette bourgeoisie comprit enfin la leçon ? Qu'elle fit amende honorable ? Qu'elle promit de rester bien calme ? Il va de soi qu'elle était anémiée et qu'elle aurait sans doute succombé, si l'état-major socialiste ne l'avait ménagée, au point de sacrifier une partie de ses troupes... Mais, dès qu'il fut à sa portée de reprendre l'initiative, croit-on qu'elle s'en dispensa ? Par son caractère national, le nazisme lui convenait. Or on ne peut pas ignorer qu'Hitler était *avant tout* candidat à la destruction du mouvement ouvrier[*]. Bismarck avait neutralisé les socialistes, son combat, à lui, c'était de les *détruire*. Le nom russe de son ennemi était le « bolchevisme », mais son nom allemand était « marxisme ». Il fallait en finir avec ce virus et redonner à l'ouvrier allemand le goût du travail pour la patrie – ce qui s'accordait à merveille avec ce que souhaitaient de leur côté MM. Krupp et consorts. Aussi financèrent-ils volontiers un parti si prometteur...

Il reste à savoir si cette alliance de fortune entre un aventurier autrichien et les marchands de canons allemands eût réussi *par ses propres forces* à atteindre ses objectifs. On le suppose, généralement, comme si la victoire d'Hitler allait de soi (retour aux manuels). Or, même si l'on évoque le krach de Wall Street (ce qu'il convient assurément de faire pour expliquer l'influence du nazisme sur le « peuple » allemand), on ne prouverait en aucune façon que ce qui est arrivé *devait* arriver. Car la crise de 1929 poussa au moins autant de membres de la « nation » allemande dans les bras des partis ouvriers que dans ceux des nazis. Ce qui explique le succès du N.S.D.A.P., ce n'est pas tant son impact en

---

[*] *Mein Kampf* expose ce programme dès 1924.

bas de l'échelle sociale, conjugué à ses soutiens dans les hautes sphères, que la division de ses ennemis.

Malgré ses succès dans la rue et dans les meetings, malgré son « influence sur les masses », malgré le choix en sa faveur fait par les classes dirigeantes, il n'aurait probablement pas pu l'emporter si les rangs ouvriers n'avaient été divisés. Cette division avait quelque raison d'être : les communistes allemands pouvaient reprocher, à juste titre, aux socialistes de leur pays des « trahisons » à répétition (1914, 1919, 1924!); les socialistes allemands pouvaient reprocher, à juste titre, aux communistes de soutenir la dictature stalinienne. Mais la majorité des ouvriers et des militants aspirait à l'unité, car ils connaissaient leur véritable ennemi : le « grand capital » et son bras armé, les troupes paramilitaires nazies. Or s'en souvient-on? Dans l'état-major du parti communiste allemand, la communication fut brouillée en haut lieu. On donna ordre aux militants de considérer *non pas les nazis*, mais les socialistes comme leur ennemi n° 1, on paralysa l'unité de combat du mouvement ouvrier, on élimina systématiquement ceux qui refusaient une telle aberration...

On l'ignore, ou l'on ne s'en souvient plus. Je me permets de rappeler que la direction du parti communiste allemand, en la personne de Thaelman, intima l'ordre à ses « camarades » de refuser toute collaboration avec les membres de l'autre parti ouvrier! Était exclu quiconque passait outre la consigne. Quel désarroi, alors, dans le parti, quelle déconvenue, et quel temps perdu au moment le plus important. Comment commettre plus grosse bévue? Mais était-ce bien une bévue? Si l'on enquête un instant sur cette fatale prise de position, on remonte très facilement jusqu'à... Staline. Car c'était Staline, le vrai « patron ». C'était lui le seul maître à bord. C'est lui qui commandait en personne tous les partis communistes par l'entremise de la IIIᵉ Internationale, véritable « courroie de trannsmission » des ordres venus du Kremlin! Les historiens de cette période finiront bien par le faire savoir dans leurs manuels : c'est Staline qui a donné ordre à la section allemande de l'Internationale, à savoir au parti communiste allemand, de ne pas s'allier aux sociaux-démocrates pour combattre Hitler! Qu'on songe à la paralysie dans les rangs ouvriers au moment où Hitler devient le *Kanzler*! Qu'on songe à cette incroyable *défaite sans combat* (inexplicable autrement, tant la volonté d'en découdre avec les nazis était forte), à cette cascade d'assassinats de dirigeants ouvriers (sans distinction d'étiquette), à ces camps de concentration improvisés où se sont laissé parquer les milliers de cadres politiques et syndicaux (hébétés) de la classe ouvrière, et l'on comprendra peut-être l'aide prodigieuse que reçut Hitler de Staline.

On connaît la suite. Impressionnés par l'aptitude du régime nazi à régler la question ouvrière, les démocrates laissèrent le IIIe Reich s'armer jusqu'aux dents, s'annexer l'Autriche et bientôt la Tchécoslovaquie. Personne ne fut donc vraiment surpris par l'éclatement de la Seconde Guerre mondiale *. Mais n'est-il pas temps, aujourd'hui, de faire les comptes? Clouer le spectre d'Hitler au pilori ne suffit pas. Il ne l'a pas emporté seul, et ce n'est pas par folie qu'il s'est lancé à la conquête de l'Europe. Toute son aventure s'inscrit dans la branche de l'alternative que Marx voulait conjurer en empêchant le système d'aller au bout de sa logique belliciste. Se gausser des « erreurs » de pronostic de Marx, c'est non seulement ne pas lui rendre justice, mais c'est encore se dispenser de l'examen des conséquences qu'a eues pour l'Europe, et pour le monde entier, le fait que son option n'ait pas été appliquée. Faute de réaliser le rêve de Marx en Allemagne, le xxe siècle tourna au cauchemar. Nos grands-parents puis nos parents l'ont vécu. Tous ont joué un rôle, ne fût-ce que de figurant, dans ce film d'horreur.

Si la finalité du capitalisme est véritablement le plus grand bien-être du plus grand nombre, il est à craindre que les moyens qu'il met en œuvre n'entrent irrévocablement en contradiction avec ses fins. Qu'on admette du moins que, pour parvenir au bien-être et à la prospérité de tous, il y avait un scénario plus simple! Beaucoup plus simple. Certes, il supposait d'en finir avec la logique de guerre qu'implique la loi du profit. Néanmoins, n'eût-il pas mieux valu en finir avec elle à temps? Dans le sillage de la révolution russe, nos aïeux disposaient d'une chance véritable de devenir collectivement maîtres de leur destin au lieu de continuer à en être pour la plupart les victimes. Le rendez-vous une fois raté, Staline permit à Hitler de mettre au pas la nation allemande et de mener à son terme la préparation d'un nouvel affrontement militaire, rendu nécessaire par une nouvelle dépression sur le marché mondial.

D'ailleurs, les comptes ne doivent pas s'arrêter là. Car l'histoire continue de mal tourner. Cela passe par des aberrations tout aussi déplorables. Après l'affrontement, Staline permit aux démocraties chancelantes de retrouver quelque légitimité. En effet, Hitler

---

* Ici, le témoignage et les analyses de Trotski prennent toute leur importance : cf. *Guerre et paix*, dans le tome XXIII de ses *Œuvres*.

vaincu, la monstruosité du régime « communiste » donnait au libéralisme une nouvelle chance de redorer son blason, en faisant oublier les calamités qu'il engendre. Toutes les pistes pour accéder à un monde meilleur étaient brouillées. Les adversaires du totalitarisme purent mettre au profit du capitalisme la défiance qu'inspirait la révolution. En acceptant de partager le monde à Yalta, Staline autorisa les Alliés à faire passer pour « socialiste » le camp de sa dictature : une aubaine pour tous ceux que hantait le spectre du communisme. Comme si le socialisme était possible dans une partie du monde, c'est-à-dire à une échelle inférieure à celle du marché mondial! Le capitalisme a trouvé naturellement son compte dans cette confusion malhonnête qui consiste à présenter le camp de l'Est comme socialisme réalisé. Car il pouvait se présenter comme le seul moyen d'éviter la dérive totalitaire dont, comme « les faits l'ont prouvé », le socialisme n'était qu'une variante.

Ainsi, malgré le pronostic de Marx, le capitalisme a survécu. Mais dans quelles circonstances, et à quel prix! Et pour offrir quelle perspective? Après guerre, les débouchés étaient tout trouvés, puisque l'Europe était en ruine – et une partie de l'Asie en cendres. L'optimisme pouvait donc renaître. Mais pour combien de temps? Avec des moyens de production d'une puissance inégalée, quelques décennies ont suffi pour que l'offre dépasse de nouveau la demande. Le marché mondial ne pouvant absorber qu'une part limitée de la production, déterminée non seulement par la demande potentielle (le nombre de consommateurs), mais aussi et surtout par la demande solvable (le pouvoir d'achat des entrepreneurs et des salariés), l'endettement des États riches et celui des nations pauvres atteignent des sommets vertigineux, tandis que des masses considérables de capitaux en mal d'investissement « flottent » au-dessus des places financières, ce qui provoque une spéculation de plus en plus périlleuse... Après s'être offert une guerre plus mondiale encore que la précédente et beaucoup plus destructive, le système a joui d'un certain répit, le temps de tout reconstruire. Mais il se dirige tout droit vers un nouveau krach, beaucoup plus mondial encore que le précédent, et beaucoup plus violent.

Ainsi survit le capitalisme. Cette survie est incontestable. Reste à savoir pour qui c'est une bonne affaire.

TROISIÈME PARTIE

Où allons-nous?

I

Victoire de la loi du profit?

Une réflexion semble avoir échappé à tous ceux qui déplorent depuis quelque temps la défaite de la pensée. C'est que la pensée à laquelle ils font référence provient de la victoire de l'économie marchande sur les rapports féodaux d'homme à homme. Ce que les Lumières mirent en jeu n'était pas seulement la victoire de la raison sur la croyance et la superstition. C'était la victoire sur la pénurie, sur la misère, sur la précarité de l'existence de l'immense majorité des hommes. Si nous l'emportons, promettent les esprits éclairés, nous lèverons la malédiction qui pèse sur le destin de l'espèce humaine.

C'est seulement grâce à cette promesse que la science moderne a pu l'emporter sur la Révélation chrétienne. Qu'ils s'intéressent aux mouvements des corps célestes ou à la circulation des marchandises, tous les penseurs qui comptent depuis la Renaissance puisent leur inspiration dans le bouleversement des rapports sociaux provoqués par la révolution marchande : ce n'est plus la possession de la terre qui compte, mais celle de l'or.

Avant d'être la victoire d'une pensée nouvelle, l'avènement des Lumières passe par une pratique nouvelle. Cette pratique, c'est celle de l'échange des marchandises, qui se substitue à celle des services.

Aussi désagréable cela soit-il à tout esprit cultivé, il faut reconnaître que la victoire de la raison passe par la subordination des forces de production – hommes, bêtes, sources d'énergie naturelles et machines – au marché. Pour que l'échange des marchandises devienne la loi des rapports humains, pour que l'argent joue le rôle décisif dans leur destinée, il fallut beaucoup de temps, et beaucoup de sang versé.

Beaucoup de folie, aussi. Celle de Don Quichotte, par exemple, celui qu'on nomme le Chevalier à la triste figure. Tout empli des exploits des chevaliers de la Table ronde et autres chevaliers du Graal, le gentilhomme de la Manche se décide à faire de même : il selle sa Rossinante, ordonne à son serviteur, Sancho Pança, d'enfourcher sa mule, et le voici parti pour protéger la veuve et l'orphelin afin de faire respecter la justice parmi les hommes. Il ne sait pas – ou ne veut pas savoir – que les temps ont changé et que les actions chevaleresques n'ont plus cours comme à l'époque des héros de ses romans favoris. Aussi doit-il s'inventer des adversaires et créer des situations pour être digne d'eux. Ce qui a pour tout résultat de se faire rosser par des manants, qui n'ont que faire de ses prétendus titres de noblesse et n'entendent rien à ses discours. À leurs yeux, ce qui a de la valeur, c'est la monnaie, pas la bravoure. Avec un naturel désarmant, Don Quichotte commence par prendre une auberge pour un château et considère que le gîte et le couvert lui sont dus, « *eu égard à sa condition* », c'est-à-dire aux périls qu'il affronte sans cesse, à la vie dangereuse qu'il mène à seule fin de défendre le droit du faible contre l'injustice du fort; mais l'aubergiste tente de le ramener à la raison en lui rappelant qu'il vit « *de son argent et de celui des autres* [*] ». À peine armé chevalier, qui affronte-t-il en combat singulier? Des *marchands*, un petit groupe de négociants, auxquels il veut faire admettre une vérité invérifiable, comme s'ils devaient prendre la moindre de ses paroles pour argent comptant [**].

Et le voici bientôt lancé contre les moulins à vent... Il voit de terribles géants, aux bras prodigieux, là où n'importe quel humain doué de bon sens, dont son fidèle Sancho, ne voit que des installations « modernes », dont la vocation est de moudre le grain destiné à la ville. À l'évidence, Don Quichotte a perdu la raison! À moins qu'il ne comprenne fort bien la signification de la chose. Car, à vrai dire, d'un point de vue strictement féodal, ces moulins sont une monstruosité. Qu'un moulin broie la farine sur les terres d'un seigneur, qu'il transforme en poudre le blé cultivé par ses serfs et que cette opération permette à tout ce petit monde, ceux qui cultivent le sol et celui qui les protège, de se nourrir du même pain, quoi de plus normal? Mais que trente à quarante moulins soient dressés en série, sur une terre qui n'a visiblement pas de seigneur, que leurs ailes gigantesques travaillent pour des gens qui

---

[*] Traduction de Francis de Miomandre, Miguel de Cervantès Saavedra, *Don Quichotte de la Manche,* tome I, chap. III, Le livre de Poche, Paris, 1962, p. 28.
[**] En l'occurrence, que sa Dulcinée est la plus belle dame du monde...

habitent dans un bourg et n'ont plus aucun respect de la hiérarchie, voilà qui signifie que tout est sens dessus dessous.

Si l'héritier spirituel des compagnons du roi Arthur, les Lancelot du lac et autres Amadis de Gaule, se lance à l'assaut de ces moulins, c'est parce qu'il refuse l'idée que la noblesse a fait son temps. S'il pousse de tels cris de rage et enfonce si profond ses éperons dans les flancs de sa pauvre rosse, c'est pour conjurer le destin. Et, s'il fait triste figure, c'est parce qu'il sait bien, au fond, que la bataille est perdue d'avance. Dans ces moulins, il y a des meuniers, des artisans qui ne doivent plus rien à personne, si ce n'est à ceux qui inventent sans cesse des astuces nouvelles pour capter au mieux les forces du vent, pour moudre toujours plus de farine, pour produire toujours plus vite, en un laps de temps toujours moindre et en faisant dépenser à l'homme qui travaille toujours moins d'énergie musculaire. Entre le moulin et la ville se concluent des contrats en bonne et due forme, qui se traduisent par de la monnaie sonnante et trébuchante. Le moulin, tourné naguère vers la terre, qui lui donnait tout son sens, est désormais tourné vers la ville, autant dire vers ceux qui ont de l'argent.

Ou de l'or! Cervantès sait, lui, fort bien que la roue de l'histoire a tourné et que, telle l'inexorable pierre de la meule, elle a broyé les exploits des preux. Il fut prisonnier des Barbaresques. Il sait comment l'Espagne a été contaminée par la soif de l'or. Certes, l'invasion arabe a été refoulée, mais pour quel bénéfice? Les jours de la noblesse espagnole, du moins de sa liberté d'action, étaient comptés. La monarchie lui imposait sa loi, elle la subissait. De seigneurs tout-puissants sur leur terre, les nobles devinrent des courtisans, fiers, ô combien, de leur naissance, mais des courtisans, soumis au bon vouloir du monarque. Et ce monarque, que faisait-il? Il gouvernait pour la prospérité de son peuple. On appelait cela la grandeur de l'Espagne, mais qu'était-ce d'autre que sa richesse? Quand Isabelle de Castille avait armé les trois vaisseaux de Christophe Colomb, qui s'était laissé abuser? De l'or, de l'or, voilà ce qu'elle voulait! Colomb en avait trouvé, et il avait eu ce cri du cœur : « *L'or est une chose excellente.* »

Terrible aveu. Ce cri, Christophe Colomb l'avait poussé en connaissance de cause. Bien entendu, sa réussite lui permettait de se hisser au sommet de la hiérarchie sociale. Avoir de l'or, c'était disposer du pouvoir dont d'autres disposent par leur naissance. Mais, justement, cela signifiait que tous les hommes, même les mieux nés, lui étaient désormais redevables de leur pouvoir : « *L'or est chose excellente, on en constitue des trésors. Qui a de*

217

l'or peut faire tout ce qui lui plaît en ce monde; avec l'or, on peut même mener les âmes au paradis *. » Faute d'atteindre les Indes, Colomb en trouva moins que prévu, mais il en trouva assez pour s' « ennoblir » et donner à ses successeurs le goût des Amériques. On parlait d'un pays où la quantité d'or était telle qu'on ne pouvait le nommer que l'Eldorado. En massacrant sans scrupules les Indiens qui refusaient de leur avouer où ce pays se trouvait, les Espagnols, même les plus nobles, y perdirent leur âme, contrairement au pronostic de Colomb. Mais le Génois ne fit que contribuer à un processus inexorable. En voulant inverser le sens du commerce avec le Levant, Colomb avait eu l' « honneur » d'ouvrir la voie à un fabuleux négoce. Mais il fallait passer par le Couchant. La noblesse y avait consenti, se couchant davantage encore devant l'un des siens, qui se coucha toujours plus devant l'or. De quoi rendre fou de douleur le pauvre Quichotte.

De Cervantès à Schiller, il y a deux siècles, et, pourtant, il n'y a qu'un pas. Qu'on écoute donc Amalie, la fiancée du plus fameux des *Brigands*, auquel Schiller donna le nom de Karl Moor. L'action se passe au XVᵉ siècle. Amalie crie sa révolte à la face du nouveau monde : « *Le monde est donc sens dessus-dessous! les mendiants sont rois et les rois mendiants **!* » Comme le seigneur de la Manche, Karl Moor est né bien trop tard, car une puissance nouvelle domine tous les hommes. La noblesse s'est laissé corrompre : « *Soyez damnés, vous les grands et les riches, avec votre or, votre argent et vos joyaux!* » Le seul à ne pas s'assujettir au nouveau maître, du moins le seul qu'Amalie connaisse, c'est l'homme qu'elle aime, Karl Moor. Il est pauvre, mais il n'a pas vendu son âme. Même habillé en mendiant, sa noblesse naturelle le trahit. « *Je ne voudrais pas troquer les haillons dont il est revêtu contre la pourpre des têtes couronnées* », clame-t-elle à qui veut l'entendre. « *Le regard avec lequel il mendie est si grand, si royal* », insiste-t-elle, « *qu'il anéantit la magnificence, la pompe, les triomphes des grands et des riches.* » Pure folie que cette révolte contre le cours irréversible des choses! Pure folie que l'obstination de Karl Moor : le voilà devenu brigand. Parce que ses aïeux ont reçu de Frédéric Barberousse en personne leurs

---

* Lettre de Jamaïque au roi Ferdinand et à la reine Isabel, 7 juillet 1503, in *Les plus belles lettres de Christophe Colomb*, Calmann-Lévy, 1961, p. 134. Traduction Marianne Mahn-Lot. Marx reprend cette citation dans le livre I du *Capital*, section 1, chapitre 3 : La monnaie et l'argent.

** Schiller, *Les Brigands* [1781], Acte 1, scène 3, dernière réplique, trad. pers., Goldmann, 1993, p. 41.

terres et leurs lettres de noblesse, il préfère se mettre hors la loi que se plier à l'ordre nouveau. Pour survivre, il vole les riches et, niché dans son repaire inaccessible, s'enfonce sans espoir dans une impasse. Traqué par tous, trahi par son frère Franz, qui passe dans le camp des vainqueurs, il s'écrie : « *Les lois du monde ne sont plus qu'un jeu de dés, le lien de la nature est rompu, l'antique discorde est déchaînée, le fils a tué son père* *... » C'en est fait! Les dés sont jetés. Les nobles se sont soumis aux marchands. « *Le monde entier s'effondre* **. » Plutôt que de voir sa fiancée tomber entre des mains ignobles, il va jusqu'à la tuer de sa main. Fou de douleur, Karl Moor n'a plus qu'à souhaiter s'endormir « du doux sommeil de la mort ».

Folie en Espagne, folie en Allemagne : c'est le revers de la victoire de la loi du profit à l'époque de la Renaissance. Frottons-nous donc les yeux avec application, car, s'il en est ainsi, si la « victoire de la pensée » est au premier chef celle de la révolution marchande, il nous reste encore à savoir l'essentiel : à quel moment nous en sommes.

Deux siècles après les promesses faites par Adam Smith, qui proclamait la bonne nouvelle de la prospérité pour tous sous le règne de la loi du profit, pouvons-nous demeurer optimistes? La révolution marchande a suivi son cours; a-t-elle répandu, comme prévu, ses bienfaits à la surface de la planète? Certains l'affirment, affichant sans sourciller une confiance inébranlable dans l'évolution du marché mondial. En notre fin de xxᵉ siècle, le bilan est, à leurs yeux, « globalement positif ». L'espèce humaine atteint un stade de développement inégalé dans son histoire : jamais la productivité du travail humain n'a été si élevée, jamais la vie humaine n'a été si longue, jamais l'instruction n'a été si générale, l'hygiène si répandue. Bref, jamais le genre humain ne s'est si bien porté. Comment ne pas se réjouir de tels progrès? Sans compter toutes les innovations qu'il recèle et qu'on voit poindre à l'aube du troisième millénaire dans l'utilisation des sources d'énergie, la transformation des matériaux, le transport des marchandises et la transmission des informations, au bénéfice d'une humanité toujours plus homogène et plus inventive.

Certes, admettent-ils, il y a encore des disparités! Sur les six milliards d'humains qui peuplent désormais la planète, la plupart vivent dans le dénuement : dans de nombreux pays du Sud, là où le pouvoir d'achat est encore dérisoire alors que la population

---

* 4ᵉ acte, scène 5, *op. cit.*, p. 115-116.
** 5ᵉ acte, scène 2, p. 132.

connaît une forte croissance, la précarité de la vie rurale pousse des millions d'êtres humains vers les villes à un rythme tel qu'ils se retrouvent piégés dans des conditions souvent pires, sans hygiène, sans nourriture suffisante, sans travail, mettant au monde des enfants en surnombre et qui se trouvent livrés à mille trafics, celui de la drogue ou celui de leur corps, voire de leurs organes. Cette réalité est d'autant plus accablante que, face à cette misère épouvantable, les pays du Nord consomment trop, produisent trop, parfois même font trop de profit. Nulle raison de présenter la Terre comme un paradis, reconnaissent-ils. Mais ce n'est pas une raison non plus, selon eux, pour présenter le monde moderne comme un enfer, et continuer de croire que la plupart des hommes sont voués à la damnation. Somme toute, la situation actuelle n'est pas très différente de celle qu'a connue l'Europe elle-même depuis sa Renaissance.

Prêtons encore un instant l'oreille à ce discours.

« *Fortement hiérarchisée pendant l'ère féodale,* laissent entendre les héritiers d'Adam Smith, *la société occidentale n'est pas devenue ipso facto égalitaire en se soumettant à la loi du marché. Le discrédit des privilèges de l'aristocratie sous l'effet du pouvoir de l'argent n'a pas provoqué la disparition des disparités sociales. Face aux nouveaux riches, on vit proliférer dans les bourgades de nouveaux pauvres, chassés par la précarité de la vie dans les campagnes et attirés par la croissance des échanges. Suite à l'invention de la machine à vapeur, la révolution industrielle concentra les masses ouvrières dans les fabriques et dans les mines; et, tandis qu'une infime minorité de nantis se trouvait saturée de biens, la misère attira dans un gouffre sans fond des millions d'hommes qui n'avaient que leur force de travail à vendre. En outre, tous les peuples n'entraient pas dans la ronde au même rythme : le capitalisme industriel commença à s'imposer en Angleterre, pour gagner la France puis l'Allemagne, laissant encore à la traîne des nations qui avaient pourtant joué un rôle éminent dans la révolution commerciale, comme l'Espagne et l'Italie...*

« *Or, depuis, n'est-il pas évident que ces disparités ont disparu, que toutes les couches de la société et toutes les nations d'Europe ont surmonté cette épreuve? Que le plus dur a été fait? Et, par conséquent, ne convient-il pas de considérer ce que nous observons à l'échelle planétaire aujourd'hui à la lumière de cette expérience? Il y aurait, bien sûr, une solution toute simple : puisque les pays riches ont trop de marchandises et de capitaux et que les pays pauvres n'en ont pas assez, il suffirait que les uns donnent aux autres ce qu'ils ont en trop pour que tout s'arrange.*

« Mais il va de soi que si l'humanité peut trouver momentanément son compte à cette opération, ce ne serait pas viable à long terme puisque ce serait au détriment de la loi du profit personnel, par conséquent, de l'effort requis pour innover. Aussi est-il préférable de prêter des capitaux aux pays pauvres pour que ces derniers achètent aux pays riches leur surproduction, et de diminuer la quantité des marchandises que produisent ces derniers, du moins tant que le pouvoir d'achat des premiers ne suffit pas à tout absorber. Cela n'a rien d'idéal, cela n'a pas d'effet magique, mais du moins est-ce réaliste et dans la lignée des remèdes qui ont permis aux pays riches de réussir à combler le fossé qui s'était creusé entre eux et en leur sein. »

Certains pensent ainsi dans les hautes sphères. Il existe encore des fidèles d'Adam Smith aux postes de commande, des gens qui, sans fermer les yeux sur la réalité, ne perdent pas leur sang-froid et, contrairement à bon nombre d'intellectuels affolés par les symptômes de décadence de leur culture, regardent en face les véritables calamités du temps présent tout en demeurant optimistes. Que le « régime » qu'ils préconisent conduise à une exacerbation de la concurrence entre les « pays riches », que cela y provoque un développement irréversible du chômage, de la dette publique et de la consommation de drogue, que cela exacerbe la tension entre le Nord et le Sud de la planète, que le remboursement de leur dette et l'explosion de leur démographie contraignent les pays pauvres à produire des quantités croissantes de narcotiques et à détruire le tapis végétal de la planète, cela ne fait pas sortir ces gens de leurs gonds, car il leur suffit de tourner quelque peu le regard en arrière pour s'assurer que le capitalisme a toujours su trouver les moyens de surmonter ses crises.

Il reste à savoir s'ils savent ce qu'ils disent. Le pessimisme des prophètes de la barbarie se fonde sur un point de vue géocentrique selon lequel les lumières de l'esprit, à l'instar de l'astre solaire, suivent une courbe dans le ciel de la civilisation : après l'aube, l'aurore, le plein midi, le crépuscule et enfin la nuit. Impossible de cautionner de telles jérémiades puisqu'elles reposent sur les apparences et non sur la réalité. Mais l'optimisme de ceux qui gardent confiance dans le modèle inauguré par la civilisation occidentale est-il plus fiable ? Certes, ces messieurs ne sont pas dupes des apparences : ils savent que ce n'est pas dans la sphère de l'esprit, mais dans celle des rapports marchands, que l'avenir, comme le passé, se joue. Mais cela n'implique pas de leur faire confiance pour autant, car ils ne voient pas où les entraîne le bon modèle. En effet, ce n'est pas parce que le mouvement du Soleil est illusoire que la Terre ne se meut pas, au contraire : c'est bien parce qu'elle se meut que le Soleil paraît se lever, décrire sa courbe diurne au-dessus de nos têtes et enfin se coucher ; par conséquent, il se pourrait fort bien que la révolution marchande ait fait son temps et que le monde moderne, en continuant de pivoter sur son axe, s'enfonce inexorablement dans la nuit.

On dira peut-être que, si la question se pose de savoir où en est cette rotation, la réponse n'appartient certainement pas à la philosophie, définitivement hors jeu, tant la situation est devenue complexe. Que, s'il s'agit de comprendre vers quel monde nous allons, il vaut mieux miser sur des sciences nouvelles, comme la prospective ou la futurologie, qui commencent à se faire un nom. Que, si les sciences humaines sont prises en défaut, c'est qu'elles prétendent chacune fournir la bonne analyse, alors qu'elles devraient collaborer, compte tenu de la nouveauté de la donne. Que l'interdisciplinarité tous azimuts s'impose, qu'il faut même en finir avec le fossé qui sépare les sciences dites « humaines » des sciences de la nature, qu'il existe déjà une théorie récente, la théorie du chaos, susceptible d'établir un pont fort efficace entre le monde des particules élémentaires de la physique et celui des acteurs économiques. Voilà la bonne approche de l'avenir ! Une approche beaucoup plus indiquée que le retour à la philosophie, dont l'exercice, dans le meilleur des cas, nous ferait revenir deux mille cinq cents ans en arrière...

C'est le bon sens, même ! Cependant, nous avons vu ce que valait le bon sens dans la compréhension du passé. Nous allons voir maintenant que, pour comprendre ce qui nous attend, nous aurions tout à gagner à revenir, précisément, deux mille cinq cents ans en arrière – aussi absurde que cela paraisse...

II

Naissance du *démos*

On a pris l'habitude, quand on évoque les Grecs de l'Antiquité, de considérer qu'ils méprisaient le commerce, l'argent, le travail, et cela seul suffit à nous interdire en général de comparer leur situation à la nôtre. « Comparer » au sens banal du terme : « identifier ». Nous nous interdisons de « comparer » le monde moderne au monde grec parce que, chez les Grecs, le commerce était l'affaire des métèques, que l'argent n'avait pas grande importance à leurs yeux, que les citoyens ne travaillaient pas, alors que chez nous c'est l'inverse. Pour eux, croit-on, c'était déchoir que de s'adonner à ces activités. Pour nous, nul moyen, sans commerce, sans argent, sans travail d'atteindre le bien-être, la prospérité – et la dignité ; car c'est rater sa chance de parvenir à l'aisance que de ne pas avoir un emploi bien rémunéré, et c'est perdre sa dignité que de se retrouver exclu du marché du travail.

Cette différence autorise l'homme cultivé d'aujourd'hui à mettre en garde les ignorants contre toute assimilation de la situation des citoyens grecs à la nôtre. Certes, reconnaît-on, ce sont les Grecs qui ont inventé la démocratie, ce sont eux qui ont donné au peuple les moyens de se gouverner lui-même, mais seule une minorité de citoyens en bénéficiait, celle qui constituait le « peuple » ; à Athènes, par exemple, à l'époque de Platon, sur trois cent mille habitants, seuls trente mille étaient considérés comme Athéniens de souche et disposaient du droit de cité ; les autres étaient les étrangers – les fameux « métèques » – puis venait la masse des esclaves. Finalement, se plaît-on à dire, étant donné que la grande majorité de ceux qui vivaient sur le sol athénien était sans droits, les citoyens grecs constituaient une sorte d'aristocratie.

C'est un énorme malentendu. Il y a confusion dans les termes et dans les périodes. Lorsqu'on qualifie la population « libre » d'Athènes, le *démos*, d'élite par rapport à la masse, lorsqu'on se laisse aller à la qualifier d'aristocratie, on ne voit pas que la démocratie fut un processus historique au cours duquel le peuple, à savoir « la plèbe », a contraint la noblesse grecque, l' « aristocratie de sang », celle des Eupatrides, à renoncer à ses privilèges et à partager son pouvoir. Avec tout le respect qu'on doit à la culture de l'honnête homme, il convient tout de même de dénoncer la tendance à mettre l'accent sur les différences au détriment des similitudes. Il est vrai que cette culture s'appuie sur des travaux savants, qui font autorité, que nombre d'historiens de métier se complaisent à isoler le champ de leurs investigations au nom de sa « spécificité », et nourrissent inévitablement cette tendance fort ancienne des hommes modernes à se convaincre que dans l'Antiquité « ça n'était pas pareil »...

Mais il ne faut pas prendre pour argent comptant les affirmations des gens de métier. Tout est spécifique. Rien de plus facile que d'évoquer les différences de la démocratie grecque avec la nôtre pour montrer qu'elles n'ont « rien de commun ». Or elles ont beaucoup en commun. Ainsi, il est frappant de constater l'identité de leur genèse – pour peu que l'on prenne assez de recul. Dans les deux cas, la période démocratique succède à une période aristocratique, que l'on peut qualifier de « féodale », qui provient elle-même d'une période de grandes invasions : en Grèce, les conquérants portaient le nom de Doriens; ils étaient issus des hordes indo-germaniques, comme les Germains qui envahirent l'Occident environ deux mille ans plus tard. À la conquête germaine, qui prélude à notre Moyen Âge, correspond la conquête dorienne, qui permet de parler d'un « Moyen Âge grec ». En Grèce, comme en Occident, une aristocratie guerrière est née de cette période troublée et cruelle, faisant émerger peu à peu un ordre dans le désordre : l'ordre féodal, où le seigneur protège les serfs qui le nourrissent. Et c'est justement de la décomposition de ce système qu'est née la démocratie.

Une telle analogie n'est plus « recevable » aujourd'hui, puisqu'elle repose sur une démarche qui passe pour anti-scientifique : on n'éclaire pas le passé par le présent sans « projeter », donc sans déformer, comme le faisait encore Fustel de Coulanges il y a un peu plus d'un siècle... Il me semble cependant que c'est une erreur, car on se prive d'un schéma solide qui permet de bien s'orienter. Partir de la genèse du monde moderne pour éclairer celle de l'Antiquité grecque permet des rapprochements lumineux, même s'ils ne sont pas sans risques. Qu'on relise donc *La Cité antique!* Qu'on suive un instant sa piste. On peut le faire en toute quiétude, puisque Fustel était le premier à mettre en garde contre une identification de la démocratie grecque à la démocratie moderne. Néanmoins, cela ne l'empêchait pas de saisir d'une main ferme la similitude de leur genèse. « *Il y a quelque analogie entre le client des époques antiques et le serf du Moyen Âge* », avance Fustel. « *Pour le client et pour le serf la subordination est la même; l'un est lié à son patron comme l'autre l'est à son seigneur; le client ne peut pas plus quitter la gens que le serf la glèbe. Le client comme le serf restent soumis à un maître de père en fils* *. » En échange de sa servitude, le « client » bénéficie bien entendu de la protection permanente de son « patron », exactement comme au cours de notre Moyen Âge. Or, tout comme lors de notre Renaissance, le développement des forces de production, sous l'effet de l'intensification du commerce, va transformer ces rapports humains fondés sur le service : « *La classe inférieure grandit peu à peu. Il y a des progrès qui s'accomplissent obscurément et transforment une société.* » On s'approche donc de la révolution marchande : « *L'industrie et le commerce devinrent nécessaires. Il se forma peu à peu une richesse mobilière; on frappa des monnaies; L'argent parut. Or l'apparition de l'argent était une grande révolution. L'argent n'était pas soumis aux mêmes conditions de propriété que la terre.* » Voici donc le peuple grec sur le point de concevoir le monde... de manière héliocentrique.

Comment naît donc le *démos*? Par l'émancipation progressive des serfs. Et comment cette émancipation s'opère-t-elle? Par la vertu de l'argent : « *Il pouvait passer de main en main sans aucune formalité religieuse et arriver sans obstacle au plébéien. La religion qui avait marqué le sol de son empreinte ne pouvait rien sur l'argent.* » Ainsi, comme à l'aube des temps modernes, des hommes du peuple s'élèvent au niveau des nobles : « *Bientôt il y eut des riches parmi eux. Singulière nouveauté! Auparavant les chefs des gentes pouvaient seuls être propriétaires et voici d'anciens clients ou des plébéiens qui sont riches et qui étalent leur opulence.* » Peu à peu le seigneur cède le terrain à ceux qui le travaillent : « *Combien il leur fallut de temps et d'efforts pour y parvenir, on ne peut que le deviner. Peut-être s'est-il opéré dans*

---

* Fustel de Coulanges, *La Cité antique* [1864], livre VI, « Les révolutions », chapitre IV, Paris, Hachette, 1874, p. 308-309.

l'Antiquité la même série de changements sociaux que l'Europe a vu se produire au Moyen Âge, quand les esclaves des campagnes devinrent serfs de la glèbe, que ceux-ci de serfs taillables et corvéables à merci se changèrent en serfs abandonnés, et qu'enfin ils se transformèrent à la longue en paysans propriétaires [*]. » Comme en Occident, l'émancipation des serfs de l'Antiquité passe par l'argent; c'est la monétarisation de la corvée et de la redevance qui permet peu à peu au serf d'acheter sa liberté. Autrement dit, c'est la renaissance des échanges commerciaux qui favorise la naissance d'une plèbe autonome et le renversement progressif de la féodalité grecque.

Ce schéma n'est guère prisé de nos jours, alors qu'il fonctionne très bien. Pourquoi faudrait-il s'en priver? On s'approche de l'inconnu à partir du connu, pour évaluer identités et différences. La renaissance du commerce joue un rôle décisif en Europe; on peut supposer qu'il en fut de même dans l'Antiquité. Les grandes invasions avaient interrompu les échanges des marchandises. En rétablissant l'ordre, les conquérants permettent aux affaires des marchands de reprendre leur cours. Au pied des châteaux forts, dans les vallées, sur les fleuves, sur les côtes, le commerce reprend vie. La monnaie, moyen d'échange par excellence, refait son apparition en masse. Elle s'accumule dans les besaces des marchands. Une leçon de choses pour la noblesse! Pour acquérir des biens, l'aristocratie guerrière ne connaissait que l'appropriation directe, le butin arraché au vaincu. Les marchands font mieux : ils ne dérobent pas les biens d'autrui, ils échangent des marchandises – et en tirent du profit. L'aristocratie se laisse contaminer par la soif de richesses : elle préfère bientôt que ses serfs paient leurs obligations en monnaie plutôt qu'en temps de travail. Et c'est ainsi qu'elle fait son malheur. Car, en substituant de la monnaie à du temps de travail, le paysan se libère de ses obligations envers le seigneur féodal. Et c'est la classe des marchands qui impose peu à peu sa loi. Ce n'est plus celui qui possède la terre, c'est celui qui possède l'or qui dispose de la véritable source de la prospérité. Ainsi, du sol et de sa culture, le centre de gravité du corps social se déplace vers le marché et vers la ville. Et c'est autour de l'or que gravitent désormais toutes les classes de la société – c'en est fini du temps des héros.

D'où la colère d'Achille dans l'*Iliade*. Car Achille devine ce destin fatal. Sans doute n'est-ce pas évident. Je propose donc une

---

[*] Id., *ibid.*, p. 312-313.

brève relecture. Achille aura une vie brève, il le sait, mais ce sera une vie glorieuse. Fils de Pelée, d'une illustre lignée, il sait qu'il mourra devant Troie; mais il sait aussi que sans lui la ville ne sera pas prise, car elle est défendue par Hector, que lui seul peut vaincre au combat. S'il accepte de mourir dans la fleur de l'âge, c'est parce que sa bravoure sera célébrée dans toute la Grèce, qu'elle franchira les bornes du temps et qu'il passera à la postérité comme le plus fort de tous les guerriers que la Terre ait jamais portés. Pourtant, dans les rangs achéens, on ne manque pas d'hommes vaillants et de rois. Achille est en bonne compagnie : à commencer par Agamemnon, le roi des rois, le « protecteur de son peuple », celui qui a pour mandat de ramener à tout prix Hélène au foyer, à Sparte, et qui commande toute l'armée des Hellènes. Sparte, où règne son frère, Ménélas, humilié par le beau Pâris (qui lui a ravi son épouse) mais souverain puissant. Il y a aussi les deux Ajax, dont la force rappelle celle d'Hercule, il y a le roi d'Ithaque, le fameux Ulysse aux mille ruses, et tant de héros encore. Bref, toute la noblesse achéenne est là, avec ses chevaux, ses chars, ses troupes innombrables.

Voici pourtant qu'Achille se fâche. À tel point qu'il refuse de combattre et se retire sous sa tente! C'est le ressort du poème entier de l'*Iliade*. L'action commence après neuf années de guerre. Jusque-là les Troyens résistent. Les Grecs doivent piller alentour pour subvenir à leurs besoins afin de poursuivre le siège. Mais, parfois, ils perdent patience, et nombreux sont ceux qui aspirent au retour. Quel jeu jouent donc les dieux avec eux? Ils leur ont promis la victoire, mais ne les ont-ils pas abusés? Il suffirait de peu de chose pour que les troupes se découragent : un nouvel assaut lancé en vain, une sortie audacieuse des assiégés, un mauvais présage décelé par le devin Calchas, une discorde naissant entre les chefs... Et voici qu'Achille renonce au combat, retire ses Myrmidons de la lutte, reste obstinément à l'écart! Achille, le plus fort de tous les guerriers, celui sur lequel on compte pour venir à bout du grand Hector, que tous les Grecs craignent et fuient. Le cours des choses ne va-t-il pas s'inverser? Sans Achille, à quoi bon aller au combat? D'ailleurs, la preuve en est faite assez vite. C'est la déroute qui sanctionne les assauts que donne Agamemnon sans le fils de Pelée. Le roi des rois lui-même n'en peut mais et, qui plus est, il se fait blesser. La crainte change soudain de camp. Homère fait naître le suspense...

Reste à savoir pourquoi Achille se fâche. Il s'avère que c'est une histoire de butin. On peut croire que cela importe peu, que c'est une astuce de poète et qu'il ne vaut pas la peine de s'y arrêter. J'en doute. Reprenons les faits. Le conseil des Achéens s'est réuni parce qu'un terrible fléau s'est abattu sur l'armée : Apollon, de ses flèches empoisonnées (la peste), décime les rangs des guerriers. Consulté, le devin révèle que le dieu exige que justice soit rendue à l'un de ses prêtres, dont la fille, Chryséis, a été emmenée lors d'un des derniers pillages auxquels se sont livrés les Hellènes. Agamemnon s'en trouve fort contrit, car c'est lui qui s'est réservé la vierge. Elle fait partie de sa part de butin, celui qui lui revient de droit lors de toute opération de ce type. Le conseil est embarrassé. Seul Achille est prompt à définir l'issue : que le roi rende au prêtre sa fille! Quoi de plus simple? Mais Agamemnon ne l'entend pas de cette oreille. Chryséis lui tient à cœur, et il n'est pas disposé à la laisser repartir – si ce n'est contre une « part » équivalente. Et, puisque Achille est si résolu à apaiser le dieu, il ne s'opposera pas à donner sa part. Il se trouve en effet que, comme tant d'autres braves, Achille a, dans son butin, lui aussi une jeune femme. La sienne s'appelle Briséis. Qu'il la cède au roi des rois, et l'affaire est réglée!

Le plan d'Agamemnon met Achille hors de lui. Non seulement il refuse, car il tient, lui aussi, à sa part de butin, mais il accuse le roi d'être un profiteur. Briséis, c'est lui, Achille, qui l'a conquise, lors de la razzia, alors qu'Agamemnon s'est contenté de recevoir Chryséis une fois les guerriers revenus au camp. « *Cœur vêtu d'effronterie et qui ne sait songer qu'au gain!* » lâche-t-il avec fougue. Et il ajoute aussitôt : « *Dans la bataille bondissante, ce sont mes bras qui font le principal; mais vienne le partage, la meilleure part est pour toi* [*]. » Pas question de céder Briséis! Agamemnon, même sans Chryséis, conserve une part de butin supérieure à tous alors qu'il ne prend même pas part aux expéditions! Il est temps de dénoncer cette aberration qui ne répond en rien à la loi achéenne. Tous les rois sont égaux en droit, car tous sont d'ascendance divine. Si Agamemnon dispose du sceptre, c'est avec l'assentiment du Conseil. Cette décision est conjoncturelle : à la guerre il faut un chef. Encore faut-il que ce chef mérite l'estime de ses pairs : or cette avidité la compromet. Pour Achille, c'est un mauvais signe, qui ronge insidieusement l'armée : « *Comment veux-tu qu'un Achéen puisse obéir de bon cœur à tes ordres?* » conclut-il. En clair : que le roi reprenne ses esprits et soit digne de

---

[*] L'*Iliade*, traduction de Paul Maron, chant 1, Paris, Le livre de Poche, 1970, p. 38.

commander en cessant de profiter de la bravoure de ses compagnons, car ce n'est pas pour lui qu'ils combattent, mais avec lui...

Achille tend donc à présenter l'intervention d'Apollon comme un rappel à l'ordre, pour le bien-être de la caste des guerriers : les nobles n'ont pas à se soumettre à un chef, et ce chef ne doit pas devenir cupide. Faute de quoi, c'est un autre maître qui s'imposera à tous. Le butin n'est, somme toute, qu'un stimulant. Qu'importent au fond les objets de luxe, qu'importe l'argent, qu'importe l'or ? Ce sont des trophées, des preuves de courage, de hardiesse, de vigueur au combat. Si la soif de butin l'emporte sur la bravoure, de *mobile* qui pousse aux exploits, le butin deviendra le *centre* des convoitises et laissera place à la lâcheté. Car le plus riche sera non pas le plus courageux, mais le plus malin. Celui-là se mettra à l'écart, saura se ménager au combat, et recueillera les fruits de l'ardeur des autres. L'équité sera battue en brèche, l'acquisition des richesses l'emportera sur celle de la gloire. À terme, c'en sera fini de la vraie noblesse, celle qui ne guerroie que pour l'honneur et méprise au fond les biens matériels. Si Agamemnon veut arracher Briséis à Achille, pour l'amener, comme Chryséis, dans sa couche, ce n'est pas seulement envers Achille qu'il se révélera injuste, c'est envers toute la noblesse guerrière.

Agamemnon ne perçoit pas, à cet instant, l'enjeu du procès que lui fait Achille. Pour se défendre, il s'appuie sur les excès de bravoure d'Achille et tente de le discréditer par ce biais : « *Tu es bien pour moi le plus odieux de tous les rois issus de Zeus. Ton plaisir toujours c'est la querelle, la guerre et les combats. Pourtant, si tu es si fort ce n'est qu'au Ciel que tu le dois* [*]. » Autrement dit, Achille en fait trop et n'a aucun mérite à être brave puisque tel est son destin. Cette riposte est fort dangereuse, car elle vaut pour tous les rois grecs. Tous sont issus d'une lignée divine, et tous tiennent leur pouvoir des dieux. Si la bravoure est sans mérite, parce qu'elle est un don de l'Olympe, quel roi mérite de gouverner ? En reprochant à Achille son ardeur au combat, sa soif de se mesurer à un adversaire les armes à la main, Agamemnon s'engage sur une voie qui compromet l'ordre dont il est issu. Pour justifier son abus de pouvoir, il élargit la brèche dans laquelle pourra bientôt s'engouffrer tout renversement de « fortune ». À terme, il ne sera pas nécessaire d'être brave pour régner, par conséquent, d'être noble. Pour devenir le « protecteur de son peuple », il ne sera

---

[*] ID., *ibid.*, p. 39.

même pas nécessaire d'être « roi » : il suffira un jour d'être « riche ».

Dès lors, les dieux sont faits juges. D'Achille et d'Agamemnon, l'un est moins digne que l'autre de son rang. Vaut-il mieux être tenté par l'excès de richesse que par l'excès de querelle, comme le suggère le roi des rois, ou faut-il n'estimer la vie digne d'être vécue que les armes à la main ? De la soif de richesse et de la soif de gloire, l'une des deux passions doit l'emporter sur l'autre. Mais laquelle ? Le poème donne la réponse. Les dieux donnent leur verdict. Sur l'instant, c'est Agamemnon qui paraît l'emporter. Alors qu'Achille s'apprête à lever son glaive pour le frapper, Athéna, descendue à très grande vitesse de l'Olympe, arrête son bras et parvient à le calmer par ces mots ailés : « *Je suis venue du Ciel pour calmer ta fureur; ne veux-tu pas obéir? La déesse aux bras blancs Héra m'a dépêchée qui en son cœur vous aime et vous protège tous deux. Allons! Clos ce débat et ne tire pas l'épée. Contente-toi de mots, et pour l'humilier, dis-lui ce qui l'attend. Va, je te le déclare, et c'est là ce qui sera : on t'offrira un jour trois fois autant de splendides présents pour prix de cette insolence. Contiens-toi et obéis-nous*[*]. » Achille obéit à l'injonction de la déesse. Il quitte le Conseil, au grand soulagement de tous. Il rejoint sa tente, la mort dans l'âme, faisant un effort surhumain pour accepter qu'on lui enlève Briséis.

Pour Agamemnon, tout rentre dans l'ordre. Il libère sa vierge et fait quérir celle d'Achille. Apollon remet ses flèches cruelles dans son carquois. Le roi des rois croit pouvoir triompher. Quelle erreur! Que d'humiliations l'attendent! *L'Iliade* est la patiente description de ce revers. Bien vite, il va mettre en péril les navires de son armée, ces nefs rapides qui doivent lui assurer un glorieux retour, et compromettre ainsi l'issue d'un siège qui dure depuis neuf ans. Car Zeus lui fait croire en songe que l'offensive est opportune. Il voit là une bonne occasion de donner à Achille une leçon, en lui montrant que les Hellènes n'ont pas besoin de lui, qu'il peut rester à « bouder » dans son coin. Agamemnon lance alors l'offensive. Mais Zeus, qui voulait le prendre au piège, donne un tel élan aux Troyens que, non contents de semer la déroute dans le camp achéen, ils parviennent jusqu'aux nefs des envahisseurs, bientôt gagnées par l'incendie...

Comprenant peu à peu son erreur, Agamemnon supplie alors Achille de reprendre le combat. Mais il doit boire la coupe jusqu'à

[*] ID., *ibid.*, p. 40.

la lie. Achille ne se lèvera pas de sitôt. Indifférent aux supplications du roi, et même au désastre de son propre camp, muré dans sa réprobation, le fils de Pelée attendra l'extrême limite avant de sortir de sa torpeur. Il faudra que Patrocle, son plus fidèle compagnon, trouve la mort au combat sous les coups d'Hector (qui croit avoir affaire à Achille, car Patrocle en portait les armes) pour qu'Achille mette fin à sa grève. Dure leçon pour le roi des rois! Ce par quoi il pensait rabaisser la superbe d'Achille s'est retourné contre lui : si l'on n'est grand qu'avec les dieux, on est tout petit sans eux. Sans l'intervention d'Achille, c'en était fait de la gloire achéenne. Agamemnon doit à son tour devenir humble, même si c'est sous son « commandement » que les arrêts du destin s'accomplissent. Achille donnera la mort à Hector avant de la trouver lui-même. Privé de son meilleur rempart, Troie va céder, se laissant abuser par une ruse du subtil Ulysse. Mais de quelle gloire le « protecteur de son peuple » pourra-t-il tirer orgueil? S'il a assez de lucidité, il doit admettre qu'il a eu tort. Dans le conflit qui l'a opposé à Achille, il n'était pas du bon côté.

III

Naissance du *logos*

Si l'on tient compte du renversement provoqué par l'émergence de la monnaie dans l'histoire de la Grèce antique, L'*Iliade* prend une dimension dramatique, qui dépasse de loin le sort de la lutte entre les Achéens et les Troyens. Au-delà du suspense que ménage le poète se joue le sort de la noblesse guerrière – et celui de ses protégés. Tel un prélude à l'avènement du pouvoir du *démos* en Grèce, cette épopée met en jeu les forces qui déterminent le destin des seigneurs de la terre : l'honneur et la convoitise. Ces deux forces sont entrées en conflit. À terme, l'issue est fatale. Sous l'impulsion des négociants, les cités vont s'organiser autour de la place du marché, le petit peuple va proliférer, et la multiplication des tâches artisanales donner aux paysans qui végétaient à la campagne un gagne-pain autonome. Certains, même, se feront hoplites : ils seront guerriers sans chevaux, apprendront le métier de la guerre pour défendre la cité, n'en déplaise à ceux dont c'était, depuis toujours, le rôle et le privilège. Alors, dépossédée de ses terres, la noblesse ne pourra plus justifier sa domination. Et il ne restera aux descendants de l'aristocratie foncière que l'amertume de la défaite.

Lorsque l'*Iliade* était chantée par des aèdes, elle n'avait pour vocation, sans doute, à l'instar des prestations de nos troubadours, que de distraire la noblesse elle-même, en narrant les exploits d'aïeux fabuleux, qui remontaient à un passé déjà lointain. Mais, sans cesse enrichie par des improvisations nouvelles, qui sait si cette épopée ne finit pas par refléter la réalité du moment? Je vois bien un poète épique faire de son chant une mise en garde, et *dire* à ses auditeurs qu'ils font comme Agamemnon. Oui, je m'imagine un Homère assez lucide, ou assez inspiré, pour avertir les « seigneurs » de ce qui les attend s'ils se laissent séduire par l'attrait de l'or. Si tant est qu'Homère ait existé et qu'on lui doive la version actuelle de cet immense poème qu'est l'*Iliade*, il serait né dans l'une des îles qui jouxtent la côte où se trouve le site de Troie. Bien des siècles ont passé depuis la guerre fameuse, mais bien peu la séparent du règne du *démos*. Le progrès est encore « obscur », mais il est bel et bien en cours et se révélera sous peu au grand jour. On disait Homère aveugle. Peut-être pressentait-il d'autant mieux le destin des seigneurs, au point de donner à un cycle légendaire, transmis depuis des temps immémoriaux, une dimension visionnaire. Ou bien voulait-il freiner le cours du temps ?

Quoi qu'il en soit, rien n'y fera. Cette terre, depuis fort longtemps transmise par la voie du sang, d'un seigneur à ses descendants, va trouver peu à peu d'autres maîtres. D'abord ceux qui la travaillent, comme le suggère Fustel, évoquant le nouveau statut du « client » : « *Il ne cultive plus pour le Maître, mais pour lui-même. Sous la condition d'une redevance* [ce qui veut dire que l'argent circule], *il jouit de la récolte. Ses sueurs trouvèrent ainsi quelque récompense et sa vie fut à la fois plus libre et plus fière* *. »* Et, tandis que le paysan s'émancipe, que certains membres de la plèbe atteignent l'opulence, que de nouveaux riches apparaissent, que la terre devient mobile, que l'histoire pivote sur son axe, la situation se renverse à tel point que – nouveauté aussi incroyable – certains nobles deviennent des pauvres : « *Le luxe qui enrichissait l'homme du peuple appauvrissait l'Eupatride ; dans beaucoup de cités, notamment à Athènes, on vit une partie des membres du corps aristocratique tomber dans la misère.* » Déchéance d'un corps céleste, qui passait jadis pour divin ! Telle la Lune déclinant quand le Soleil apparaît, voici que la noblesse grecque, qui assurait naguère dans toute sa splendeur la protection de son « peuple », commence à vivre dans son ombre...

Voilà qui donne à penser ! « Comment cela est-il possible ? » se demande-t-on çà et là. Quelle est cette force, qu'on ne voit pas distinctement à l'œuvre et qui se joue ainsi des puissants ? Que font les dieux pendant ce temps ? Comment ont-ils pu laisser faire une telle chose ? Ont-ils dormi trop longtemps ? Ont-ils été enivrés ? Ont-ils absorbé quelque drogue ? Les descendants de leurs descendants perdent pied, à deux pas de l'Olympe, sans recevoir leur secours ? N'entendent-ils pas l'un des leurs hurler : « *Ceux*

---

* Fustel de Coulanges, *La Cité antique*, *op. cit.*, p. 326.

qui autrefois ne connaissaient ni droit ni lois, juste bons à user autour de leurs flancs leurs peaux de chèvre et à pâturer hors de la cité comme des cerfs, ce sont eux maintenant les bons; les honnêtes gens d'autrefois sont devenus les gens de rien. Qui pourrait supporter ce spectacle ?»* Cette voix est celle de Théognis. On sait qu'il est né à Mégare, à l'époque des guerres Médiques, c'est-à-dire au tournant du ve siècle avant notre ère. C'était un membre de l'aristocratie, qui fut dépouillé de ses biens par une insurrection populaire et dut se réfugier en exil. Un ennemi farouche du pouvoir du *démos*, mais réduit à crier sa hargne dans ses vers, à demander des comptes aux dieux, autrement dit, réduit à l'impuissance.

Du recueil de ses poèmes, les Grecs ont tiré de nombreuses maximes « édifiantes » : des *Élégies*, emplies de dépit, de colère, de rage et de désespoir, on fit un manuel pour classe de morale (en mettant soigneusement entre parenthèses ses éloges de l'ivresse et des plaisirs du sexe, que l'on réservait aux banquets des adultes). Quelle ironie de l'Histoire! Quand Théognis déclare que « *c'est peine perdue que d'obliger des méchants, autant vaudrait ensemencer le champ de la blanche mer* », on ne sait plus qui sont pour lui les méchants. Or, les méchants, ce sont les *kakoï*, ceux qui ont l'âme noire, mais pourquoi donc ont-ils l'âme noire? Ils ont l'âme noire parce que leur existence est médiocre, obscure, mesquine, qu'ils sont craintifs, lâches, vivent au ras du sol, qu'ils passent dans l'existence comme des ombres furtives, que jamais ils ne lèvent les yeux vers les splendeurs du ciel, qu'ils comptent, qu'ils calculent, qu'ils agissent par intérêt, qu'ils ont peur de la mort, de ce qui les attend dans l'Hadès, sans voir qu'ils y sont déjà, qu'ils n'ont pas d'honneur, que seules pour eux comptent les richesses, qu'ils n'ont d'autre dieu que Ploutos, le plus noir des dieux, celui de la fortune. Ploutos est le dieu des riches, de ceux qui vendent père et mère pour assouvir leur soif d'or, prêts à tout crime, à toute corruption pourvu que cela leur rapporte : l'antithèse des *aristoï*, des « bons », mieux, des « meilleurs ». Si c'est peine perdue que de vouloir faire des « méchants » des bons, c'est qu'ils sont aveuglés par l'or.

Les dés, pourtant, sont jetés. Théognis n'obtiendra pas gain de cause. Le bon temps ne reviendra pas. Les fils des dieux perdront leur pouvoir. Qui donc en décide ainsi? Qui, si ce ne sont les dieux : les « bons » ne sont-ils pas punis pour les fautes de leurs

---

* Théognis, *Poèmes élégiaques*, traduction de Jean Carrière, Paris, Les Belles Lettres, 1975, p. 63, vers 105-106.

aïeux ? Eux-mêmes n'ont-ils pas trahi leur caste en se laissant séduire par Ploutos ? Dans leur rang, beaucoup n'ont-ils pas l'âme noire ? Quand la Fortune sourit à d'autres, n'est-ce pas parce que Zeus le veut ? Qui sait, au fond, ce que veut Zeus ? Pour un Théognis qui se plaint, combien de sages se réjouissent ? Ainsi, Solon en personne aurait naguère composé un hymne en faveur des choses nouvelles. S'il faut en croire la tradition, c'est lui qui a commencé à inverser l'ordre social. Mais comment eût-il pu l'entreprendre sans l'aide d'une puissance divine ? « *C'était une œuvre inespérée*, s'exclame-t-il, *je l'ai accomplie avec l'aide des dieux. J'en atteste la déesse mère, la Terre noire, dont j'ai en maints endroits arraché les bornes, la terre qui était esclave et qui maintenant est libre.* » Si, avec l'accroissement du négoce, les nobles se laissent séduire par l'or, et s'ils perdent leurs privilèges, si les paysans s'émancipent et deviennent les maîtres du sol qu'ils cultivent, si la terre devient marchandise et tombe aux mains de ceux qui l'achètent, si le marché devient le centre de gravité des habitants de la Grèce, n'est-ce pas parce que Zeus le veut ?

La question, du moins, est posée. L'épopée touche ici ses limites. Son pouvoir d'incantation s'épuise. Au poète de l'ordre ancien, nul dieu ne daigne plus répondre. Peut-être faut-il leur parler autrement. Ou peut-être ont-ils perdu leur pouvoir. Ou peut-être n'en ont-ils jamais eu. Peut-être n'existent-ils pas. D'une question en surgissent mille autres. Et de ces questions mille soupçons. De ces soupçons surgit le *logos* – la raison. Ce qui est en jeu dans l'histoire, c'est la constitution du monde, la force qui le détermine, la possibilité de s'y opposer. C'est donc l'ordre de l'Univers, la nature de ses éléments, ainsi que leur hiérarchie, le principe qui les anime tous, aussi bien les hommes que les animaux, le vent, la mer, les corps célestes. Le temps est venu de cesser d'attendre des dieux la réponse à toutes ces questions. Il faut désormais penser par soi-même. Répondre soi-même aux questions auxquelles les dieux ne répondent plus.

Et les réponses commencent à fuser. C'est le temps des « penseurs » de la Grèce. De l'archipel, du continent, ils prennent tour à tour la parole pour donner leur version des faits. Pour l'un le principe premier est l'eau, pour l'autre, c'est au contraire le feu. Un autre voit partout la loi du nombre, un autre lui oppose le choc des atomes. On est entré dans l'ère de la « science », qui s'élève au-dessus des croyances religieuses. Aux récits mythiques des origines, que les prêtres transmettaient au peuple en accolant des traditions venues de toutes parts et qu'on tentait tant bien que mal de placer sous l'égide unificatrice de Zeus, s'opposent des « explications rationnelles » : au *mythos*, véhiculé par les aèdes, puis par les prêtres de la cité, on substitue le *logos*. À l'obscurité des récits mythiques, les « Lumières » de la raison. Puisque les dieux font la sourde oreille, voici que naît l'*entendement*. De Solon à Thalès, il n'y a qu'un pas, mais c'est celui qui affranchit les hommes des dieux. Solon prétendait avoir la caution de Zeus : Thalès, lui, prétend s'en passer. Sur ce chemin, tous les autres le suivront avec enthousiasme : voici donc Parménide et l'idée de l'Un, voici Héraclite et celle du Multiple, voici Empédocle avec sa Discorde (rivalisant d'ardeur avec la Concorde), voici Pythagore pour qui seul importe le Nombre, et voici Démocrite pour qui tout se réduit à des corpuscules de matière, et enfin Anaxagore, qui attribue au seul *Noûs*, à l'Esprit, l'impulsion initiale de la genèse du monde... Une pléiade inouïe de « penseurs » rivalisent d'ingéniosité, mais tous se dispensent des dieux. Car la pensée humaine peut prendre leur place.

À deux mille six cents ans d'intervalle, il n'est certes pas si aisé de voir clair dans l'apparition des Lumières grecques. Un contingent respectable de spécialistes s'y emploient encore, et l'on ne saurait trop être prudent dans la reconstitution de leur déploiement. D'abord et avant tout parce qu'il nous reste fort peu de chose des auteurs, que la plupart de leurs œuvres nous sont parvenues sous forme de fragments, de misérables lambeaux, tels ceux d'Héraclite [*], et qu'en général nous ne pouvons en prendre connaissance qu'à travers les œuvres d'auteurs nettement postérieurs, souvent séparés des premiers par de longs siècles – quand ils ne sont pas déformés ou falsifiés [**]. Enfin, parce que les penseurs de cette époque sont tous, peu ou prou, les héritiers de savoirs venus d'ailleurs : ainsi, Anaxagore est tributaire de la distinction entre les planètes et les étoiles, de la détermination des temps de rotation des corps célestes, c'est-à-dire du savoir astronomique des Chaldéens, et de l'idée que l'intelligence est répandue dans l'Univers entier, comme le suggère la cosmogonie égyptienne d'Héliopolis. D'autre part, parce que, loin de se contenter d'élaborer chacun pour soi un système qui ne doit rien à celui des autres, chacun des nouveaux venus affronte les autres, tel Démo-

---

[*] Voir le premier recueil vraiment sérieux en langue française dû à Jean Voilquin, *Les Penseurs grecs avant Socrate*. Paris, GF-Flammarion, 1964.

[**] Voir l'admirable publication de Jean-Paul Dumont, *Les Écoles présocratiques*, Paris, Gallimard, coll. « Folio/Essais », 1991.

crite réduisant en une poussière d'atomes en nombre infini l'inaltérable unicité de l'Être de Parménide.

Mais qu'à cela ne tienne! Si l'apparition de la « science » grecque s'apparente à nos Lumières, cultivons l'analogie. Prenons Démocrite, justement! Il est originaire de Thrace, citoyen d'Abdère, au nord de la mer Égée. On ne sait trop s'il est né entre 500 et 450 avant J.-C., c'est-à-dire au moment des guerres Médiques ou peu avant la guerre du Péloponnèse. Ce que l'on sait, ou que l'on croit savoir, c'est que sa doctrine s'oppose à celle des Éléates, qui neutralisaient les mouvements du monde pour parvenir à le penser. Parménide, leur chef de file, faisait preuve d'un incommensurable mépris envers les gens du commun, qui accordent crédit à ce que leurs sens leur permettent de percevoir des choses : « *Eh bien donc! Je vais parler; toi, écoute et retiens mes paroles qui t'apprendront quelles sont les seules voies d'investigation que l'on puisse concevoir. La première dit que l'Être est et qu'il n'est pas possible qu'il ne soit pas. C'est le chemin de la certitude, car elle accompagne la Vérité. L'autre c'est : l'Être n'est pas et nécessairement le non-être est. Cette voie est un étroit sentier où l'on ne peut rien apprendre**. » Les gens du commun croient ce qu'ils voient, ce qu'ils entendent, ce qu'ils touchent, lors même que, d'un instant à l'autre, ce qu'ils perçoivent change du tout au tout; bref, ils sont victimes du « pré-jugé ». Pour mettre de l'ordre dans ce chaos des perceptions, il faut faire la chasse aux contradictions, et par conséquent, ne pas admettre simultanément la même chose et son contraire. Au terme de ce procédé d'expulsion des contradictions, Parménide parvient à identifier l'Être à une sphère unique, immobile, éternelle et « finie ».

Or, pour être admirable, cette sphère n'explique rien de ce qu'il convient d'expliquer. Je vois de loin une acropole, et il s'avère quand je m'en rapproche que c'est une cité; ou bien je suis pris de terreur en entendant un char bruyant conduit par un homme très grand et très effrayant, tiré par des chevaux puissants, jusqu'à ce que, poursuivant sa course, il ne cesse de s'amenuiser au point de disparaître dans un nuage de poussière. Ai-je rêvé? Ai-je été victime d'hallucinations? Il se peut que j'aie rêvé. Mais si tout le monde voit et entend la même chose que moi? Or c'est bien ce qui s'est passé en Grèce. Entre ce que narrent les poèmes, ce que content encore nombre d'aèdes, ce que beaucoup de citoyens racontent d'un passé encore assez proche, et ce que tout un cha-

---

* Parménide, « De la nature », in *Les Penseurs grecs avant Socrate, op. cit.*, p. 94.

cun peut voir désormais, il y a de grandes différences. Le changement est si énorme qu'on ne peut parler d'illusion. Auparavant, on dépendait d'un seul, et celui-là seul était puissant : lui seul à vrai dire comptait et contenait le tout sans manquer de rien, comme la sphère de Parménide, en somme. Désormais, ce n'est plus le cas : cette dépendance n'existe plus, et chacun ne peut compter que sur soi : « *Un tourbillon de toutes sortes d'atomes s'est séparé du tout* *. »

À la belle ordonnance passée se substitue une suite ininterrompue de chocs d'infimes éléments. Ah ! l'atome n'est rien par rapport au Tout, mais le Tout n'est rien sans atomes. Sans atomes, il n'y aurait que vide et néant. C'est la liberté de mouvement des atomes qui crée des agrégats de toutes sortes, et ce sont ces agrégations d'atomes qui font naître des mondes nouveaux.

Sinon, d'où sortirait la cité ? Les seigneurs habitaient jadis sur les collines qu'on nomme « acropoles ». C'étaient des nids d'aigle, souvent imprenables. Leurs serfs venaient s'y réfugier en cas d'invasion du fief. Où sont-ils donc, ces anciens maîtres ? De loin, on voit toujours ces collines, qui donnent toujours la même impression, mais elles sont désormais désertes. Seuls y circulent quelques prêtres ; la vie se déroule à leur pied, dans une enceinte beaucoup plus large, où grouille la foule affairée autour de la place du marché. Faut-il nier cette réalité ? Faut-il la prendre pour une illusion ? Mais qui aura le front de prétendre que tout cela n'est rien ? Ce mépris peut provenir d'une âme aristocratique, dépitée par le cours des choses, mais, dans ce cas, quelle pertinence peut conserver sa « science » ? « *De la réalité, nous ne saisissons rien d'absolument vrai, mais seulement ce qui arrive fortuitement, conformément aux dispositions momentanées de notre corps et aux influences qui nous atteignent ou nous heurtent* **. » En niant la réalité de la cité, en qualifiant d'illusion le processus qui l'a engendrée, les éléates prétendent atteindre la vérité absolue. Ils ne voient pas que cette prétention, loin de ruiner l'expérience vécue avec gratitude par la plupart des hommes, peut être à son tour considérée comme le résultat du cours de l'histoire, du choc des atomes d'un monde qui s'est décomposé au profit d'un autre. En fin de compte, leur arrogance ne prouve qu'une chose : leur impuissance.

Dans cette polémique sur la nature de l'Être, Démocrite rejoint

---

* Démocrite, pensée n° 167, in *Les Penseurs grecs avant Socrate*, *op. cit.*, p. 179.

** Démocrite, fragment n° 9, *op. cit.*, p. 171.

un « penseur » géographiquement plus proche de lui, mais qui, fort probablement, ne partageait pas l'enthousiasme de la plèbe pour l'atomisation du monde grec. Je veux parler d'Héraclite. Né dans une famille sacerdotale d'Éphèse, sur cette rive de la côte d'Asie Mineure à laquelle fait face l'île de Samos, on le surnommait l' « obscur »... Sur le terrain de l'arrogance, Héraclite était passé maître. Son dédain de la foule était tel qu'il n'hésitait pas à lancer : « *Un homme vaut à mes yeux dix mille personnes, s'il est le meilleur* * » – rejetant ainsi sans condition tout régime démocratique, fondé sur la loi du nombre. En démocratie, un homme vaut une voix, et aucune voix ne vaut plus qu'une autre : c'est donc la majorité qui fait la loi, même si la majorité se trompe. Héraclite rejette ce nivellement sans appel. Néanmoins, il ne fuit pas la réalité, il l'affronte. Au lieu de *nier* le cours des choses, Héraclite le *pense*. Tout en gardant une distance hautaine, il pense l'émergence du *démos* : « *Il y a une chose que les meilleurs préfèrent à tout : la gloire éternelle à ce qui est périssable ; mais la foule se rassasie comme un vil bétail* **. » Les meilleurs, ce sont les *aristoï*, ce qui nous ramène en droite ligne au monde homérique, aux exploits d'Achille, chéri des dieux. Mais ce monde n'est plus, et, s'il n'est plus, c'est parce que l'or a fini par le contaminer puis par le ruiner. Oui, ce sont des ruines qui témoignent de la puissance passée des meilleurs ! Et c'est cette absurdité inexorable qu'il faut comprendre. Quoi de plus absurde que de voir sombrer le régime des meilleurs ? Les meilleurs n'auraient jamais dû sombrer puisqu'ils étaient les meilleurs. Ou bien faut-il admettre que les marchands sont « meilleurs » que les meilleurs ? Cela n'a pas de sens ! Les marchands sont issus de la plèbe, non des *aristoï*. Il y a donc autre chose.

Il y a la puissance du feu. Ce qui a ruiné la puissance des guerriers, c'est le feu. Du moins sa réapparition : « *Ce monde-ci, le même pour tous les êtres, aucun des dieux ni des hommes ne l'a créé ; mais il a toujours été et il est, et il sera un feu toujours vivant s'allumant avec mesure et s'éteignant avec mesure* ***. » Ce point est décisif. Le monde n'a pas de début ni de fin, mais il passe par des phases où le feu tantôt disparaît, tantôt réapparaît, dans une alternance sans fin. Ce modèle, Héraclite ne le tire pas de sa fantaisie mais de ce qu'il a sous les yeux. Naguère à l'abri de ses rayons ardents et destructeurs, la noblesse guerrière n'a pu résis-

---

* Héraclite, fragment n° 49, *op. cit.*, p. 77.
** Héraclite, fragment n° 28, *op. cit.*, p. 76.
*** Héraclite, fragment n° 49, *op. cit.*, p. 77.

ter à la résurgence de l'or. Oui, de l'or! De l'or comme valeur suprême, comme moyen de s'approprier mieux que par tout autre moyen les biens des autres et de dépasser toutes les richesses existantes en en créant de nouvelles : « *Toutes choses s'échangent pour du feu et le feu pour toutes choses, de même que les marchandises pour l'or et l'or pour les marchandises**. » C'est la subordination de la terre à la puissance de l'or qui fournit à Héraclite la clé du peu de sens que peut avoir la disparition du gouvernement des meilleurs. Le feu est au centre du monde comme l'or est au centre des affaires humaines.

Ceux qui l'ont emporté n'ont pourtant pas de *raison* de jubiler. Car il n'y a pas de raison dans cette histoire. Elle demeure absurde. Rien ne garantit à l'heureux du jour la pérennité de sa fortune : « *Le temps est un enfant qui joue au trictrac. Royauté d'un enfant***. » Ce qu'il a édifié, il peut le détruire à son gré. Pour le plaisir, comme un enfant. C'est un prêtre qui parle. Il peut aussi bien déplorer la perte du temps passé que prédire le temps à venir : « *Tout sera jugé et dévoré par le feu qui surviendra****. » Si les dieux sont devenus sourds à la détresse de ceux qui descendent des meilleurs, ils deviendront tout aussi sourds à celle des maîtres du jour. Cet or, qui soumet tout à sa loi, brûlera bientôt les doigts de ceux qu'il enrichit. Il suffira, pour en arriver là, que la fièvre s'empare de la foule, quand elle aura compris qu'elle est abusée par les nouveaux riches...

Cette prophétie justifia sans doute le surnom donné à Héraclite. Dans l'euphorie de la victoire de l'économie marchande, beaucoup croyaient voir plus clair que lui. À l'instar de Démocrite, mais avec beaucoup plus de succès que lui, Anaxagore développe une genèse du monde qui exclut la fatalité héraclitéenne. C'est presque un voisin, puisqu'il est né à Clazomènes. Mais il relève le défi. L'esprit est plus fort que le feu, affirme-t-il, car il est plus fort que tout : « *C'est de toutes les choses la plus légère et la plus pure; il possède toute espèce de connaissance de tout et la force la plus grande. Tout ce qui a une âme, le plus grand comme le plus petit, est sous le pouvoir du Noûs*****. » L'or est moins léger et moins subtil que le feu, mais le feu est moins léger et moins subtil que l'esprit. Moins subtil! L'esprit peut donc avoir raison du feu – a fortiori de l'or, même si le temps est en révolution. Par-

---

* ID., *ibid.*, fragment n° 90, p. 79.
** ID., *ibid.*, fragment n° 52, p. 77.
*** ID., *ibid.*, fragment n° 66, p. 78.
**** Anaxagore, fragment n° 12, *op. cit.*, p. 149.

delà le prêtre d'Éphèse, Anaxagore s'inspire des prêtres d'Hélio-polis pour affirmer que ce n'est pas le feu qui meut les choses, mais l'Esprit : « *Son pouvoir s'est exercé sur la révolution tout entière et c'est lui qui a donné l'impulsion à cette révolution. Celle-ci, tout d'abord, n'a porté que sur une faible partie, puis elle s'est étendue davantage et s'étendra encore plus.* » On ne peut être plus optimiste. Anaxagore a, lui, une excellente raison de l'être : il passe sa vie à Athènes, dans la compagnie d'un certain Périclès, au moment de son apogée.

IV

La lucidité de Sophocle

Le peuple trouvait-il son compte aux spéculations de ses penseurs? C'est peu probable. Sur le destin, le « progrès » vers la liberté, l'assentiment ou le courroux des dieux, il avait sa propre manière de voir les choses. Et, quand les prêtres ne lui donnaient pas satisfaction, il trouvait les moyens de les amener à innover. Peut-être est-ce là l'explication du prodigieux succès que va connaître au ve siècle une forme très spéciale de cérémonie religieuse : la tragédie attique.

L'origine de la tragédie grecque demeure mystérieuse. Son apogée coïncide avec celui de la démocratie à Athènes, au lendemain des guerres Médiques. Mais comment est-elle née? Cela demeure une énigme, sur laquelle nombre d'érudits continuent de se pencher. On ne peut douter de sa nature à la fois religieuse et populaire. « Tragédie » signifie « chant du bouc », et suggère une filiation directe entre les cérémonies par lesquelles on rendait un culte à Dionysos, lors des fêtes qui lui étaient consacrées. Dionysos, le dieu de la vigne, apporte aux hommes une telle joie de vivre, les transporte dans une telle ivresse, vient à bout de tant de misères qu'on ne peut assez le louer... Aussi, de longs cortèges célébraient dans l'allégresse la puissance de ce dieu au pouvoir unique en chantant des dithyrambes et en dansant jusqu'à l'oubli de soi. Accompagné des serviteurs de Dionysos, les Silènes et les Satyres aux pieds de bouc, le peuple affirmait sa conviction d'être invulnérable face à la douleur. De ces festivités à la tragédie dans sa forme classique, la distance paraît à première vue très courte, étant donné qu'elle donne lieu à un spectacle représenté lors de la fête des « grandes Dionysies ». Elle met toujours en scène un « chœur » qui chante et qui danse... Le problème est que ce chœur ne jubile pas le moins du monde ; il passe au contraire son temps à se plaindre. Il a une bonne raison pour cela. En effet, ce qui se déroule sous ses yeux n'est pas réjouissant : les héros ne cessent de s'entre-tuer, de se parjurer, de commettre de terribles ignominies. Pis, la plupart du temps, les crimes sont perpétrés au sein d'une même famille : que ce soit chez Eschyle, Sophocle ou Euripide, on ne voit que meurtres, incestes, tortures entre pères, mères et enfants. Tout se passe si mal, qu'en vérité, pour être une suite naturelle du dithyrambe dionysiaque, la tragédie est vraiment trop... tragique.

On s'approche sans doute de la solution lorsqu'on creuse la personnalité de Dionysos. C'était, semble-t-il, un dieu « tardif » de l'Olympe, une sorte de pièce rapportée de la famille des dieux. On lui donnait bien pour père Zeus en personne et on lui faisait jouer un rôle non négligeable dans la résistance des dieux aux Titans. Dans la bataille, Dionysos avait d'ailleurs perdu la vie, les Titans l'avaient lacéré : de cette terrible épreuve, de cette « passion », au terme de laquelle ses membres avaient été arrachés et dispersés, il avait gardé le nom de Zagreus. Mais, à dire vrai, Dionysos était plus proche des dieux de la terre que des dieux du ciel. Comme le dieu égyptien Osiris, le dieu des morts, dont le corps avait lui aussi été « démembré », puis, à force de patience, reconstitué par Isis, son épouse, folle de douleur et d'amour, Dionysos s'inscrivait aisément dans le cycle de la végétation, qui meurt en hiver pour mieux renaître au printemps. Au côté de la déesse Déméter, la déesse des récoltes, Dionysos présidait à la croissance exubérante des espèces vivantes, à la montée de la sève dans les tiges – toutes les tiges –, et l'on adorait en lui le mystère de la reproduction des êtres. Il ne fallait donc pas s'étonner si la jubilation que provoquait la célébration de son culte ait pu se traduire lors des Grandes Dionysies par les lamentations d'un chœur solennel et le rappel mimétique de cruautés sans nom. À ces cruautés, on donnait justement des noms, en utilisant les cycles de légendes concernant les héros anciens, comme pour donner un sens à toutes les souffrances de l'existence : elles prenaient place dans le « cycle » de l'existence, grâce auquel elles devaient céder la place à la jubilation, car, comme la mort du dieu, elles préludaient à une vie nouvelle, à une régénération des corps et des cœurs.

On peut faire un pas de plus. En effet, s'il est profondément lié au culte de Déméter et, comme tel, a joué un rôle décisif dans les « mystères », tels que ceux d'Éleusis (dont le site se trouve à très faible distance d'Athènes), Dionysos a un long passé. Dieu de la vigne et de l'ivresse, dieu du sexe et de la reproduction, ce Diony-sos, loin d'être un dieu « récent », semble particulièrement archaïque. S'il est récent, c'est comme hôte de l'Olympe et fils de Zeus. Mais on trouve sa trace dans des cultes nettement anté-rieurs à celui du fameux « monde olympien ». Soyons prudents sans être timorés ! Si tel est le cas, cela veut dire que Dionysos a subi le sort des populations qui occupaient le sol de l'Attique, voire de la Grèce tout entière, avant la période des grandes inva-sions. On parle souvent des Pélasges, pour désigner ces peuples. Et on leur attribue un mode d'existence communautaire, sem-blable à celui que menaient les tribus celtes en Europe avant les invasions germaniques : élevage et culture pratiqués en commun, sans propriété privée du sol. Ils avaient alors toute raison de rendre hommage au dieu qui faisait renaître sans cesse leurs forces vives. Mais supposons que ces Pélasges aient dû subir les vagues d'envahisseurs aryens venus d'Asie centrale, des siècles durant, et que le chaos ait régné sur leur sol, réduisant à néant la belle unité de la communauté : ils auront subi le supplice infligé à Dionysos... Supposons que ces barbares soient restés dans les mémoires sous l'appellation de « Titans ». D'après les croyances populaires, ce fut la tâche des dieux de l'Olympe de mettre de l'ordre dans ce chaos provoqué par les Titans. Or ce sont les conquérants doriens qui ont rempli ce rôle dans l'histoire, à l'aide de leurs propres dieux. Les Titans une fois vaincus par les dieux nouveaux, le peuple trouva en ces derniers protection. Mais il ne retrouva pas son unité. Sa vie, jadis libre et communautaire, il dut la consacrer à l'entretien de ses maîtres, auxquels il devait la fin de son cauchemar. On peut donc concevoir que le peuple des paysans, qui a survécu, bien que dépecé par les barbares, puis par-tagé entre les vainqueurs et soumis à la glèbe, aspira peu à peu à retrouver son unité, son existence sans entrave, sa liberté d'action, qu'il rêva d'abolir les frontières entre les domaines sur lesquels il était disséminé, d'enlever les bornes qui perpétuaient son supplice, désormais sans raison d'être, puisque les barbares avaient été refoulés depuis longtemps. Par la force de la nostalgie envers un passé lointain (et d'autant plus embelli), le culte de Dionysos put alors se charger d'un contenu subversif.

On a souvent remarqué que le culte dionysiaque était le fait des femmes. Pour expliquer sa prodigieuse victoire au cœur du peuple grec à l'époque démocratique, l'enthousiasme que son culte se mit à provoquer dans les cités, ce relais est en effet décisif. Déjà, Johann Jacob Bachofen, contemporain helvétique de Fustel de Coulanges, pouvait écrire sans ambages dans une puissante étude sur le matriarcat : « *Dionysos, est dans toute l'acception du mot, le dieu des femmes. Reconnu et accepté d'abord par elles dans toute sa magnificence, il est devenu la source de leurs espérances charnelles et spirituelles, le centre autour duquel gravite leur existence. Sa religion révélée aux femmes, propagée par elles, leur doit son triomphe* *.* » En bon juriste, Bachofen décèle dans cette adhésion féminine une nostalgie provoquée par la soumission au « sexe fort » : « *Images mortelles de Déméter, déesse de la terre, toutes les femmes mettront au monde des enfants qui tous seront frères et sœurs. Cette égalité demeurera jusqu'à ce que le patriarcat vienne détruire l'unité de cette masse, remplaçant cette unité par le groupement régulier* **.* » Cet aspect féminin du culte de Dionysos sert de moteur non seulement au combat pour l'émancipation de la femme mais encore à celui de toutes les victimes de l'ordre établi. En conservant dans toute sa force le pieux souvenir du dieu lacéré, les femmes nourrissent en leur sein la force morale dont tous les opprimés, et pas seulement les femmes, ont besoin pour abattre le pouvoir dominant. Car le patriarcat a signé l'arrêt de mort de la vie communautaire, de la vie naturellement libre, où régnait l'égalité entre les hommes : « *Le patriarcat, c'est la limitation; le matriarcat, c'est la communauté sans bornes. Le patriarcat rétrécit le cercle de ses rapports; le matriarcat, pas plus que la nature, n'impose de limites. Devant la fécondité maternelle tous les hommes sont frères. Le patriarcat, par contre, les isole les uns des autres* ***.* » La religion dionysiaque devient tout naturellement une religion des classes asservies, qui aspire à « *remplacer la diversité des castes par l'uniformité de la démocratie* ****» . Telle est du reste la thèse de Bachofen. Il ne faudra donc pas s'étonner de voir coïncider la longue lutte des paysans soumis aux Doriens et le retour en force du culte de Dionysos par le biais du dithyrambe dionysiaque.

On ne s'étonnera pas davantage de voir coïncider dans le temps l'avènement de la démocratie et celui de la tragédie. L'heure de vérité de cet affrontement séculaire arrive au moment où la Perse se fait menaçante. Au début du Ve siècle, Xerxès, le roi des rois, ne cache plus son intention de poser sa patte sur la Grèce, et il enva-

---

* Johann Jacob Bachofen, *Du règne de la mère au patriarcat* [1860], traduction de Turel, chapitre VIII, Paris, Alcan, 1938, p. 57.
** Id., *ibid.*, p. 65.
*** Id., *ibid.*, p. 38.
**** Id., *ibid.*, p. 78.

hit l'Attique. C'est alors que l'incroyable se produit : là où l'on attendait l'aristocratie guerrière, dont la guerre est le métier, c'est la plèbe qui prend la première les armes et qui repousse l'envahisseur. Marathon et Salamine sont les moments forts de ce fait d'armes inouï. C'est le peuple qui a défendu la cité! Dès lors, l'ordre ancien n'a plus de raison d'être, et les privilèges doivent être abolis. Puisque c'est le peuple en armes qui a repoussé l'envahisseur, la preuve est faite que les Eupatrides sont superflus, du moins qu'ils n'importent pas plus que les autres habitants de la cité. Tous grecs, tous citoyens! C'est le *démos* qui a vaincu l'ennemi extérieur, c'est donc le peuple qui doit faire la loi à l'intérieur.

S'il en est ainsi, c'est que les dieux eux-mêmes ont tranché. C'est avec leur aide que la plèbe a vaincu. Du moins avec celle de Dionysos. Qu'on le fête! Qu'on le célèbre! *Evohé!* C'est lui (avec Déméter) qui aida jadis Solon à éliminer des champs les bornes, c'est lui, à n'en pas douter, qui a donné au peuple la force de repousser Xerxès, rejeton dégénéré des Titans, c'est lui qui a permis au *démos* d'en finir avec le règne des Eupatrides. Mais comment peut-on en être sûr, sinon dans la solennité? Le théâtre apporte à la plèbe d'Athènes la caution de ce renversement prodigieux. La première des grandes tragédies (dont on a conservé le texte) remplit cette fonction à merveille. Elle a pour auteur Eschyle, et s'intitule – est-ce un hasard? – *Les Perses.* Du rôle que doit jouer sa pièce, Eschyle ne fait pas mystère. Il chante la gloire du peuple d'Athènes. La scène se passe à la Cour du Grand Roi, où l'on attend l'issue de la bataille, jusqu'à ce qu'un messager annonce la défaite. Le chœur (perse) éclate alors en sanglots : « *Oui, Athènes est pour moi, misérable, un nom détesté. Ah! j'ai de quoi me souvenir d'elle; c'est par elle que des milliers de femmes perses ont perdu, pour rien, leurs enfants et leurs époux.* » La reine, de son côté, interroge : « *Quel chef est à leur tête et commande leur armée?* » Et le coryphée de répondre : « *Ils ne sont esclaves ni sujets d'aucun homme*[*]. » Des citoyens égaux entre eux! tels sont les vainqueurs du roi des rois et de son armée innombrable! Le frisson de fierté et de jubilation qui s'empare des spectateurs sur les gradins du théâtre d'Athènes scelle la fin du règne de l'aristocratie en Grèce.

Conforté dans son audace par des poètes de la trempe d'Eschyle, dont la corporation était jadis au service de l'aristocra-

---

[*] Eschyle, *Théâtre complet*, traduction d'Émile Chambry, Paris, GF-Flammarion, 1964, p. 50-51.

tie, le peuple athénien pouvait se dispenser des lumières des « penseurs » pour comprendre le cours des choses ainsi que l'ordonnance du monde : en se rendant au théâtre lors des grandes Dionysies, en se répartissant sur les gradins de l'hémicycle creusé au flanc de l'Acropole, il en apprenait plus qu'en prêtant l'oreille aux spéculations des adeptes du *logos*. Et de manière beaucoup plus plaisante. Car, dans les tout premiers moments, alors que l'ivresse de la victoire faisait encore son effet, il est permis de croire que l'aspect solennel de la cérémonie tragique, la dignité du chœur, la lenteur de ses mouvements, l'élévation du ton du coryphée, la tenue des acteurs, chaussés de hauts cothurnes, le visage caché par des masques imposants, la piété qui régnait dans l'assistance innombrable, où chacun se devait d'honorer son statut de citoyen à part entière, tout cela ne devait pas empêcher les membres du *démos* d'éprouver un immense bonheur intérieur.

Tout d'abord par le simple fait d'être à nouveau réunis : la disposition des lieux devait permettre au peuple tout entier de ne faire plus qu'un. Ce que le jus de la vigne permet de croire dans les premiers temps de sa consommation, ce sentiment de fraternité qu'éprouve l'homme en état de légère ivresse, tout proche alors de l'idée que tous les hommes sont libres et égaux, qu'ils appartiennent à une seule et même famille, ce sentiment, dis-je, les Athéniens ont pu l'éprouver dans les premiers temps de la tragédie. De surcroît, quel plaisir n'ont-ils pas dû ressentir au spectacle de la souffrance de leurs ennemis! Cela vaut bien sûr pour les Perses, mais cela vaut tout autant, si ce n'est davantage, pour les Eupatrides. En effet, la plupart des héros des pièces jouées dès lors sur scène seront des rois, des reines, des princes et des princesses. Ceux-là mêmes dont les aèdes contaient les exploits, ce sont eux que les poètes tragiques convoquent sur la scène. Et ce sont les souffrances qu'ils montrent, puisque aussi bien ils n'ont cessé de se faire mutuellement du mal. Or ce sont les aïeux dont se réclamaient, en ligne plus ou moins directe, les Eupatrides. Si l'on garde à l'esprit le temps qu'il fallut aux opprimés pour venir à bout du pouvoir de leurs maîtres, la sueur, le sang, les larmes que le renversement de la hiérarchie leur coûta, on imagine la délectation fournie à la plèbe par le biais du spectacle tragique.

Prenons Agamemnon. On sait quelle épreuve les dieux lui ont fait subir au faîte de sa puissance. L'*Iliade* le narre fort bien. Mais ce que l'*Iliade* ne dit pas, c'est qu'il n'a pas fini de payer. Le poème ne raconte pas son retour. Or on sait que cela se passe très mal. Une mort ignominieuse l'attend : à peine a-t-il posé le pied sur le sol de sa patrie que sa femme le tue de ses mains, avec l'aide de son amant. Clytemnestre a une bonne raison de faire couler le sang de son époux : elle veut venger la mort de sa fille. Voilà dix ans qu'elle attend son heure! Cela remonte au début de l'expédition vers Troie : alors que la flotte était rassemblée à Aulis, les dieux lui refusaient le vent nécessaire à la traversée. Pour se concilier leur faveur et pour donner des gages à ses troupes, Agamemnon avait fait venir Iphigénie au camp et l'avait sacrifiée sur l'autel du devin Calchas. Ce crime ne pouvait rester impuni. C'est du moins ce que Clytemnestre avance comme justification à son geste, car, si l'on y regarde de plus près, on s'aperçoit qu'elle devait venger aussi le meurtre de son père. En effet, Agamemnon tenait son sceptre d'une usurpation : son royaume, il l'avait conquis après avoir tué le roi, dont Clytemnestre était la fille. Un meurtre récent en cachait un autre, très ancien, et le coupable en était le même homme, celui qui avait fait d'elle son épouse. En tuant à son tour Agamemnon, elle faisait d'une pierre deux coups. Un thème de choix pour les poètes tragiques. Une source de jouissance inouïe pour les nouveaux maîtres. D'autant plus qu'Agamemnon a eu trois autres enfants de son épouse, qui se chargeront de venger leur père...

Cette manière de se réjouir n'aura qu'un temps. Quelques décennies à peine. Certes, Athènes atteint alors son apogée et parvient même à imposer sa suprématie sur toutes les autres cités. À sa tête, elle a le meilleur des stratèges, le plus avisé, Périclès. En lui, le *démos* a trouvé le chef qu'il lui fallait pour en imposer à tous ses ennemis, tant à l'extérieurr qu'à l'intérieur de la cité. On construit les Longs Murs qui protègent la route d'Athènes au Pirée, son port principal, et son arsenal; on édifie le Parthénon, aux splendides colonnades; on borde l'Agora de somptueuses galeries marchandes, les Portiques; sous le ciseau de Phidias, Athéna, Zeus, Apollon, Dionysos prennent forme humaine et s'installent à demeure! Mais ce moment béni des dieux, les Athéniens vont le payer très cher. Le prix? Une guerre sans fin avec les autres cités, rallumée sans cesse par la cité rivale de toujours, Sparte, qui se doublera d'une nouvelle guerre intestine entre aristocrates et démocrates. L'heure de l'amertume approche. Les atrocités dont les Athéniens se délectaient au théâtre en spectateurs, ils vont en être à leur tour les acteurs.

Si bien que, au sommet de sa carrière de dramaturge, Sophocle peut se servir de la scène tragique comme d'un miroir qu'il tend aux spectateurs. C'est ainsi, du moins, que je comprends l'une de ses tragédies les plus fameuses, *Œdipe roi*. Il me semble, en effet, que Sophocle n'a pas d'autre objet en mettant Œdipe en scène. On n'y a pas encore pris garde : on s'est focalisé jusqu'à présent sur les crimes commis par Œdipe, le parricide et l'inceste, et l'on s'accorde en général à y voir ce que Freud y a découvert, à savoir l'expression de « fantasmes » individuels, qui travaillent notre inconscient. Ces fantasmes sont assurément universels, ils concernent tous les êtres humains, mais ils ne les concernent qu'à titre personnel : il revient à chacun de « faire avec », c'est-à-dire de les dépasser. Tout homme, étant enfant, a désiré posséder sa mère et prendre la place de son père. C'est un stade par lequel il faut passer pour devenir un adolescent puis un adulte. Encore faut-il trouver les résistances adéquates, notamment chez le père et chez la mère, pour qu'il n'y ait pas, d'une manière ou d'une autre, passage à l'acte, faute de quoi il est à craindre que jamais le sujet en question ne mènera une vie normale [*].

Parfois, cette interprétation a été rejetée au nom du fait qu'il existe d'autres versions du mythe dans lesquelles tout se passe très bien, ce qui compromet le caractère universel de l'interdit de l'inceste et du parricide; on tente alors une lecture *anthropologique*, accordant plus d'importance à la question du régicide et misant sur la substitution d'un droit archaïque à un droit civique [**]. Ce travail critique envers l'approche analytique a au moins le mérite de considérer l'affaire sous un angle collectif et non pas seulement individuel. De surcroît, il autorise une réflexion historico-juridique qui n'est pas dénuée d'intérêt. Mais il est entaché du même défaut que la tradition freudienne : il ne tient aucun compte de la tension événementielle, de l'adéquation entre les événements qui se déroulent dans la cité et ceux qui se déroulent sur la scène. Personne, jusqu'ici, n'a pris garde en particulier à la « peste », qui prélude au drame tout entier, à ce fléau qui ravage la cité au point de contraindre son chef, peu à peu, à ouvrir les yeux sur sa responsabilité. Jamais on ne s'est aperçu que le scénario de la pièce coïncidait parfaitement avec ce que les spectateurs eux-mêmes vivaient en dehors de l'enceinte du théâtre, au sein de leur cité, sous l'égide de Périclès. Jamais on n'a remarqué que Sophocle renvoyait aux Athéniens l'image de leur

---

[*] Sigmund Freud, *L'Interprétation des rêves* [1900], *Cinq Leçons sur la psychanalyse* [1909].

[**] Jean-Pierre Vernant et Pierre Vidal-Naquet, *Mythe et tragédie en Grèce ancienne*, Maspero, 1972.

propre turpitude, reflétant sur le cercle lumineux de la scène le mal qui rongeait la cité.

Qu'on y songe! Œdipe a débarrassé Thèbes de la Sphinge, qui compromettait son avenir. Sous son règne commence alors une longue période de prospérité. Puis la peste s'abat : « *Car la Cité – tu le vois toi-même – lance dès le prologue un prêtre à Œdipe, toute secouée par la tourmente, peut à peine soulever sa tête hors des gouffres et des remous sanglants. Elle périt dans les semences de la terre, elle périt dans les troupeaux, elle périt dans le ventre des mères. Une plaie tombée du ciel embrase la cité, c'est la peste maudite : elle fait le vide dans la maison de Cadmos et le noir Hadès thésaurise les gémissements et les pleurs* *.* »* Or, comme le règne d'Œdipe, celui de Périclès a commencé sous les augures magnifiques. C'est avec lui qu'Athènes, après avoir vaincu les Perses, s'élève au-dessus des autres cités et parvient à la plus grande prospérité. Mais sur quel fondement? Sur le parricide et l'inceste.

Le parricide? C'est l'objet principal de cette révélation. Celui qui règne, règne au compte de la plèbe, de la foule, de la masse, car on est en démocratie. Il a donc pris la place du souverain légitime, celui à qui les dieux avaient naguère confié le soin de mettre de l'ordre : le roi, représentant suprême de la noblesse guerrière, dépossédée de ses privilèges par la violence. Il y eut donc régicide. Le peuple s'est donné un nouveau souverain, le stratège, dont on sait qu'il était le plus souvent issu des rangs des Eupatrides, les descendants de l'aristocratie de sang. Ainsi, même s'il l'ignore, Périclès a sur les mains le sang de ses « pères ». Quant à l'inceste, il est patent : car c'est la cause du peuple que le tyran a épousée. Jadis, le peuple s'était donné aux conquérants doriens; depuis peu, la plèbe s'est donné un nouveau maître, qu'elle a naguère enfanté et qui désormais partage sa couche.

Personne, si ce n'est Sophocle, ne semble voir que la prospérité d'Athènes repose sur de tels forfaits. Aussi rappelle-t-il aux Athéniens une histoire qui, comme toutes les autres, est tirée du fonds épique. Celle-ci se trouve dans l'*Odyssée*, que la tradition attribue à Homère. C'est un épisode particulièrement impressionnant, puisqu'il est lié à une évocation des esprits des défunts. En quittant la magicienne Circé, Ulysse se rend dans le pays des Cimmériens pour consulter le devin Tirésias. Mais, pour cela, il doit entrer en contact avec le royaume d'Hadès, où il séjourne, dans la

---

* Sophocle, *Théâtre complet, Œdipe roi*, prologue, traduction d'Ernest Pijuarre, Paris, GF-Flammarion, 1964, p. 105.

compagnie innombrable des morts, dont certains de ses pairs, comme Achille et Agamemnon. Œdipe se trouve parmi les ombres fugitives, et le poète évoque son histoire. Il est vrai que, dans sa version, Sophocle innove quelque peu : dans l'*Odyssée*, la peste ne frappait pas Thèbes, et Œdipe ne s'en tirait pas mal. Cette fois, le sauveur de Thèbes touche les limites de son règne. Sa cité est menacée de mort : s'il veut que la peste disparaisse, il faut qu'il comprenne qu'il est coupable, qu'il quitte le pouvoir – et se crève les yeux.

V

La lassitude de Socrate

En mettant les malheurs d'*Œdipous tyrannos* en scène, Sophocle mettait en garde ses concitoyens contre la morbidité de leur situation. Ivres de joie au lendemain des guerres Médiques, fiers de leur suprématie sur tous les Grecs, les Athéniens ne voyaient pas que le malheur était sur leur tête. Des *aveugles...* Oui, la terre d'Attique était libre! Oui, les Athéniens étaient égaux en droit sur le sol de leurs ancêtres. Mais à quel prix! puisque, selon Sophocle, l'instauration de la démocratie équivalait à un parricide et à un inceste. Oui, ils avaient atteint une prospérité inouïe, dont la splendeur de leurs édifices était le juste reflet! Mais pour combien de temps? Le temps que la peste se déclare... Et ce temps était arrivé! L'hégémonie d'Athènes sur les autres cités faisait renaître des haines mortelles entre Grecs, et quelque mal obscur rongeait la cité de l'intérieur. Il fallait maintenant aux Athéniens reconnaître leur erreur et expier les crimes infâmes auxquels ils devaient leur prospérité – sous peine de sombrer dans la déchéance.

Il restait à savoir si le poète avait raison, sur le fond et sur la forme. Sur la forme, Sophocle avait fait preuve d'une grande habileté, en piégeant le peuple tout entier au moment propice, sur le lieu de ses réjouissances. Au lieu du plaisir attendu, de cette réjouissance procurée jusque-là par le spectacle des malheurs des autres, c'est de leur propre turpitude qu'il était question dans sa pièce. Œdipe, c'était bien sûr le roi légendaire de Thèbes, mais c'était un masque pour leurs chefs successifs, du « sage » Solon au grand Périclès. Le désarroi du chœur, c'était le leur. Et c'est à eux que s'adressait Tirésias pour leur révéler le sens des fléaux qui s'abattaient sur la ville. En se donnant un tel régime, ils croyaient avoir l'assentiment des dieux. Sophocle montrait qu'ils se trompaient lourdement et qu'ils avaient, tout au contraire, provoqué leur courroux. Certes, pas celui du dieu Dionysos, qui exultait dans la subversion. Mais celui d'Apollon, le dieu des Eupatrides bafoués. Lorsqu'il était en colère, Apollon criblait ses victimes de flèches. Il atteignait bien sûr des innocents dans son désir de vengeance. Mais jamais ce n'était sans raison, il fallait la deviner. Qu'on se souvienne du début de l'*Iliade*. Le dieu farouche attendait réparation. Il fallut l'intervention du devin Calchas. Cette fois encore, c'est au devin de révéler la raison de la colère d'Apollon. À l'époque du roi Laïos, le père d'Œdipe et l'époux de Jocaste, Tirésias était devenu aveugle, mais il voyait mieux que quiconque car il ne vivait pas dans l'illusion que procure la lumière de l'or, des richesses, des objets précieux. Protégé de leurs rayons néfastes, il était de tous le plus clairvoyant. C'est à lui que revenait la tâche de dire aux Athéniens leur fait.

Au cœur de la fête ! En apparence, Sophocle renversait la fonction de la tragédie. Il prenait à rebours ce que les adeptes fervents des Grandes Dionysies attendaient du spectacle tragique. Mais c'était pour qu'elle agisse d'une manière plus profonde, en accord avec une dimension que ses adeptes utilisaient sans le savoir. Car, en deçà de la jubilation qu'il provoque, le spectacle tragique s'enracine, c'est le mot, dans la technique très archaïque de l'évocation des morts. À la célébration du culte de la vigne, et à l'ivresse qu'elle procure, correspond une croyance fort ancienne qui relie les vivants aux morts. C'est de la mort que renaît la vie, du sol, mieux, de ses profondeurs. C'est là que germent les graines enfouies dans la glèbe, c'est là que plongent les racines des plantes et des arbres. C'est de là que remonte la sève. Le sol contient donc l'avenir. La vie est en puissance dans la mort. C'est là le sens des mystères auxquels Dionysos prend part, et dont les prêtres d'Éleusis avaient le secret. Depuis que le peuple a le pouvoir, la célébration de ces mystères se fait en plein jour, au vu et au su de tous. Le spectacle tragique offre à la cité tout entière le contact avec les défunts. Or certains connaissent l'avenir. Ce sont les mânes des devins.

Le choix de l'épisode de l'*Odyssée* où Ulysse va consulter l'ombre de Tirésias met donc Sophocle en position optimale pour donner à son message toute sa force, tout son pathos. C'est en effet le passage de l'épopée qui devait toucher le peuple au plus profond, le faire tressaillir au tréfonds de son âme. D'autant plus que ce que le héros a besoin de savoir coïncide à merveille avec ce

253

que le peuple d'Athènes cherche confusément. Le héros Ulysse avait une raison bien précise pour entrer en contact avec le royaume d'Hadès. S'il cherche à parler à l'esprit de Tirésias, c'est parce que seul le devin peut lui indiquer le chemin du retour à Ithaque. Voilà dix ans que la guerre a cessé, dix ans que Troie a été prise – et saccagée –, et lui, au lieu de retrouver aussitôt son épouse Pénélope, son fils Télémaque, sa demeure, ses serviteurs, ses troupeaux, erre depuis lors sur les mers, loin de sa patrie, victime du dieu Poséidon. Certes, çà et là, la chance lui a souri, il a connu des moments bien doux. Mais il se languit d'Ithaque. Presque tous ses compagnons ont péri. Il veut rentrer au plus vite. D'où la rencontre avec le devin défunt. Une quête que la masse des spectateurs athéniens partage. Car, comme Ulysse, les spectateurs athéniens ont la nostalgie de leur terre. De souche paysanne pour la plupart, c'est de la terre que leurs aïeux vivaient, c'est à la terre qu'ils voudraient retourner. Mais ils en ont perdu le chemin. La terre désormais s'achète, et bien peu en ont les moyens. Il fut un temps où tout était commun, où l'argent n'existait même pas; pourquoi ce temps ne reviendrait-il pas? Dionysos le leur a promis: un jour, l'unité sera rétablie. Il reste à savoir comment. Là encore, Dionysos peut intercéder. Il est passé par le royaume des morts. Il doit savoir comment faire parler les ombres. De fait, n'est-ce pas le rôle de la tragédie? Comme Ulysse, le peuple opère un sacrifice, à l'occasion des fêtes du dieu, pour évoquer les esprits des défunts. La foule se penche sur une fosse, comme celle qu'Ulysse a creusée dans le sol et, comme Ulysse au-dessus des ombres, elle tente de faire parler celle qui sait. Dans cette évocation collective des morts, la plèbe a tout à gagner: elle goûte la joie d'être reconnue comme héroïque, puisqu'elle se trouve dans la position d'Ulysse, ce qui satisfait son désir de reconnaissance de la part des dieux, ainsi que son esprit de revanche envers leurs favoris; mais elle se donne surtout le moyen de retrouver la bonne passe, celle du passé.

Remarquable intuition de Sophocle! Il visait on ne peut plus juste en tirant Œdipe du royaume des ombres, puisque, en tant que « royaume », celui d'Hadès était le seul auquel le peuple athénien accordait encore du crédit. Et quel crédit! Depuis toujours, le peuple de l'Attique était attaché au culte des morts. Le petit peuple vivait près du sol. Et c'est du sol qu'il attendait la vie, au contraire de l'aristocrate, proche du ciel, qui, à l'instar de l'aigle, guette ses proies dans son vol. C'est pourquoi l'un avait été soumis à l'autre. Et c'est peut-être aussi pourquoi les paysans enterraient les cadavres, alors que les guerriers les brûlaient. Achille fit un bûcher à Patrocle : il fit de lui lumière et cendres, qu'on dispersa aux quatre vents ; ainsi eut-il plus de chances de rejoindre le firmament. Mais, pour ceux qui travaillaient la terre, il allait de soi que les morts avaient leur place dans le sol qu'ils avaient foulé. D'où l'idée qu'ils pouvaient y survivre et qu'on pouvait encore les faire parler... La plèbe aurait dû apprécier. Ce rapport des vivants à l'égard des morts était le sien. Elle admettait que les défunts pussent connaître l'avenir. Elle aurait dû tendre une oreille attentive aux propos du devin Tirésias, tels que Sophocle les mit en vers...

Était-ce le cas ? Les Athéniens pouvaient-ils entendre un tel message ? Certes, ils s'enfonçaient dans les affres d'une guerre injuste avec les autres cités, dont ils exigeaient un véritable impôt. Mais pouvaient-ils renoncer à leur liberté, à leur égalité, si chèrement acquise ? Pouvaient-ils renoncer à la source de revenus que leur hégémonie leur assurait ? Pouvaient-ils accepter d'assimiler l'instauration de la démocratie à ces monstruosités évoquées par Sophocle ? Du reste, le poète avait-il raison ? Athènes sombrait dans le malheur, c'était certain : quelque chose de morbide était à l'œuvre au sein de la cité. Mais quoi ? Le langage poétique demeurait obscur. Pour expliquer l'aggravation des menaces qui pesaient sur Athènes, suffisait-il vraiment d'invoquer la colère d'Apollon ? C'est en se posant ces questions que Socrate, me semble-t-il, inventa la *philosophie*.

Né en l'an 468 avant J.-C., Socrate avait dix ans quand Périclès commença sa carrière d'homme politique au service des démocrates, à peine vingt lorsque Athènes soumit l'île d'Eubée, et pas encore trente lorsque sa cité s'engagea dans la guerre du Péloponnèse (date à laquelle il dut, comme tous les Athéniens, assister à la représentation d'*Œdipe*). Socrate fut donc témoin de toute la guerre, du début à la fin, jusqu'à la capitulation finale en 404 avant J.-C. Il y prit part à plusieurs reprises, pour accomplir son devoir de citoyen, comme dans l'expédition contre la cité de Potidée, qui refusait de payer le tribut qu'Athènes exigeait de ses « alliés ». Son origine était plébéienne. Son père était tailleur de pierre. Certains prétendent qu'il était sculpteur, mais je le vois plus simplement artisan chargé de mettre aux normes les blocs de pierre destinés aux grands édifices dont la cité se dotait. Quoi qu'il en soit, Socrate, jeune, participe de plain-pied à la croissance de sa cité, tant dans son élan d'urbanisation que dans sa soif d'expansion – sans protester le moins du monde.

Il faut qu'Athènes s'installe dans la guerre pour que l'on commence à parler de lui. Et, si l'on commence à parler de lui, c'est parce qu'il se met à parler. Au lieu de tailler ses pierres, il déambule du matin au soir sur l'Agora en apostrophant les passants. Quelle mouche le pique tout à coup? D'où lui vient ce zèle de rhéteur? Cette soif insatiable de dialogue? Ce désir de harceler les autres? Dans son *Apologie*, Platon lui fait dire qu'il y fut *contraint* par un *oracle*, qui déclara à son sujet qu'il était le plus sage des Grecs[*]. Socrate voulut donc savoir ce qui lui valait cet honneur et ne trouva pas mieux que d'interroger sans relâche ses concitoyens, ainsi que tous les gens de passage en ville, pour voir ce qu'il avait de plus qu'eux. Or il eut beau multiplier les contacts et renouveler chaque jour les tentatives, il ne trouvait en sa personne aucune supériorité flagrante. La seule chose qui le distinguait (dixit Platon, là encore), c'était son absence d'illusion quant à son propre savoir. Ce n'était pas un plus, c'était un moins : il avait moins d'illusions que les autres sur ce qu'il croyait savoir, puisque, précisément, il n'était sûr de rien, tandis que les autres croyaient, sur un sujet, sur un domaine, sur un point de droit, de morale, de politique, ou de religion, savoir quelque chose[**].

Il faut, hélas, émettre quelques réserves sur cette manière de narrer l'affaire. D'abord parce qu'on ne la retrouve pas chez Xénophon, un autre « élève » de Socrate, du même âge que Platon, et qui écrivit lui aussi beaucoup sur son maître; avec Xénophon, la vocation de Socrate prend une tournure beaucoup plus intime et paraît bien moins gênante pour les étrangers. Surtout parce qu'un troisième témoignage contredit radicalement les deux précédents : le témoignage d'Aristophane.

S'il faut en croire Xénophon, Socrate était avant tout moralisateur. Peu porté à la rhétorique, il se plaisait à déceler le juste et l'injuste dans les actions dont il était témoin. Si bien qu'on prit l'habitude de lui soumettre des « cas » difficiles, ne fût-ce que pour se délecter de la manière dont il les résolvait. Souvent invité aux banquets des riches, il savait faire preuve de modération, tant sur les mots que sur la boisson. Encore fallait-il ne pas le provoquer, car, alors, il se révélait redoutable – sur un terrain comme sur l'autre. Jamais ivre, toujours maître de lui aussi bien en paroles qu'en actes, c'est surtout par son mode de vie que Socrate était remarquable. Rien dans le cours de son existence ne tendait à cette inquiétude qu'on décèle chez Platon, à ce souci de cher-

---

[*] Platon, *Apologie de Socrate* [21a], Paris, Le livre de Poche, 1992, p. 79.
[**] ID., [23a], *ibid.*, p. 83.

cher le « vrai » : selon Xénophon, Socrate vivait pour le « bien », donnant le premier l'exemple de ce qu'était la vie d'un juste. C'était, en outre, le seul moyen de faire renaître pour de bon dans la cité le goût de la vertu si souvent bafouée *.

Xénophon nous met dans l'embarras, car, si son portrait est fidèle, on ne voit vraiment pas ce qui put provoquer contre un tel sage la colère de toute une cité – si ce n'est sa propre méchanceté. Or, quand on se plonge dans Aristophane, on s'aperçoit que les griefs crépitent comme les flammes sur du bois sec. Bien sûr, étant auteur de satires, Aristophane est quelque peu « méchant ». Mais quel crédit auraient eu ses attaques si elles n'avaient aucun fondement? Dans Les Nuées, il place Socrate dans une nacelle, dominant de haut la situation. Un acolyte, Chéréphon (celui-là même dont Platon fait le messager de l'oracle concernant Socrate), a planté sa tête dans le sol pour en mesurer la profondeur, tandis que son postérieur se trouve en position parfaite pour étudier le cours des astres. Mais ce qu'il lui reproche n'est pas sans importance : il s'agit ni plus ni moins de la cohésion interne de la cité et de la permanence de sa protection par les dieux. Selon Aristophane, Socrate méritait l'opprobre parce qu'il enseignait l'art de ne pas tenir ses engagements. Grâce à des raisonnements ad hoc, on pouvait apprendre à faire passer le noir pour du blanc, à neutraliser toute affirmation et à faire naître à volonté l'incertitude, ce qui à l'occasion procurait notamment l'avantage de débouter ses créanciers le jour venu et, par conséquent, de ne jamais payer ses dettes, lors même qu'on en faisait de nouvelles **...

Accusation redoutable! Car, si de tels actes se multiplient, la confiance disparaît entre citoyens, entre générations, entre hommes et dieux. Si personne ne paie plus ses dettes, si personne n'accomplit plus son devoir – le citoyen envers ses pairs, le père envers ses enfants (et les enfants envers leurs parents, et les époux envers les époux) –, les Athéniens envers les dieux de l'Olympe, Socrate fait donc un métier criminel : un métier, car il donne des leçons pour lesquelles il reçoit de l'argent. Dès lors, il faut l'éliminer. Du reste, c'est ainsi que finit la pièce : on met le feu à la maison de Socrate... « *Cette accusation est injustifiée, dira-t-on sans doute. Entre un Aristophane qui voulait avant tout faire rire, qui faisait flèche de tout bois, et un Xénophon ou un Platon, le choix n'est-il pas facile?* » Eh bien! cela n'est pas si sûr. Car on retrou-

---

* Xénophon, *Les Mémorables*, GF-Flammarion.
** Aristophane, *Les Nuées*, GF-Flammarion.

vera vingt ans plus tard des chefs d'accusation de ce type dans le procès qui sera intenté à Socrate : impiété envers les dieux de la cité et corruption de la jeunesse, voilà ce qu'on lui reprochera! Or ce sont bien (en d'autres termes) les fautes dont *Les Nuées* chargeaient Socrate.

Du reste, faut-il vraiment choisir? Que Socrate ait enseigné l'art du sophisme, qu'il ait fait payer ses leçons, cela n'est guère compatible avec l'image qu'en donnent ses disciples. Mais qu'il ait contribué à déstabiliser la démocratie en importunant ses concitoyens, *à une période où Athènes était particulièrement vulnérable*, voilà qui rapproche tous les points de vue. Xénophon veut nous faire croire que Socrate était un sage, mais il doit pour ce faire exclure tout désir de *savoir*. Mais Aristophane et Platon s'accordent pour nous présenter en Socrate quelqu'un qui cherche à comprendre. Dans la nacelle des *Nuées*, Socrate invoque des divinités qui ressemblent de fort près aux forces évoquées dans l'*Apologie*, sous l'égide d'Anaxagore, dont Socrate était devenu le disciple. Quand? Comment? Combien de temps? Cela, nous ne le savons pas, mais ce qui paraît avéré, c'est que Socrate fit sienne la théorie selon laquelle le monde était né du *Noûs*, qui avait mis en branle le tourbillon de matière subtile du chaos, afin de former le cosmos tel que nous le voyons « tourner ». Des « nuées » au ciel, il n'y a que peu de distance. Et le tout fait l'économie des dieux.

De cette soif de comprendre l'ordre des choses à la quête de justice entre les hommes, la distance n'est pas non plus si grande. Spéculons donc encore un peu! En adoptant la théorie « scientifique » mis en vogue par Anaxagore, Socrate pouvait jouir de la puissance de l'esprit humain, capable de reconstruire le monde sans céder au chantage des prêtres : le *logos* venait enfin à bout du *pathos*! Mais, finalement, à quoi bon? Ce bel ordre du monde céleste, pourquoi faisait-il défaut sur terre? Pourquoi les cités grecques se déchiraient-elles entre elles? Et pourquoi ces divisions en leur sein? Pourquoi cette guerre interminable? Et que pouvait Anaxagore, avec sa belle théorie, pour changer le désordre des choses? Périclès était son ami. Son système de gouvernement avait pu lui servir de modèle pour élaborer l'image du cosmos. Mais n'était-ce pas Périclès qui avait engagé Athènes sur la voie de la guerre permanente? Socrate avait quarante ans lorsque Périclès mourut, laissant Athènes aux prises avec un tourbillon funeste de troubles sans fin. L'âge de devenir... philosophe.

Bien sûr, Périclès avait donné à sa ville un lustre sans égal, mais il avait dû pour cela détourner le trésor de la Ligue de Délos.

Ce trésor était consacré depuis le début du siècle à assurer en cas de besoin la défense de toutes les cités grecques. Arguant du rôle décisif joué par les hoplites et les navires de guerre athéniens lors de la victoire contre les Perses, la stratégie de Périclès avait consisté en une appropriation de plus en plus manifeste des tributs payés par toutes les cités au trésor de guerre. C'était logique, mais inadmissible pour les autres cités, et injuste. Socrate l'avait vu de près à Potidée. Il avait vu la farouche détermination des tributaires. Ainsi, la démocratie athénienne s'autorisait à faire aux cités sœurs ce qu'elle avait combattu en son sein : elle exploitait à son profit son rôle de protectrice, en contradiction absolue avec ses propres principes! Alors, en effet, à quoi bon le système d'Anaxagore?

On peut voir, dans cette rupture avec l'approche « scientifique » de l'existence par frustration morale, le moment où Socrate sort de son état de tailleur de pierre pour entrer dans la *carrière* de philosophe par honte de l'impérialisme flagrant d'Athènes. Comme fils de tailleur de pierre et tailleur de pierre lui-même, il a pu adhérer à une théorie du monde où le concept précède la forme que prend la matière; mais, comme soldat, il a vu de près le processus par lequel s'opérait l'embellissement de la cité. Et ce prix n'était pas le juste. Sophocle avait raison : il y avait quelque chose de criminel dans la prospérité d'Athènes. Il restait à savoir exactement quoi, et surtout comment faire pour retrouver le chemin de la justice. La cité était contaminée par une faute, mais laquelle, au juste? La captation du trésor de Délos répondait à une logique dont il fallait déceler le fondement : qui le connaissait? Elle entachait la beauté des lignes du Parthénon, temple de la suprématie nouvelle; qui saurait rendre leur pureté aux pierres de l'Acropole?

Peut-être est-ce alors que l'oracle de Delphes déclara que Socrate était le plus sage des Grecs? Socrate soupçonnait la malignité du régime athénien : à Delphes, c'était le dieu Apollon qui parlait, le dieu des conquérants doriens, dont les descendants conservaient le pouvoir à Sparte mais en avaient été chassés à Athènes. Qui sait si Chéréphon, en posant sa question à la pythie, n'avait pas tout cela à l'esprit? Quoi qu'il en soit, Socrate était lancé : il devait trouver ce qui n'allait pas, ce qui poussait ses concitoyens dans la mauvaise direction. Il devait les interroger tous, les mettre tous en garde, chercher avec eux une solution. Il devait enquêter sur les motivations des uns et des autres, les marchands, les généraux, les soldats, les marins, les prêtres, les poètes, les maîtres, les sophistes, les riches, les pauvres, les démocrates, les aristocrates, et, s'ils ne voulaient rien entendre, il s'appliquait à leur faire à chaque fois la leçon. Car le sort de la cité était en jeu. La catastrophe était imminente...

Elle se produisit avant que Socrate ne trouve, me semble-t-il, la réponse. La débâcle eut lieu en 404 avant J.-C. Alors, le parti démocrate fut si humilié par les Spartiates que, peu de temps après, il passa ses nerfs sur le philosophe. Dans un premier temps, les Athéniens durent se soumettre aux décisions des trente personnages avalisés par les vainqueurs. Cela ne dura qu'un an, mais le traumatisme ne cessa pas de sitôt. La démocratie reprit ses droits, mais elle était piquée au vif. Et, comme Socrate continuait de *piquer comme un taon* * ses concitoyens, comme il continuait de bourdonner à leurs oreilles, on chercha le moyen de l'écraser d'un seul coup, et on le trouva. Inculpé, il fut condamné à boire la ciguë – et la but. On n'entendit plus dans l'Agora ni dans les banquets le son de sa voix, la voix du premier philosophe, de celui qui le premier était parti en quête de vérité, et non pas seulement de savoir ni de vertu.

Encore faut-il, une nouvelle fois, se méfier des jugements hâtifs. Dans sa défense (reproduite par Platon), Socrate évoque l'affirmation de l'oracle. Mais il lui suffisait de peu de « sagesse » pour admettre qu'il avait passé son temps à irriter les Athéniens dans une période d'extrême susceptibilité. Socrate ne pouvait ignorer qu'il se créait quelques inimitiés mortelles, en particulier dans les rangs des démocrates. Il devait s'attendre à voir se retourner contre lui les soupçons qu'il manifestait envers les autres. Rien de plus facile, notamment, que de lui reprocher de faire le jeu des Lacédémoniens, qui cherchaient depuis toujours à abattre leurs rivaux et, une fois la victoire acquise, tentaient de faire en sorte qu'ils ne redressent plus jamais la tête. Il serait par conséquent beaucoup trop facile de mettre tous les torts du côté des accusateurs ainsi que des juges **.

Un tel manque de discernement, de la part d'un homme comme Socrate, surtout pendant son procès, est, avouons-le, plus qu'étonnant. Xénophon ainsi que Platon, lorsqu'ils rapportent ses derniers moments, nous montrent un Socrate responsable, un Socrate avenant, un Socrate heureux. Pas question pour lui de céder aux propositions que lui font ses amis de s'enfuir de sa pri-

---

* *Apologie, op. cit.*
** Je renvoie sur ce point aux réflexions provoquées par le voyage du Cabinet à Athènes, dans la première partie de cet ouvrage, chapitre X.

son : son respect pour la loi le lui interdit. Pas question non plus de s'affliger devant la perspective de la mort qui s'approche : primo, sa dignité l'en empêche; secundo, sa force de caractère lui permet de garder son sang-froid (si l'on peut dire); tertio, sa doctrine la plus chère fait le reste, puisqu'il est convaincu de l'immortalité de l'âme. Je ne suis pas parfaitement convaincu que toutes ces raisons suffisent à expliquer son attitude, avant, pendant et après son procès. Si Socrate savait qu'il ne savait rien, comment pouvait-il être sûr de la vie éternelle de son âme? C'est pourquoi me vient à l'esprit une autre explication, beaucoup plus simple. Elle n'invalide pas les précédentes, mais elle peut les remettre en question, comme Socrate lui-même aimait tant à le faire. Quand on l'accuse de faire du mal à sa cité, Socrate est devenu un vieillard. Il a atteint l'âge de soixante-dix ans. Depuis ses trente ans, c'est-à-dire quarante ans auparavant, la guerre a déchiré son pays. Et, pendant ces quarante années, il a cherché en vain pourquoi. Si Socrate ne « désarme » pas après la débâcle, s'il va jusqu'à provoquer les juges de l'Héliée, parce qu'il n'espère plus rien de ses concitoyens. Et s'il refuse de partir en exil, s'il refuse de quitter sa prison et se réjouit de mourir, n'est-ce pas tout simplement par lassitude? La mort est douce à l'homme épuisé.

VI

La revanche de Platon

Pour définir la condition humaine, Platon ne trouvait rien de mieux que de comparer les hommes à des prisonniers enchaînés au fond d'une caverne. On trouve cette allégorie au début du livre VII de *La République*. Triste sort, dont les victimes ne sont cependant pas conscientes, car elles vivent dans l'illusion : elles n'ont pas d'autre repère que les ombres qu'elles perçoivent au fond de leur antre! Autant dire que les hommes vivants ne sont guère supérieurs à ceux qui sont morts, du moins dans la conception que s'en faisaient la plupart des Grecs. Selon Platon, en subordonnant son existence à la satisfaction de ses appétits, l'être humain ne peut sortir du royaume des ombres, et, loin de l'en émanciper, sa vie en communauté l'y enferme toujours davantage. Pour s'en libérer, une seule issue : sortir de la caverne, ce qui implique de tourner le dos à la foule.

On peut difficilement exprimer un plus grand mépris envers ses concitoyens. Reconnaissons que Platon avait quelques bonnes raisons pour cela. Il avait vingt ans lorsque Athènes capitula face à la coalition des cités rivales. Il vit les Athéniens contraints de détruire les Longs Murs et de renoncer au régime démocratique : il leur fallut accepter d'être gouvernés par trente citoyens habilités à cette tâche par les représentants de Sparte : autant dire par des aristocrates qui avaient leur revanche à prendre. Les « Trente tyrans » furent rapidement renversés, mais Athènes demeurait abattue pour longtemps, sinon pour toujours, et elle n'avait rien trouvé de plus efficace pour expier ses fautes que de s'en prendre à Socrate et de le sacrifier, comme un innocent dont la mort peut apaiser le courroux des dieux.

Platon fut sans aucun doute très affecté par tout cela. Mais de quelle manière? L'aventure de la guerre du Péloponnèse lui avait permis de déceler très vite les limites de la démocratie. D'origine aristocratique, il avait peu d'efforts à faire pour détester le pouvoir de la plèbe. Dans la lutte qui opposait Athènes à Sparte, on l'imagine aisément prendre parti, dans son for intérieur, pour les Lacédémoniens, qui avaient conservé une Constitution très hiérarchisée, apte à résister à toutes les rébellions des classes inférieures. Dionysos n'y avait pas droit de cité. Sparte s'était crispée sur les lois de Licurgue : seule la caste des nobles portait les armes et seule elle délibérait, comme au temps des conquérants doriens. Il n'est pas absurde de supposer que Platon, dès sa plus tendre enfance, éprouvait de la nostalgie pour la suprématie de ses ancêtres. C'était un athlète, il aimait les exercices du corps : n'était-il pas né quelques siècles trop tard – ou dans la mauvaise cité? Que dut-il éprouver lorsque Sparte mit Athènes à genoux et lorsque son oncle, Critias, fut désigné pour faire partie des Trente? Peut-être caressa-t-il fugitivement, comme lui, le rêve de restaurer le « gouvernement des meilleurs ».

Cependant, rêver ne suffisait pas. Il ne devait pas être si facile de faire revenir en arrière les Athéniens, farouchement attachés à leur démocratie. Était-il d'ailleurs jamais possible de faire machine arrière? Autant espérer faire remonter un fleuve à sa source, autant espérer inverser le cours du temps! Du reste, les Trente firent long feu. Athènes était humiliée, vaincue, abattue, ruinée, mais elle était toujours démocrate. Et il ne fallait pas chercher à l'humilier davantage. Socrate avait usé en vain ses forces. Même lui, un homme du peuple, les Athéniens ne l'avaient pas suivi. Sans relâche, cet homme humble, et pourtant redoutablement habile, avait tenté d'obtenir un sursaut de lucidité de la part des siens. Il avait échoué. Dès lors, que faire?

Comprendre! Socrate avait soupçonné une grande part de vérité dans le diagnostic posé par Sophocle en son temps. Mais il n'était pas parvenu à se l'approprier, à définir en toute clarté la vérité que recelait son message. C'était néanmoins la bonne voie. Il fallait tenter de traduire en prose les chants de Sophocle pour obtenir la réponse au questionnement de Socrate : quelle force pousse la cité qui prospère à sa ruine? Adolescent, Platon se sentait une vocation de dramaturge. Il ne nous reste rien, hélas, de ses poèmes. On raconte que, après avoir rencontré Socrate pour la première fois, son premier geste fut de brûler toutes ses pièces. Je ne suis pas sûr que l'ironie mordante du vieillard ait suffi à le pousser à ce geste. Il devait lui-même savoir depuis quelque temps que cette vocation était une impasse. Pouvait-il faire mieux que Sophocle? S'il avait à l'esprit le drame de sa cité, s'il voulait montrer aux Athéniens leurs fautes, comment pouvait-il espérer tendre un meilleur miroir à ses concitoyens que celui de l'aventure d'Œdipe?

Or l'avertissement de Sophocle avait été ignoré. La voix de Tirésias n'avait pas été entendue. Athènes avait couru à l'abîme. À quoi bon écrire de nouvelles tragédies, ajouter des lamentations à des lamentations? Ne valait-il pas mieux en finir avec la poésie? La tragédie n'avait pas l'effet qui convenait à la tâche. Elle amollissait les cœurs. Elle légitimait la lâcheté et la faiblesse. S'il fallait la conserver, encore fallait-il l'apurer de tout ce qui favorisait l'abandon des vertus viriles : « *Nous aurons donc raison* », fait dire Platon à Socrate au début de *La République*, « *d'ôter les lamentations aux hommes illustres, de les laisser aux femmes et encore aux femmes ordinaires, et aux hommes lâches* [*]. » Exploiter tel quel le fonds poétique homérique en s'adressant au peuple à travers le spectacle tragique, c'était rendre hommage à Dionysos, le dieu du pathos, celui qu'il fallait avant tout chasser de la cité, celui qui avait provoqué l'ivresse des Athéniens, les avait conduits aux pires folies, avait déplacé les bornes de la propriété, redonnait aux femmes le pouvoir : en les rendant lascives, le dieu livrait les hommes à l'oubli de leurs devoirs; la débauche bacchique débouchait à terme sur la fin du patriarcat, parachevant son œuvre fatale. Mais, cela, Apollon ne pouvait le supporter.

Il fallait parler au nom d'Apollon. Il ne fallait plus miser sur le registre tragique, en rester, encore et toujours, au fonds culturel de l'épopée. Il fallait y renoncer une bonne fois et parler un langage nouveau, quitte à conserver une forme dramatique. Il était possible de conserver la forme solennelle du dialogue, dans le sillage des controverses de la tragédie, où s'affrontent les héros, chacun justifiant ses actes, mais il fallait justement miser sur le *logos* et non plus sur le *pathos*. L'heure était au bilan. Il fallait l'établir sans détour. Commencer à dire pourquoi les choses avaient mal tourné, pourquoi c'était fatal. Le dire sans écrire de vers, quitte à traduire ceux de Sophocle. Faire une description sans détour du mal qui avait perdu la cité. La joie que leur avait procurée la victoire sur les Perses, et la revanche qu'ils avaient prise sur l'aristocratie avaient été de courte durée : il fallait en donner la raison. Le principe tout neuf de l'égalité entre citoyens originaires d'une

---

[*] Platon, *La République*, livre III, traduction de Robert Baccou, Paris, GF-Flammarion, 1966, p. 139.

même cité voilait une calamité nouvelle et sans nom, qui avait déjà œuvré à l'insu de tous et qui révéla sa puissance et sa cruauté lors des décennies suivantes : il fallait en dévoiler la cause.

C'est l'objet de *La République*. En comparant ses concitoyens à des prisonniers enchaînés au fond d'une caverne, qui préfèrent tuer plutôt que de le suivre celui qui veut les sortir de leur torpeur, de leurs illusions et de leurs luttes fratricides, Platon traduit en prose la poésie sublime de Sophocle : « *Si les mendiants et les gens affamés de biens particuliers viennent aux affaires publiques* », explique-t-il dans la suite du livre VII, « *[...] on se bat pour obtenir le pouvoir, et cette guerre domestique et intestine perd et ceux qui s'y livrent et le reste de la cité* *. » Une raison impérieuse pousse les citoyens égaux en droits à s'entre-tuer. Une force invincible, inexorable, qui scelle le destin des hommes depuis longtemps. C'est elle que Socrate avait cherché en vain à définir. Quelle est cette force redoutable ? Platon nous livre dans les livres VIII et IX de l'ouvrage la clé de l'énigme.

Selon lui, le mal commence à partir du moment où l'aristocratie perd ses privilèges au profit des riches commerçants : on passe alors à l'oligarchie. Mais ce régime n'est pas longtemps tenable, car il conduit rapidement à une paupérisation de la plèbe, ce qui pousse inévitablement cette dernière à réclamer le partage des biens : « *Il y a nécessité qu'une pareille cité ne soit pas une mais double, celle des pauvres et celle des riches, qui habitent sur le même sol et conspirent sans cesse les uns contre les autres* **. » Et, comme les riches sont aveuglés par leur désir de s'enrichir, ils résistent et provoquent la révolte des pauvres, ce qui conduit à la démocratie. Celle-ci, au lieu de guérir le mal, ne fait que l'exacerber, car, dans son principe, elle implique une liberté totale pour chacun, ce qui permet aux plus riches de s'enrichir davantage et rend les pauvres toujours plus pauvres. Voici ce qui conduit la cité à sa ruine : « *La liberté qu'on y laisse à chacun de vendre tout son bien ou d'acquérir celui d'autrui, et, quand on a tout vendu, de demeurer dans la cité sans y remplir aucune fonction, ni de commerçant, ni d'artisan, ni de cavalier, ni d'hoplite, sans autre titre que celui de pauvre et d'indigent* ***. » Tant qu'Athènes exploite son hégémonie sur les autres cités, cette masse croissante d'indigents peut encore être entretenue aux frais de l'État, mais, ce faisant, elle exporte sa maladie vers les autres cités et, plus,

---

* *La République*, livre VII [521], *op. cit.*, p. 279.
** ID., *ibid.*, livre VIII [551], *op. cit.*, p. 311.
*** ID., *ibid.* [552].

provoque leur colère, ce qui conduit à la guerre de tous contre tous...

Or, bien entendu, l'esclavage continue de s'étendre, et les citoyens démunis sont plus que jamais exclus de la production. Que faire? S'il en était encore temps, il faudrait en finir avec l'économie marchande, en revenir à une division du travail dans laquelle chacun aurait sa place. Mais est-il encore temps? En esquissant le plan d'une cité idéale, Platon propose un modèle où la plupart des citoyens *travaillent*. C'est dire à quel point il rejette l'esclavage. Aussi étonnant que cela paraisse, Platon, bien qu'il soit « grec » et « antique », exclut le travail servile de la cité. Qu'on se reporte au livre II : s'y trouvent des laboureurs, des maçons, des tisserands, des cordonniers, mais ce sont des *citoyens*! On y découvre des charpentiers, des forgerons, des bouviers, des pasteurs (tous métiers qui ne provoquent pas la moindre once de mépris), on y voit encore des commerçants, affairés dans l'Agora, et « *une multitude de gens versés dans la navigation,* ainsi que des salariés, *aptes aux gros travaux* et qui *vendent l'emploi de leur force* * » – mais point d'esclaves!

On peut croire que cette omission tient au caractère évident de la nécessité du travail servile. Mais ce n'est pas le cas. Platon affirme explicitement qu'il faut éviter d'y avoir recours. Pour lui, la cité ne peut rester saine que si elle limite de manière rigoureuse la quantité de biens produits et résiste au désir de luxe. Dans le cas inverse, elle est gagnée par une *inflammation* qui amorce le processus par lequel, tôt ou tard, elle sombrera dans la guerre, d'abord avec les autres cités, puis intestine. Dans l'idéal, il faudrait éviter, selon Socrate (dont Platon se fait le porte-parole), de lâcher la bride au désir de paresse, qui pousse à la prolifération des serviteurs, justifie la conquête de marchés toujours plus vastes et plus lointains et autorise la classe des marchands à transformer le travail des autres en source de profit personnel. Que l'on approuve ou non son remède, il faut reconnaître que l'on se méprend totalement sur son compte si l'on néglige qu'il a pour objectif central de stopper la progression de l'économie marchande et d'abolir le travail servile.

Reprenons. L'établissement de la démocratie repose, en Grèce comme en Europe, sur le renversement de la classe noble. Or ce renversement lui-même ne s'est opéré que sous l'effet de l'épanouissement du négoce, de l'intensification des échanges de mar-

---

* ID., *ibid.*, livre II [371], *op. cit.*, p. 121.

chandises et de l'accroissement considérable de la quantité de monnaie. Une nouvelle classe, celle des marchands, accumule les bénéfices de cette révolution prodigieuse, qui fait passer le centre de gravité des rapports sociaux de la campagne à la ville, de l'Acropole à l'Agora, des collines fortifiées de l'aristocratie, avec ses défenses et ses pièges, à la place du marché, avec ses étalages – et ses banques. Et c'est ici que le drame se noue. Car, face à cette classe de riches négociants, se développe une classe de citoyens, certes libres, mais pauvres. La raison? Ils sont dépossédés de leurs moyens de subsistance. Livrés à eux-mêmes depuis qu'ils se sont libérés du joug du seigneur, ils ont pu devenir cultivateurs ou artisans. Mais bien peu résistent à la concurrence d'une forme de travail beaucoup plus rentable : le travail servile. En effet, parmi les marchandises proposées dans l'Agora, il en est une qui convient particulièrement bien à ceux qui possèdent des ateliers : les esclaves.

Une fois achetés, on peut faire travailler les esclaves autant qu'on le désire. Leur entretien est bon marché : il ne coûte que ce qu'implique la reproduction élémentaire de leur force de travail. N'ayant pas de famille, ils n'ont d'autres besoins que les leurs et sont fort heureux de leur sort s'ils peuvent rester en vie. Aussi le travail des citoyens libres se trouve-t-il très sérieusement compromis par celui des esclaves vendus sur le marché : « *On sait* », rappelle Fustel de Coulanges dans *La Cité antique*, « *que le riche d'Athènes (...) avait dans sa maison des ateliers de tisserands, de ciseleurs, d'armuriers, tous esclaves. Même les professions libérales étaient à peu près fermées au citoyen. Le médecin était souvent un esclave qui guérissait les malades au profit de son maître. Les commis de banque, beaucoup d'architectes, les constructeurs de navires, les bas fonctionnaires de l'État étaient des esclaves* [*]. » Un mal terrible rongeait donc la société grecque au Vᵉ siècle : elle s'était libérée du joug des conquérants doriens, mais elle se scindait irrévocablement en deux camps ennemis : les riches et les pauvres, ce qui la conduisait infailliblement vers la guerre civile.

Un tel décodage ne va pas de soi, je le concède. Nous avons du mal à considérer la prolifération de l'esclavage en Grèce comme le fléau principal qui ruine la démocratie, parce que notre approche de la vie des Grecs implique, spontanément, l'esclavage comme naturel à leurs yeux, tout comme leur « mépris du tra-

---

[*] Fustel de Coulanges, *La Cité antique, op. cit.*

vail ». Or, si l'on y prend garde, on se rend compte que tel n'est pas le cas. À supposer qu'il en aille ainsi pour l'aristocratie, pour la masse du peuple, les choses ne sont pas si simples. D'abord, il existe une vieille tradition où travailler, en particulier la terre, passe pour une occupation fort honorable : ainsi, Hésiode, dans sa vie comme dans ses poèmes, ne rechignait pas à chanter les louanges du labour. Ensuite, si l'on y regarde de plus près, on constate que ce n'est pas par plaisir, mais bien plutôt par force, que les gens du peuple, à l'époque même où règne la démocratie, se retrouvent à l'état d'oisifs. Si le peuple ne travaille pas, ce n'est pas, avant tout, parce qu'il méprise le travail, c'est parce que les esclaves le lui prennent. Dans le procès de la production, le travail servile se substitue au travail libre, aussi bien à la ville qu'aux champs. La loi aveugle du marché pousse les fabricants à préférer les esclaves aux hommes libres, et c'est sous l'effet de cette exclusion hors du procès de la production que le *démos* modifie sa vision des choses. Fustel, encore : « *L'esclavage était un fléau dont la société libre souffrait elle-même. Le citoyen trouvait peu d'emplois, peu de travail. Le manque d'occupation le rendait bientôt paresseux. Comme il ne voyait travailler que les esclaves, il méprisait le travail.* » Mais il s'agit là d'un processus et non pas d'un trait de caractère propre aux Grecs.

Platon en témoigne. Il sait qu'une fois parvenue à ce stade la mentalité populaire ne peut que nourrir la lutte entre riches et pauvres. Car une question fait rapidement son chemin dans la plèbe : étant donné que la richesse est produite par les esclaves, ne convient-il pas de faire travailler les esclaves au profit de tous et pas seulement de quelques-uns ? N'est-il pas juste de partager équitablement entre tous les citoyens les produits de leur travail, au lieu de laisser une infime minorité se les approprier ? Si personne n'intervient pour arbitrer ce conflit et faire entendre raison aux uns et aux autres, la cité est perdue. Dans le meilleur des cas, la démocratie conduit donc à la tyrannie : un tyran rétablit la paix – en privant les citoyens de leur pouvoir de décision et de leur liberté d'action. Le gouvernement du *démos*, fondé sur l'amour de la liberté, de l'égalité et de la fraternité finit donc toujours par engendrer son contraire – fatalement.

Cette analyse, dont Sophocle avait eu le premier l'intuition, Platon pouvait en attribuer l'exposition à Socrate. Cela lui procurait plusieurs avantages. Le premier, c'était de réhabiliter l'action de Socrate au sein de la cité, en offrant de sa pensée une version si lumineuse que toutes les attaques dont il avait été l'objet devaient disparaître à jamais. Le second, c'était de donner une leçon aux auteurs de comédies, en présentant un personnage, tourné naguère en dérision, comme un véritable devin. Le troisième, et c'est sans doute le plus important, c'était d'offrir aux Athéniens le moyen de se remettre en question.

La métaphore de la caverne constitue de ce point de vue une arme symbolique d'une portée extraordinaire. Aristophane avait placé Socrate entre ciel et terre, dans un panier d'où il s'adressait aux nuées. Cela autorisait le public athénien à s'offrir un bon moment de détente, ce qui, à l'époque où la pièce fut lancée, c'est-à-dire en pleine guerre du Péloponnèse, était un plaisir non négligeable. Mais le fondement de ce rire, c'était la conviction des spectateurs d'avoir, eux, les pieds sur terre, donc, d'être de loin supérieurs à ce prétendu penseur. Le mécanisme de l'hilarité renforçait par conséquent le public dans sa croyance en un monde réel, constitué de choses tangibles et palpables, supérieur à un monde irréel, celui des idées, des arguments et des raisonnements. D'où la revanche de Platon. En refoulant les hommes sous terre, *La République* prenait les comiques à leur propre piège. Faute de prêter l'oreille aux propos de Socrate, le public ne pouvait observer quelle était la bonne hiérarchie des mondes. Car il était prisonnier de ses sens.

La plupart des hommes ne se rendent pas compte qu'ils vivent dans le royaume des ombres du seul fait qu'ils se subordonnent aux besoins de leur corps. Et ce qui les y plonge davantage, c'est qu'ils ne connaissent pas les lois de l'histoire. Le peuple croit pouvoir satisfaire ses appétits en disposant du pouvoir de se gouverner lui-même. Il ne comprend pas qu'il se trouve dans une situation qui compromet l'objectif qu'il se fixe. Tandis qu'il se croit libre, il est plus que jamais prisonnier d'une fatalité qui l'accable. La soif de s'enrichir est telle chez certains que rien n'arrête leur cupidité dès lors que la « liberté » règne. Pour la grande masse, les chaînes de la nécessité deviennent de ce fait plus serrées que jamais, sans que pour autant la lumière se fasse : manipulés pendant un temps par ceux qui s'enrichissent à leur détriment, ils le sont ensuite par ceux qui leur promettent de tout partager. Et, quand ces promesses n'ont plus cours, on peut encore les distraire. D'où les montreurs de marionnettes, dont les auteurs de comédie.

Aussi difficile à admettre que cela soit, la condition humaine est telle que la plupart des hommes ne sortiront jamais de cette caverne. De ce point de vue, leur sort n'est pas plus enviable que celui des morts. Du moins, de la majorité des morts. Car, là aussi, il y a un malentendu. On s'imagine en général que la vie provient du sol. Mais c'est un point de vue de cultivateur. Cette conviction repose sur une pratique paysanne millénaire. Mais il est une autre pratique, un autre mode de vie, qui indique que la vie vient du ciel. C'est la pratique des guerriers, le mode de vie des prédateurs, des hommes qui fondent du haut de leur repaire, ou de leur char, sur l'ennemi ou sur la proie. Ceux-là habitent toujours au-dessus du sol foulé par le commun des mortels. Ce sont les conquérants, les nobles, les aristocrates. Ils ont sur la mort une perspective opposée. Lorsqu'ils meurent et que leur corps tombe à terre, leur âme ne tombe pas avec lui : elle ne le suit pas, elle s'élève. Elle s'élève aussi haut que possible, et bien au-delà des nuées humides. Venue du ciel, elle y retourne. En abandonnant la matière qu'elle a animée, elle ne s'enfonce pas dans le sol, elle s'envole.

Elle ne peut pas s'y enfouir. Sa nature le lui interdit. Dans le corps, déjà, elle aspire toujours à s'élever. Sans doute y a-t-il des âmes basses, des âmes glaciales, des âmes humides, et sans doute la majorité des hommes est-elle pourvue de celles-ci. Peut-être alors, en effet, ces âmes, plus matière qu'esprit, plus désir que volonté, plus convoitise que hardiesse, plus ruse que courage, sombrent-elles dans les nappes d'eau souterraines où un triste sort les attend. Mais les autres, les âmes d'élite, comment douter qu'elles s'élèvent ? C'est pourquoi leurs « descendants » ne doivent pas croire que le royaume des ombres leur est destiné. Lorsqu'un homme de cette race s'éteint, son âme ne descend pas chez Hadès, elle va s'inscrire au firmament, dans la poussière des étoiles qui l'ont précédée.

VII

La trahison d'Aristote

Nous croyons notre époque profondément différente de celle de Socrate parce que notre démocratie ne repose pas sur l'esclavage et que l'histoire ne se déroule plus à l'échelle des cités. Nous nous croyons à l'abri d'une décadence identique à celle de la civilisation grecque parce que le procès de production inclut depuis la révolution industrielle une très grande part de travail mécanique, alors que l'essentiel du travail en Grèce était effectué par des hommes, ce qui nous permet d'envisager des solutions techniques qui étaient hors de leur portée. Mais, en réalité, qu'est-ce que cela change ? Avons-nous vraiment de si bonnes raisons de croire que l'histoire ne se répète pas et que les démocraties modernes ne sont pas ravagées par les mêmes fléaux que les cités grecques ?

Je crains que nous ne fassions erreur. Nous, les modernes, pouvons lire notre avenir dans le passé des anciens. Car ce qui est arrivé à la démocratie grecque, en particulier à Athènes, nous commençons à le vivre. La prospérité des démocraties modernes tient au tribut qu'elles lèvent sur les nations qu'elles « protègent ». Quant à la paupérisation qui sévit au sein des pays riches, elle n'est pas liée à la subordination de l'homme à la machine, mais à son *remplacement* par la machine. Or c'est exactement ce scénario qu'a connu la Grèce antique : c'est l'hégémonie scandaleuse de substitution généralisée du travail servile au travail libre, qui a poussé la démocratie grecque à sa perte, au terme des décennies de guerre civile.

Malgré les apparences, nous l'avons vu, la démocratie grecque est issue d'un processus analogue à celui de la démocratie moderne : elle provient, comme celle dont nous sommes héritiers, d'une décomposition d'un édifice féodal fondé sur l'appropriation des forces productives par des hordes de guerriers conquérants d'origine indo-européenne au terme de siècles d'invasions barbares. Cette décomposition est elle-même le résultat d'un renversement des rapports de service seigneur/serf en rapports marchands vendeur/acheteur. Ce processus révolutionnaire a permis l'apparition de « lumières » nouvelles sur l'Univers et la place que l'espèce humaine y occupe : il a conduit une foule de « penseurs » à rompre avec l'approche mythologique de la réalité (comme en Europe à partir de la Renaissance), même si la masse elle-même, le *démos*, préférait quant à elle remonter en deçà des mythes de ses anciens maîtres pour donner un sens communautaire aux promesses de prospérité contenues dans l'avènement de la démocratie.

Analogue dans sa genèse à la démocratie grecque, comment la démocratie moderne ne le serait-elle pas dans son destin? Depuis qu'elle est sortie victorieuse des menaces que faisaient peser sur elle des puissances barbares il y a quelques décennies, elle s'est donné pour mission d'assurer l'unité de toutes les nations et se permet donc de détourner à son profit le trésor commun. Comme Athènes sous Périclès, les puissances occidentales lèvent un tribut sur les peuples qu'elles prétendent protéger. Ce tribut ne porte pas son nom : il s'appelle « aide au développement » et, sous ce label, il a donné le change un certain temps. Mais cette ponction se révèle intolérable tant elle pénalise ces peuples, et est contraire à ses motivations officielles. Le fossé ne cesse de se creuser entre les pays riches et les pays qu'ils sont censés aider en leur octroyant les moyens techniques et financiers pour se repositionner dans l'enceinte du marché mondial. Du reste, les chiffres sont là, accablants : le flux de capitaux issus du seul paiement des intérêts de la dette des « pays en voie de développement » dépasse de très loin les sommes de plus en plus réduites qui transitent en sens inverse. Ce sont donc les pays pauvres qui aident les pays riches!

Qu'on ne s'y trompe pas, cette « aide » des pauvres envers les riches n'est pas superflue. La prospérité a ses limites. Telle la peste qui ravage la cité d'Œdipe, un étrange fléau s'est en effet abattu sur les contrées du « Nord ». Un mal implacable frappe les nations les plus modernes d'une affligeante stérilité! Socrate a cherché en vain à connaître sa nature. Platon l'a nommé par son nom en son temps : c'est la prolifération du nombre d'esclaves sous l'effet de la loi de libre circulation des marchandises. Le tourbillon magnifique des atomes de Démocrite, l'intelligence prodigieuse du *Noûs* d'Anaxagore se sont trouvés confrontés à une phase de la « révolution » que le grand stratège Périclès pensait sans doute pouvoir maîtriser. Or il perdit la bataille : la « marchandise » prodigieuse que constituait la force de travail des esclaves, dont le nombre croissant assurait une prospérité croissante à ses propriétaires, se substitua inexorablement à celle des citoyens, beaucoup moins rentable, à tel point que la plupart d'entre eux se trouvèrent expulsés du procès de production et paupérisés. Nous atteignons ce stade aujourd'hui dans les « démocraties » modernes – si bien que nos Périclès ne répugnent pas à voir revenir dans les coffres des banques de quoi tenir en respect les victimes.

À l'échelle planétaire, tous les hommes sont aujourd'hui égaux en droit, mais, de fait, nos démocraties se sont autorisées de leur rôle émancipateur pour établir leur hégémonie sur les peuples auxquels elles se présentaient comme modèle. En outre, sur leur propre territoire, elles tendent à se scinder en deux d'une manière qui rappelle étrangement la dichotomie qui s'est opérée dans les cités grecques entre les riches et les pauvres. Nous pensions avoir dépassé les Grecs depuis longtemps, et voici que nous marchons sur leurs pas, en répétant les mêmes erreurs...

Nous n'en sommes pas encore tout à fait au point où la quasi-totalité des citoyens se trouve remplacée par des esclaves. Mais c'est une tendance lourde. Certes, ce ne sont pas des *esclaves*, des êtres humains, qui prennent la place des travailleurs libres, mais des machines, des *robots*, des automates. Néanmoins, le processus est le même : la force de travail libre, salariée, est éliminée de manière massive par la mise en place d'automates qui accomplissent toutes les tâches accomplies jusque-là par des travailleurs. Qu'il s'agisse de tâches où la force physique est prédominante, de celles où il convient d'user de délicatesse, de précision, d'attention, aussi bien que de celles où il faut « réfléchir », les machines remplacent les hommes. Les robots sont nos esclaves. Ils concurrencent les salariés modernes avec le même succès que les esclaves ont concurrencé les citoyens libres en Grèce. Puisque la loi du profit exerce aujourd'hui encore son hégémonie, la même cause produisant les mêmes effets, sommes-nous si loin du cas de figure que Platon a si bien décrit dans le livre IX de *La République* ?

Ce qui nous empêche de lire Platon comme il convient, c'est que nous croyons que l'esclavage ne posait aucun problème aux Grecs, en particulier parce qu'ils le tenaient pour naturel. Or ce point est fort discutable. Mis à part Aristote, qui défendait l'idée

273

du caractère *naturel* de l'esclavage? Bien qu'il fût l'élève de Platon, et sans doute son préféré, c'est Aristote qui a donné à cette idée toute son autorité. Ou, plutôt, c'est en s'appuyant sur Aristote que l'habitude a été prise de considérer que les Grecs trouvaient l'esclavage naturel. Et il faut bien admettre que, lorsqu'il se penche sur la question politique, Aristote met les points sur les « i ». Selon lui, l'esclave appartient complètement à son maître, et il est esclave par nature : « *Car, celui qui par nature ne s'appartient pas mais qui est l'homme d'un autre, celui-là est esclave par nature* *. » Tout le début de son traité devenu fameux sous le titre de *La Politique* est consacré au caractère fondamental de l'existence des esclaves pour la cité. Mais ce qu'on ne relève pas, en général, ou qu'on oublie quand on le sait, c'est qu'Aristote élabore une réflexion et que, par conséquent, rien ne prouve que son point de vue soit partagé, loin de là.

Passons sur la difficulté d'attribuer à Aristote lui-même le traité qui porte son nom. Il pourrait s'agir de notes prises par des élèves de son Lycée, et accolées ultérieurement, tant le style est déplorable, chaotique, et tant certaines pages se répètent. Remarquons avant toute chose que le maître, loin d'avancer sur l'esclavage une doctrine qui va de soi, s'oppose à une thèse qui considère que l'esclavage n'a rien de naturel. Il ne désigne pas ceux qui pensent ainsi, mais on peut songer à Platon, dont Aristote (qui confirme ainsi notre conclusion) suivit longtemps les leçons à l'Académie. Ici, il trahit son propre maître. Selon les adversaires de l'esclavage, commente Aristote, « *c'est par convention que l'un est esclave et l'autre libre, mais par nature, il n'y a pas de différence entre eux* ** ». Pour qu'un homme soit le maître et le possesseur de l'autre, affirment-ils, il faut qu'il ait employé la « force ». Ce qui a pour conséquence de les autoriser à proclamer que l'esclavage *n'est pas juste*. Et c'est contre cette idée d'injustice qu'Aristote déploie son argumentation.

Il s'agit moins d'une thèse que d'une antithèse. Et que de contorsions pour la soutenir! La nature fait de l'homme un esclave à deux niveaux : au niveau de l'âme et au niveau du corps. « *Est en effet esclave par nature celui qui, en puissance, appartient à un autre (et c'est pourquoi il [appartient de fait] à un autre), et qui n'a la raison en partage que dans la mesure où il la*

---

* Aristote, *Les Politiques*, traduction (nouvelle) de Pierre Pellegrin, livre I, chapitre IV, (1254 a), Paris, GF-Flammarion, 1990, p. 98.
** Id., *ibid.*, chapitre III, (1253 b), p. 95.

perçoit [chez les autres] mais ne la possède pas [lui-même]* »; autrement dit, est esclave celui qui a juste assez de discernement pour savoir qu'il vaut mieux pour lui être esclave. Cela vaut mieux, en effet, puisqu'il ne dispose pas d'une raison suffisante pour ne pas être esclave, si bien qu'il trouve son compte à sa servitude. Voilà pour l'âme! Et voici pour le corps, car *« la nature veut marquer dans les corps la différence entre hommes libres et esclaves : ceux des seconds sont robustes, aptes aux [travaux] indispensables, ceux des premiers sont droits et inaptes à de telles besognes, mais adaptés à la vie politique (laquelle se trouve partagée entre les tâches de la guerre et celles de la paix) »*! À l'âme dépourvue d'une raison suffisante correspond un corps robuste, semblable à celui des animaux domestiques, dont l'esclave est l'alter ego. Allégation fort logique, mais qui risque d'être allègrement démentie par l'observation, aussi bien quand on a sous les yeux la finesse physique des esclaves instruits qui officient dans les institutions telles que les écoles que lorsqu'on constate quelle allure bestiale ont nombre de citoyens « libres ». À tel point qu'Aristote éprouve le besoin d'ajouter tout de suite : *« Pourtant, le contraire, aussi, se rencontre fréquemment... »* C'est dire combien Aristote se sent mal. Et combien il faut s'étonner que de telles assertions aient pu passer à la postérité pour un fait qui allait de soi! Qui sait si le malaise d'Aristote ne provient pas du sentiment que le disciple avait de trahir son maître, et par là même de cautionner lâchement les « valeurs » que ce dernier haïssait le plus, celles de la société marchande?

Il reste que ce serait trahir Aristote à son tour que d'en rester à cette confusion. Car, sur le fond de l'affaire, son analyse est d'une pertinence remarquable. Ce qui est occulté par la tradition mérite en effet une considération inversement proportionnelle à cet imbroglio d'arguments devenus « classiques ». Pour qualifier l'esclave, Aristote emploie l'expression *« instrument animé** »*. Cette formule mérite, me semble-t-il, un meilleur sort. Elle nous permet de mieux comprendre son point de vue, et du même coup de prendre un peu de recul pour mieux penser la situation à laquelle *nous* sommes désormais confrontés, car, finalement, elle *mécanise* l'esclave au lieu de l'animaliser. Nous sommes tentés d'attribuer aux Grecs l'idée que l'esclave n'est qu'une bête de somme, plus proche de l'animal que de l'homme. Et il est vrai que le texte d'Aristote laisse prise à cette conviction. Mais ce texte

---

* ID., *ibid.*, chapitre V, (1254 b), p. 102.
** ID., *ibid.*, chapitre IV (1253 b), *op. cit.*, p. 96.

va beaucoup plus loin. Selon Aristote, l'esclave est un bien acquis par le maître pour son usage : c'est donc un instrument, au même titre qu'un « gouvernail », puisqu'il a une fonction instrumentale ; mais le gouvernail est « inanimé » : il faut un pilote pour le manœuvrer. Ce pilote est, lui, animé : s'il appartient à un maître, ce pilote est un esclave, c'est donc un instrument, mais c'est un instrument *animé*.

Cette définition peut avoir une très grande portée. Si ce qui importe dans le travail servile n'est pas la « nature » de ce qui remplit cet office, mais sa « nature » instrumentale, c'est-à-dire sa fonction, alors peu importe qu'il s'agisse d'hommes ou de... machines. Est appelé esclave ce qui remplit son rôle. Or les machines modernes remplissent le rôle des hommes vendus jadis (ou naguère) comme esclaves. Pendant longtemps, elles n'ont pas dépassé le stade d'instrument inanimé, tels le gouvernail du navire, les ailes du moulin, qui nécessitaient une force extérieure ou une intelligence pour leur faire jouer leur rôle, mais désormais ? Ne sommes-nous pas parvenus au stade où le gouvernail est en même temps pilote ? Tous les navigateurs (de la mer comme des airs) connaissent les « pilotes automatiques ». Sans doute nos robots modernes ne sont-ils pas encore « animés », au sens où on l'entend d'habitude, c'est-à-dire « vivants », aptes à se nourrir et à se reproduire eux-mêmes, mais, d'une part, ce n'est pas le propos d'Aristote (il dit bien « animé » et non « vivant »), d'autre part, lorsqu'il s'imposa, se substituant au travail du citoyen d'Athènes, l'esclave n'avait pas d'épouse et ne pouvait avoir de progéniture. C'est dire que l'analogie se renforce plutôt qu'elle ne s'affaiblit.

Tant qu'il n'y avait pas de robots, l'intérêt d'une telle comparaison n'était pas flagrant. Tant que la machine exigeait la présence de l'homme pour accomplir sa tâche productive, toute référence à la Grèce pouvait paraître stérile ; tant que l'essentiel du travail dans les champs, dans les fabriques, dans les transports, dans les bureaux, aux guichets des banques... était assumé par des salariés, la cité grecque pouvait servir de repoussoir à une démocratie « véritable », excluant le travail servile. Mais, aujourd'hui cela crève les yeux : l'instrument prend partout la place de l'homme libre ! Sous l'égide des lois du marché, le travail humain disparaît non seulement dans les tâches manuelles, mais dans la conduite des machines, et non seulement dans la conduite des machines, mais dans la gestion des marchandises, dans les contacts avec les clients, etc. C'est cela, un robot : une machine qui se dispense de son ouvrier, un instrument qui travaille tout seul, donc, un instrument animé. Et, comme dans l'Antiquité grecque, le processus gagne les secteurs d'activité les plus subtils : loin de ne se substituer qu'aux « *salariés aptes aux gros travaux par leur vigueur corporelle* * », les esclaves d'Athènes devenaient, je le rappelle, médecins, commis de banque, architectes, constructeurs de navires, surveillants, pédagogues, fonctionnaires... Ils savaient réfléchir, calculer, imaginer, modéliser, anticiper, juger et, finalement... décider. Comme nos robots! Grâce à l'informatique, ils dament le pion à la plupart des cerveaux humains. Qui épargneront-ils? Ne dit-on pas que certains « programmes » d'ordinateur inventent désormais des programmes d'ordinateur? Où s'arrêteront-ils, ces esclaves, qui prolifèrent inéluctablement sous l'effet de la loi de la concurrence? Quel secteur laisseront-ils à l'« homme », au travail humain?

Préfère-t-on continuer à fermer les yeux sur le cours des choses jusqu'à atteindre le stade suprême de ce processus? Veut-on aller jusqu'à l'affrontement qui en est la conséquence? Cet affrontement se déroulera cette fois à l'échelle planétaire, puisque le marché est désormais mondial, mais il sera engendré, inexorablement, par la même raison que jadis : le refus des nations pauvres de continuer à payer un tribut injuste à la prospérité des nations riches, comme les cités de la Ligue de Délos se révoltant contre Athènes; il sera provoqué par les exigences des nations prospères à leur égard (recevoir ce qu'elles considèrent comme leur dû), par leurs méthodes expéditives, voire punitives à l'instar d'Athènes menant expédition sur expédition pour mettre à genoux ces mauvais payeurs; il sera nourri, comme un incendie par un vent fort, par la jalousie d'une quelconque puissance rivale, ayant conservé ses vertus militaires intactes, malgré leur caducité, leur anachronisme, et qui attend son heure, telle Sparte soufflant sur le feu qui couvait...

Alors, il sera trop tard. Le mal sera fait. Avec quelles conséquences? Difficile de détailler les ravages provoqués. Mais, si tout ce qui précède a quelque pertinence, il faut tenir compte du fait que, pendant ce temps, l'affrontement gagnera la « cité » elle-même, comme Athènes jadis. Les nations riches n'échapperont pas à une guerre intestine entre riches et pauvres. Qu'on appelle les uns « aristocrates » et les autres « démocrates », comme à Athènes, ou que les deux camps portent d'autres noms, cela ne

---

* Platon, *La République*, livre II, (371 b), *op. cit.*

changera rien au conflit. Car le processus de paupérisation de la masse des citoyens conduit à la guerre civile. « Égaux en droit » d'après la Constitution, les citoyens des nations modernes ne seront pas éternellement tenus en laisse par leur fierté d'appartenir à l'élite des nations. Leur passivité ne durera pas plus longtemps que celle des citoyens d'Athènes : satisfait un instant par les miettes de l'impérialisme athénien, tournant son mépris et sa haine contre les esclaves, le *démos* finit par comprendre qu'on l'abusait, lorsqu'il fut contraint d'admettre qu'il subsistait aux dépens des citoyens des autres cités et qu'il devait les affronter pour préserver ses privilèges. Alors, dans la confusion, se réveilla l'instinct endormi des ancêtres : la haine du riche et le désir irrésistible de le faire payer. Nous connaîtrons donc cela aussi.

De cette mêlée infâme à l'issue fatale, certains tireront peut-être leur épingle du jeu. Mais qui? Si l'on poursuit la comparaison avec la Grèce, on peut penser que surgira une puissance nouvelle, qui posera sa patte sur l'incendie sans cesse renaissant pour l'étouffer. Dans l'Antiquité, cette puissance fut la Macédoine, dont le souverain était Philippe. Philippe était roi. Les Grecs n'avaient pour lui que mépris, puisqu'il appartenait aux régions du Nord demeurées « barbares », mais quand le barbare vint s'emparer, sûr de son coup, de la Grèce tout entière, ce fut la fin de la démocratie. Bien entendu, Athènes n'en fut pas la seule victime : aucune cité ne lui échappa. Et la Grèce perdit pour toujours sa superbe : elle devint une simple province du royaume de Macédoine. Un sursaut d'orgueil abattit le monarque, en vain : il fut aussitôt remplacé par son fils, Alexandre, qui soumit plus durement encore les cités grecques à son joug, avant d'édifier un véritable empire, en poussant ses armées toujours plus loin vers l'Orient.

Pour précepteur, cet Alexandre avait eu, il est vrai, un philosophe de grand renom, qui était né en Macédoine, à Stagire, en 384 avant J.-C. Avant d'être choisi pour cette tâche par le roi Philippe, cet homme avait passé sa jeunesse à Athènes, au sein de l'Académie de Platon. Il avait pu observer tout à loisir les soubresauts dans lesquels se débattaient les cités grecques, en particulier Athènes. Il avait, comme son maître, une idée précise sur l'origine de la crise de la démocratie. Et c'était la même, à ceci près qu'il l'appelait, lui, la « chrémastistique », un nom très moderne pour l'époque. Il s'agissait de l'art d'acquérir des richesses sans limites. Cet art était fondé sur l'usage courant de la monnaie dans les transactions commerciales, mais, au lieu de faire jouer à la monnaie un simple rôle d'intermédiaire, on faisait en sorte qu'elle soit au début et à la fin de l'échange. Autrement dit, on inversait l'usage courant. Dans cette pratique, « *la monnaie est principe et fin de l'échange*, remarquait le Stagirite. *Elle n'a pas de but qui puisse la limiter, car son but c'est la richesse et la possession de valeurs* *. » Totalement antinaturelle, cette manière de s'enrichir pour s'enrichir faisait la loi dans l'Agora, ce qui conduisit tout droit la Grèce à la folie collective. Cet observateur avisé n'eut donc pas trop de scrupules à trahir sa patrie d'adoption pour sa patrie d'origine en devenant précepteur d'Alexandre. Il passa néanmoins pour un traître. Il s'appelait Aristote.

---

* Aristote, *Les Politiques*, livre I, chapitre IX, (1257 b), *op. cit.*, p. 118.

VIII

Les instruments animés

Si on l'aborde dans le bon sens, l'histoire de la démocratie grecque se présente comme le raccourci de notre destin collectif. À l'espoir d'une prospérité sans bornes succède la réalité : une paupérisation massive des citoyens, exclus du marché par le travail servile, devenus les parasites d'autres peuples, et qui finissent par tenter de sortir de cette impasse en faisant payer les riches propriétaires d'esclaves. Si ce modèle a quelque consistance, cela signifie que, contrairement à ce que nous pourrions croire, nous sommes donc loin du compte lorsque nous considérons comme dépassées les luttes entre riches et pauvres, aussi bien à l'échelle des nations qu'à l'intérieur de chacune d'elles.

La philosophie est née du désir de pénétrer le secret de cette fatale tendance alors qu'il en était encore temps. C'est ainsi que je comprends l'émergence de la figure de Socrate. Mais les choses sont allées très vite. Trop vite! Pour la génération suivante, les dés sont jetés. Platon doit constater les dégâts provoqués par le libre jeu de la loi du profit : que peut-on encore faire? Revenir en arrière, en supprimant l'esclavage? Encore une génération, et le doute ne sera plus permis, Aristote ne se fait plus aucune illusion. Le mal est fait, et il faut se rendre à la raison. L'irréparable a été commis. On ne peut revenir au travail salarié. Reste à savoir comment la cité peut gérer son destin. De toute évidence, l'homme est un « animal politique », mais on ne peut plus guère miser sur la démocratie pour obtenir la paix au sein du troupeau. Les faits tranchent en faveur de la monarchie...

Il serait bon, à ce propos, de relever qu'Aristote avait fort à faire pour convaincre ses concitoyens. D'abord parce qu'il était naturellement porté à une solution politique qui était impensable pour la plupart des Athéniens, ce qui lui valut d'ailleurs d'être pris pour un agent de Philippe. Ensuite parce qu'il n'était pas le seul à *penser* la situation. Certes, en ouvrant son Lycée, il connut un succès non négligeable qui lui permettait de vivre très bien, à l'instar de Platon avec son Académie, sans subsides macédoniens. Néanmoins, sur le marché des idées, la concurrence était sévère. Il faudrait parler ici des sophistes, dont la réputation est devenue, à deux mille cinq cents ans d'intervalle, calamiteuse, mais qui sont probablement victimes de malentendus. Ainsi, lorsque Aristote s'en prend à ceux qui qualifient l'utilisation des esclaves comme une institution contre nature, il y a fort à parier qu'outre Platon il vise les sophistes *. Mais ce point à lui seul mériterait un long développement, car il bouleverse l'approche traditionnelle de ces personnages. L'affaire est délicate, puisque rien d'écrit ne nous est parvenu d'eux, qu'on ne les connaît que par l'intermédiaire de Platon ou par des sources tardives ; du reste, ils s'opposaient entre eux si souvent qu'il est difficile de savoir qui, parmi eux, défendait cette cause. Néanmoins, c'est une bonne occasion de noter que leur enseignement – dont on ne retient en général que l'aspect démagogique et l'aspect lucratif (on s'appuie, ce faisant, à la fois sur Platon et sur... Aristophane) – pouvait déboucher sur une résistance à la vente et à l'achat des esclaves. Qui sait si les sophistes n'avaient pas, eux aussi, perçu le danger ?

Il est de bon ton de les taxer de cynisme. C'est commettre deux erreurs en une. Les disciples de Protagoras, par exemple, enseignaient, s'il faut en croire Platon, que *l'homme est la mesure de toute chose*. On a tôt fait d'entendre : il n'y a pas de valeur transcendante ; c'est l'homme qui décide de ce qui vaut et de ce qui ne vaut pas, et, comme l'homme est une notion elle-même transcendante, il n'a lui-même aucune valeur. N'a de valeur, finalement, que ce que chacun décide d'adopter comme tel. « *Voilà un beau sophisme*, s'indigne-t-on, *qui porte en germe la destruction de toutes les valeurs morales ! Quoi d'étonnant si Socrate, etc.* » De ce « sophisme » au « cynisme », il y a cependant plus d'un pas. On peut supposer, tout au contraire, que Protagoras et ses disciples avaient en vue tout autre chose qu'une réfutation aussi nihiliste que lucrative de toute forme d'éthique. En effet, affirmer que l'homme est *la* mesure, la seule, de toutes choses, cela peut vouloir dire que seul l'homme qui a de la valeur fait des choses qui en ont (qu'on songe à Achille), et, dans ce cas, on peut considérer les

---

* Voir note 3 de Pierre Pellegrin, p. 95 des *Politiques, op. cit.*

sophistes comme des nostalgiques de l'ordre ancien, dont l'éclat a été conservé dans l'épopée homérique et qui résiste tant bien que mal à Sparte. Mais cela peut vouloir dire tout aussi bien que, malgré les apparences, ce n'est pas l'argent qui est la mesure de toute chose, mais *le travail humain*. Qui sait si les sophistes n'avaient pas l'intuition que l'équivalent universel qui permet aux marchandises de s'échanger et leur donne une valeur marchande n'est pas une quantité de monnaie, mais le temps de travail dépensé pour les produire...

Rien ne prouve une telle assertion, bien sûr. Je ne la propose que comme une piste de réflexion. Ce qui est avéré, en revanche, c'est qu'on se méprend totalement sur le cynisme en l'associant à l'art des sophistes que l'on décrie. Le cynisme a bel et bien sa place dans l'aventure grecque, mais à quel moment? Au temps de Platon et d'Aristote, certes, mais pourquoi? Si Aristote devait céder le terrain de l'Agora aux sophistes, préférant enseigner non en marchand, mais en marchant, il devait entraîner ses élèves à l'écart, peut être sur la colline des Muses ou le long de la vallée de l'Ilissos. Or, lorsqu'il rentrait dans la cité, il devait croiser Diogène, assis devant son tonneau. Diogène vivait, dit-on, comme un chien. Et pourtant! En voyant passer Aristote, l'ancien élève de Platon, entouré à son tour d'élèves, quel ne devait pas être son dépit! Dans la cité, on se résignait à la domination macédonienne : plus personne n'était assez fier pour défendre jusqu'au bout l'esprit de la démocratie. Or il eut ce courage, lui, de prier Alexandre, le nouveau maître de la Grèce, de cesser de lui faire de l'ombre *...

Inutile de spéculer sur l'endroit d'où pourrait surgir un nouvel Alexandre dans le monde moderne... Car, avant d'en arriver là, il faudrait que nous soyons passés par les affres de l'affrontement fatal. Est-ce ce que l'on veut? Veut-on vraiment en arriver là? C'est la vocation de la philosophie socratique que de mettre la cité en alerte pour qu'elle cherche d'où provient le mal. Il me semble qu'il est aujourd'hui encore temps de lui faire faire jouer derechef ce rôle, que les dés ne sont pas jetés, que la revanche d'un Platon ou la trahison d'un Aristote ne sont pas encore de mise. Pas davantage le désespoir d'un Diogène.

Mais peut-être cette « fatalité » n'apparaît-elle pas encore assez fondée? Peut-être l'idée d'identifier les robots modernes aux esclaves de l'Antiquité suscite-t-elle encore bien des réticences?

_____

* Diogène Laërce, *Vies, op. cit.*

Sans doute la différence d'échelle des deux « marchés » autorise-t-elle encore l'espoir d'échapper à la peste. À l'échelle mondiale, les maux et les remèdes n'ont-ils pas forcément une tout autre mesure ? N'y aura-t-il pas toujours des tâches que les hommes devront assumer ? Du reste, la « délocalisation » des entreprises n'est-elle pas une tendance aussi lourde que la mécanisation ? Dès lors, n'est-ce pas du travail humain que l'on achète, même si le lieu change ? Ce déplacement géographique fait naître là ce qu'il compromet ici, mais, dans l'ensemble, la quantité de salariés n'augmente-t-elle pas ? Revenons donc au monde actuel, et à ses optimistes, pour leur demander si, lorsqu'ils parlent des machines, ils savent vraiment ce qu'ils croient savoir.

Ils accorderont qu'à la fin du XVIIIe siècle le message de Smith se répandait sur toute l'Europe au rythme de la mécanisation du travail, de la suppression des barrières douanières pour les marchandises importées et de la suppression des subventions pour les marchandises exportées. Les *machines à feu*[*] commençaient à entrer dans les ateliers, décuplant la force des travailleurs ; le temps de travail nécessaire à la production des biens ne cessait, en conséquence, de diminuer et l'on pouvait espérer que ce progrès permettrait à chacun d'y trouver son compte : en vendant toujours davantage, le « marchand » n'était-il pas en mesure d'acheter toujours plus de travail et, par conséquent, de faire le bonheur de l'ouvrier ? La nation anglaise ne tarda pas à s'apercevoir que la libre circulation des grains ruinait la plupart des fermiers, concurrencés par les productions des jeunes colonies, mais la ville avait besoin de main-d'œuvre : le capital n'était-il pas en mesure d'acheter le travail des masses paysannes prolétarisées ? La machine à vapeur émancipait la production de sa dépendance vis-à-vis de la force motrice des cours d'eau et des chevaux ; la concentration urbaine provoquait, certes, une misère noire parmi les nouveaux pauvres, mais cette paupérisation n'était-elle pas provisoire ?

Un demi-siècle après la publication des *Recherches...*, un disciple de Smith, qui a fait fortune en spéculant, David Ricardo, tire le bilan : sa réponse est négative ! Ce vers quoi se dirige l'Histoire, selon lui, ce qui attend l'humanité, ce que va produire le capitalisme, ce que provoque la mécanisation du travail, ne sera pas l'harmonie ! Ce sera la richesse d'un côté et la misère de l'autre. Sa réponse n'est pas si simple, bien entendu. Élève de

---

[*] Adam Smith, *Recherches sur la nature et les causes de la richesse des nations, op. cit.*, livre I, p. 45.

Malthus, Ricardo commence par plaider pour le libéralisme. Sa première cible, ce sont les lois en faveur... des pauvres. L'État anglais s'en était doté plus de trente ans auparavant, pour parer au plus pressé, face aux conséquences de la modernisation de l'économie : ces lois prévoyaient notamment une aide financière en faveur des travailleurs qui ne pouvaient louer leurs bras mais avaient de nombreux enfants. Pitt avait fait l'apologie de ces géniteurs et revendiqué pour eux les moyens d'élever leur famille. Mais Malthus n'avait pas tardé à partir en croisade contre cette philanthropie irresponsable, menaçant la Terre tout entière de surpopulation rapide. Ricardo s'engouffra dans la brèche et tenta alors de montrer que le revenu national serait absorbé par cet impôt, dès lors que la croissance industrielle ralentirait, ce qui n'était pas à exclure *.

Remarquons que sa lignée est bien celle des « coperniciens ». C'est au nom des « *lois de la gravitation* ** » que Ricardo formule son avertissement! C'est contre la « *tendance* » (et la force) qu'ont ces lois « *à changer la richesse et la puissance en misère et faiblesse* » qu'il met ses contemporains en garde, au début de sa carrière (et au début des *Principes...*). C'est donc, en quelque sorte, au nom de la forme la plus évidente et la plus pernicieuse du principe d'inertie (qui attire les hommes vers la fainéantise). Néanmoins, Ricardo avait peur. Il avait peur de voir le capital paralysé par l'impôt; d'un ralentissement de la croissance; et c'est pour prévenir cette situation qu'il préconisait la suppression de l'aide aux pauvres et de la « bienfaisance ». Ce faisant, il n'estimait pas compromettre pour autant le bien-être des travailleurs. Au contraire, car les choses devaient s'arranger autrement. En retirant du marché un certain nombre de bras qui, sous l'effet de la concurrence, pesaient sur les salaires, on pouvait croire qu'on améliorait la situation des travailleurs restants, puisqu'on faisait monter ainsi le niveau des salaires et qu'on diminuait d'autant le profit de ceux qui achetaient les bras. Mais c'était pure illusion. Car, en vérité, les bras eux-mêmes s'en trouvaient pénalisés, étant donné que l'augmentation des salaires tendait à l'augmentation des denrées. Mieux valait donc laisser jouer la libre concurrence.

Hostile à « *l'intervention du Gouverneur* », Ricardo plaidait

---

* David Ricardo, *Des principes de l'économie politique et de l'impôt* [1817], chapitre V, « Des salaires », traduction de P. Constancio et A. Fonteyraud, Paris, Flammarion, 1977, p. 92.
** ID., *ibid.*, p. 93.

pour « *la concurrence franche et libre du marché* * ». Comme toute autre marchandise, le travail devait « *être livré* » et non frileusement protégé par l'État. Il ne fallait même pas craindre de voir les salaires baisser ! C'était là le résultat de « *la marche naturelle des sociétés* », régies « *par l'offre et la demande* ** », et c'est à cette marche naturelle qu'il fallait en re, enir. Nos libéraux actuels trouveraient donc difficilement apôtre plus convaincu du « capitalisme sauvage », et l'on voit mal, jusque-là, pourquoi ils le renieraient. Ricardo craint, certes, que les « pauvres » n'apprécient pas qu'on les prive de tout soutien et qu'on leur fasse payer aussi rudement « *le prix de l'indépendance* *** », c'est-à-dire de la révolution accomplie dans les rapports sociaux, de la chute de la noblesse et de la disparition du servage... Il sait bien qu'il faut procéder « *graduellement* ». Mais, sur le fond, il ne transige pas : le désengagement de l'État dans les *contrats* marchands s'impose de manière urgente et définitive.

Et, pourtant, cette position ne résistera pas à des réflexions plus approfondies. Ricardo finit par estimer que, sous le règne de la loi du profit, « *l'immense majorité* » ne sera pas admise au paradis terrestre. La raison ? Elle n'est pas très simple à saisir, mais moins encore à réfuter. Sous le règne de la loi du profit, « *la marche naturelle des sociétés* » ne peut être aussi favorable aux travailleurs qu'aux propriétaires du capital parce que la « *mécanisation du travail* » tend à expulser les travailleurs du processus de production. Cette mécanisation serait favorable aux travailleurs si l'accroissement de la production et la diminution de sa valeur qui en résulte provoquaient nécessairement un accroissement de la « demande de travail » humain. Or ce n'est pas nécessairement le cas, reconnaît Ricardo dans le chapitre qu'il consacre aux machines, à la fin de ses *Principes*... L'inverse est bien plus probable.

À première vue, on pourrait penser que la mécanisation du travail est plus favorable aux travailleurs qu'aux bourgeois : en réduisant le temps de travail nécessaire à la production des marchandises, l'introduction de la machine à vapeur diminue leur valeur d'échange : d'un côté le taux de profit du capitaliste se trouve réduit, puisque le rapport entre le capital investi et le profit retiré est moindre ; de l'autre, le salaire des travailleurs se trouve rehaussé, puisque le rapport entre ce qu'ils reçoivent en

---

* ID., *ibid.*, p. 91.
** ID., *ibid.*, p. 87.
*** ID., *ibid.*, p. 92.

argent et ce que cet argent peut acheter est supérieur. Mais ce constat est fallacieux. Tout d'abord, le capitaliste peut se rattraper sur la vente d'une quantité accrue de marchandises, et il peut bénéficier, lui aussi, en tant que consommateur, de la baisse du prix des marchandises; alors que le travailleur ne peut se réjouir très longtemps, car le libre jeu de l'offre et de la demande sur le marché mondial contraint le capitaliste à introduire sans cesse de nouvelles machines; or, infailliblement, cette concurrence généralisée à toutes les sphères de production contraint les capitalistes à abaisser leurs coûts et, quand bien même la « *demande de travail** » continuerait à croître, ce sera de moins en moins une demande de travail *humain* et de plus en plus une demande de travail *mécanique*. À terme, si on laisse jouer pleinement la loi de la concurrence, dont Adam Smith attendait tant, il y a donc toutes chances que les « *forces mécaniques*** » se substituent entièrement aux forces de travail humaines...

Ricardo voyait loin. On imagine aisément les sarcasmes auxquels ses collègues, en bons et probes disciples de Smith, durent soumettre le renégat. À l'époque, fréquentes étaient les émeutes des ouvriers, hostiles à l'introduction de machines nouvelles, et voici que Ricardo se faisait leur porte-parole en montrant qu'ils avaient tout à perdre de la « *concurrence perpétuelle**** » que les machines leur faisaient subir! N'était-ce pas là pure sottise? Face à la généralisation systématique du travail mécanique qui s'impose de nos jours, y compris dans les tâches intellectuelles, les émules qu'Adam Smith a conservés tiennent le même langage. Que disent les libéraux? Qu'il ne faut pas s'affoler, qu'il ne faut pas se réfugier derrière de nouvelles lois sur les pauvres, qu'il faut cesser de soutenir à fonds perdus les travailleurs et les nations paupérisés, qu'il faut préférer la dette à l'impôt, que le capitalisme est jeune, que le marché mondial est neuf, qu'il ne faut surtout pas se recroqueviller sur les vieilles frontières, que les défis sont faits pour être relevés. Ces propos peuvent donner le change, mais sont-ils à la hauteur de leur prétention? Sait-on que Ricardo lui-même les tenait avant de faire son auto-critique?

Car ils s'en tireraient à trop bon compte, ceux qui ne feraient de Ricardo qu'un prophète de mauvais augure. Autant dénier à Kepler la découverte de la trajectoire réelle des planètes. À moins

---

* ID., *ibid.*, chapitre XXXI, p. 344.
** ID., *ibid.*, p. 347.
*** ID., *ibid.*, p. 350.

de supposer que, lorsqu'il a eu la révélation du sort dont le capital menace le travail humain, Ricardo était entré en transes, il faut admettre qu'il affine le modèle élaboré avant lui, selon lequel la valeur d'une marchandise ne dépend que du temps de travail nécessaire à sa production. Ce modèle a, bien entendu, belle allure : sous l'effet de la concurrence, le temps nécessaire diminue, par le biais de l'introduction de la force mécanique sous des formes toujours plus performantes et, par là même, diminue d'autant la valeur d'échange des biens. Règne de l'harmonie des sphères! Le malheur, c'est que cette allure n'est pas la bonne et que tous les calculs sont faux. En réalité, ce qui vaut pour chaque marchandise vaut pour l'ensemble des marchandises et, ainsi, la « marche naturelle » du capitalisme marchand tend à la baisse de la valeur d'échange de l'ensemble des marchandises. Cette baisse profite un instant à celui qui innove au bon moment de telle sorte qu'il obtient des coûts de production inférieurs à ceux de ses concurrents, mais, à terme, elle conduit l'ensemble du marché à l'élimination de l'homme. C'est un problème...

Ricardo avait d'abord reproché à Smith de croire que la rente de la terre, versée par le fermier au propriétaire foncier, ajoutait de la valeur aux denrées produites, puis de considérer le profit du capitaliste comme un salaire. Ricardo amorçait ainsi la rectification du modèle libéral, qui allait permettre à Marx de « découvrir » le secret du capital, comme Kepler avait permis à Newton de découvrir le secret du fonctionnement du système héliocentrique. Ce faisant, Ricardo s'enfonçait dans une voie qui devait le faire passer auprès de ses pairs pour un illuminé, un astrologue, un renégat : en donnant une formule rigoureuse de la baisse tendancielle du taux de profit (consécutive à l'accroissement du nombre de machines par rapport au nombre de travailleurs, ce qui tend à faire baisser la quantité de surtravail humain), il favorisait l'introduction du vide dans le système défendu par Smith. Sans aller jusque-là, il finit néanmoins par reconnaître qu'il s'était trompé au sujet des machines. En effet, le chapitre qui figure désormais à la fin de ses *Principes...* est une addition à la troisième édition, celle de 1821, comme l'indique l'avertissement : « *Je me suis efforcé, dans cette édition, d'expliquer plus nettement que dans les précédentes mon opinion sur le problème important et difficile de la* valeur *: j'ai donc fait quelques additions au premier chapitre. J'ai aussi introduit un nouveau chapitre sur la question des* machines, *recherchant ainsi l'effet que des perfectionnements mécaniques produisent sur la situation des différentes classes de la* société*. » La valeur et les machines, voilà ce que Ricardo révise. Ses opinions « *sur cette grave matière* » que constituent les machines « *ont subi* », avoue-t-il au début du chapitre en question, « *sous l'empire de méditations profondes, des changements considérables*** ». Et Ricardo d'exposer sa première doctrine : « *Dès le moment où je commençais à étudier les questions économiques, je crus que toute machine, qui avait pour effet d'introduire dans une branche quelconque de la production une économie de main-d'œuvre, produisait un bien général qu'altéraient seulement les crises qui accompagnent le plus souvent les déplacements des capitaux et du travail d'une industrie vers une autre.* » À cette époque donc, optimiste! « *Je croyais encore que les machines étaient une institution éminemment favorable aux classes ouvrières en ce qu'elles acquéraient ainsi une plus grande masse de marchandises avec les mêmes salaires en argent.* » Les inconvénients passagers (crise, licenciement) étant (théoriquement) facteurs d'avantages ultérieurs (accroissement de la consommation, donc, du bien-être pour tous), David Ricardo n'avait donc à ses débuts rien à objecter à la mécanisation systématique du travail.

Ce qui compromit son bel optimisme, ce furent non seulement les plaintes « *des classes ouvrières sur les machines, qu'elles croient fatales à leurs intérêts**** », mais la mise à l'épreuve de l'hypothèse admise par ses collègues les plus progressistes : « *Mon erreur provenait de ce que je faisais toujours croître parallèlement le revenu net et le revenu brut d'une société, et que tout prouve, au contraire, que les fonds des propriétaires et des capitalistes peuvent grandir tandis que celui qui sert à maintenir la classe ouvrière diminue*****. » Pour les riches, pas de soucis à se faire, sinon passagers! Mais, pour les travailleurs, rien ne garantit le maintien du niveau de vie acquis. Il peut croître, assurément, mais l'inverse est tout à fait possible. Car à la concurrence que les travailleurs se font entre eux s'ajoute celle que leur fera de plus en plus, inexorablement, la machine.

---

* Id., *ibid.*, p. 23.
** Id., *ibid.*, chapitre XXXI, p. 343.
*** Id., *ibid.*, p. 348.
**** Id., *ibid.*, p. 345-346.

IX

La fatalité

A-t-on bien mesuré la portée de l'autocritique de Ricardo? En son temps, certainement pas, puisque la situation qu'il envisageait, *la substitution totale du travail mécanique au travail humain,* ne pouvait passer que pour une lubie. Après sa mort, pas davantage, puisque l'avance prise par l'Angleterre dans la révolution industrielle assura à cette nation une prospérité qui lui permit de surmonter tous les moments difficiles, sans cesser de faire croître le bien-être de *sa* classe ouvrière. À tel point que cette classe ouvrière, qui fut à l'avant-garde de la révolte contre les machines, en prit peu à peu son parti et ne prêta plus aucune attention à la prophétie de ce spéculateur fortuné qui avait pourtant pris la défense de ses intérêts contre ceux de sa propre classe. Pour les membres de la classe à laquelle il appartenait, pour *les propriétaires et les capitalistes,* selon ses propres termes, ce fut donc tout au plus un avertissement sans frais.

Mais depuis? La métamorphose la plus récente du procès de production confirme pleinement le pronostic de Ricardo. Nous voyons, sous nos yeux, sa prophétie se réaliser. La pression de la concurrence pousse ceux qui achètent du travail à acheter toujours plus de travail mécanique, de préférence au travail humain. Non seulement il y a encore plus d'instruments animés dans les fabriques, non seulement ils y remplissent des fonctions toujours plus « sophistiquées », mais, en dehors des fabriques, dans les bureaux et dans les services, dans ce fameux « secteur tertiaire » sur lequel les gouvernements de toute obédience misaient pour créer des emplois nouveaux, ces esclaves modernes ont tendance à accomplir les tâches remplies jusqu'ici par des salariés; toutes les tâches.

On ne prétendra pas que la mondialisation des échanges modifie le scénario. Car c'est précisément sur la dimension internationale de la révolution marchande que Ricardo fondait le caractère inexorable du « progrès » de la mécanisation du travail humain. Tout en déplorant ses inconvénients pour les travailleurs, il continuait d'estimer qu'il n'y avait pas moyen de faire autrement. Et, si tel était le cas, c'est parce que, faute de mécaniser, les fabricants anglais perdraient ce qu'on appelle aujourd'hui des « parts de marché » au profit des autres nations : « *Dès qu'on emploie des forces perfectionnées, on diminue les frais de production des marchandises et par conséquent, on peut les vendre sur les marchés étrangers à des conditions réduites*[*]. » Sur les marchés *étrangers*! Ricardo n'avait aucun doute sur le fait que les capacités productives des fabriques anglaises étaient largement supérieures aux capacités d'absorption du marché intérieur. À la limite, de ce point de vue, il n'était pas dramatique pour les fabricants anglais que le pouvoir d'achat des ouvriers anglais diminue, s'annule, même. Ce qui importait, c'était de proposer sur le marché (mondial) des biens dont les *frais de production* étaient inférieurs à ceux des autres. Ce qui « importait », c'était d'*exporter*...

Jusqu'au bout, Ricardo demeure, de ce point de vue, optimiste. Il a confiance dans l'aptitude de la nation anglaise à garder son avance. Mais cela implique justement de ne pas renoncer à mécaniser l'appareil productif. Quelles qu'en soient les conséquences pour les travailleurs, il faut poursuivre dans ce sens : « *Si cependant vous rejetez l'emploi des machines, vous serez obligé d'exporter de la monnaie en échange des marchandises étrangères jusqu'à ce que la rareté du numéraire abaisse le prix de vos marchandises au niveau des prix du dehors.* » Ce qui rétablit apparemment l'équilibre mais n'est pas du tout une bonne affaire, car le « prix » d'une marchandise ne doit être confondu avec sa valeur. Le prix fluctue selon l'offre et la demande, pas la valeur. La valeur d'une marchandise dépend du temps de travail nécessaire à sa production. « *Dans vos relations avec les autres pays*, conclut Ricardo, *vous pourriez être amené à donner une marchandise qui vous aurait coûté deux journées de travail, pour une marchandise qui n'en aurait exigé qu'une au-dehors; et ce marché ruineux ne serait cependant que la conséquence de vos propres actes. En effet, cette marchandise que vous exportez et qui vous a coûté deux jours de*

---

[*] David Ricardo, *Des Principes...*, chapitre XXXI, « Des machines », *op. cit.*, p. 352.

travail, ne vous en aurait coûté qu'un, si vous n'aviez pas repoussé ces machines, dont les forces ont été si habilement utilisées par vos voisins. » Quoi de plus évident ? Et quoi de plus irrévocable ?

Ricardo serait peut-être déçu de voir que la nation anglaise n'a pas su conserver l'avance qu'elle ava.. dans la compétition qui l'opposait aux autres nations modernes de son temps. Mais rien ne le surprendrait moins que de voir toutes les nations industrialisées franchir aujourd'hui le pas de l'automatisation de la production, car c'est la logique même de la modernisation, qui n'épargne aucune profession. L'alternative est simple : ou bien l'on poursuit le processus de mécanisation, ou bien l'on est dépassé par la concurrence, donc, ruiné : « *Il serait toujours dangereux d'entraver l'emploi des machines*, avertissait-il en son temps, *car si l'on n'accorde pas dans un pays au capital la faculté de recueillir tous les profits que peuvent produire les forces mécaniques perfectionnées, on le pousse au-dehors, et cette désertion des capitaux est bien plus fatale à l'ouvrier que la propagation des machines* *. » Si l'on ne mécanise pas, le salarié conserve provisoirement son travail mais perd toute chance de le conserver à terme. Si, au contraire, on mécanise, le salarié perd dans l'immédiat son travail mais conserve ses chances pour l'avenir : « *En effet*, précisait-il, *dès qu'un capital est employé dans un pays, il y sollicite une certaine somme de travail; et les machines ne peuvent fonctionner sans des hommes qui les surveillent, les guident, les réparent. Donc, si l'on consacre un capital à acheter des engins perfectionnés, on limite la demande de travail, mais si on l'exporte, on annule complètement cette demande.* » Le travailleur doit savoir qu'il lui incombe d'accepter la mécanisation, faute de quoi il fait fuir les capitaux et provoque son propre malheur...

Nul doute que ce chantage a fortement contribué à tempérer à plusieurs reprises la révolte des travailleurs contre l'introduction de machines toujours plus perfectionnées. Et il y contribue aujourd'hui mieux que jamais. Ainsi, non seulement Ricardo explique la fatalité des pertes d'emploi, mais il fournit aux entrepreneurs l'argument susceptible de calmer la colère de leurs victimes, en invoquant de nouvelles tâches suscitées par le perfectionnement lui-même des machines. Mais cette justification a des limites. La logique de la modernisation contient en germe la condamnation de tout espoir à long terme pour les salariés des

---

* ID., *ibid.*, p. 351.

nations riches, quelle que soit leur fonction. Tant que durera la compétition sur le marché mondial, on ne cessera, dans ces pays, d'expulser toujours davantage de travail humain du procès de production. Car les machines sont devenues si perfectionnées qu'elles fonctionnent toutes seules. Le scénario que Ricardo envisageait à long terme, celui d'une majorité de citoyens devenus totalement inutiles, est à l'ordre du jour. Certes, il y a bien encore des tâches de surveillance, de maintenance, de réparation, il faut bien inventer, concevoir, tester les machines nouvelles, il faut instruire, former, nourrir et soigner le personnel adéquat. Mais qui peut rester dupe? Le nombre de tâches nouvelles ne peut aucunement compenser le nombre de tâches supprimées. Pis, la plupart de ces fonctions font elles-mêmes l'objet du processus de mécanisation, étant donné qu'elles se réduisent à des calculs que des machines nouvelles, les ordinateurs, réalisent mieux que la main et le cerveau humain [*]. Il n'y a donc, à terme, plus de place sur le marché du travail pour l'immense majorité de ceux qui, aujourd'hui, travaillent encore. Dans les fabriques comme dans les services, en bas comme en haut de la hiérarchie, les « puces » font de tels ravages que la réalité dépasse la fiction.

Pour « les propriétaires et les capitalistes », le fait que le stade de la mécanisation complète du travail soit en vue n'est pas forcément un drame. Pour peu que le marché mondial absorbe en quantité suffisante ce que leurs puces produisent, ils peuvent demeurer optimistes. Que l'artificiel devienne naturel, que les machines se mettent à sentir, voire à penser, c'est troublant, mais c'est le progrès, l'aube d'une nouvelle ère! Que les salariés des pays riches perdent leur pouvoir d'achat, c'est gênant, mais ça n'est vraiment catastrophique que si personne d'autre, à l'échelle planétaire, ne peut compenser ce manque. Or la planète est vaste, et il doit être possible de trouver de nouveaux « débouchés » dans les zones à forte population, comme nombre de pays du Sud. Si, dans ces pays, on peut acheter des forces de travail *humaines* à un prix inférieur à celles des pays riches, il doit être possible de

---

[*] Et ce n'est qu'un début! On loge aujourd'hui sur une puce plusieurs millions de transistors, contre deux mille trois cents en 1971. Depuis 1985, leur capacité de mémoire est passée de 1 million de bits à 16 mégabits, à savoir de trente à cinq cents pages de texte. Une nouvelle génération de microprocesseurs voit le jour tous les trois ans, disposant de quatre fois plus de transistors que la précédente. Bientôt, une seule puce permettra de stocker deux collections de l'*Encyclopædia Britannica*. Source : *Courrier international* du 22 septembre 1994, numéro exceptionnel, « Dans 2 000 jours, l'an 2000 »; cf. p. 32-33, « Avec les gigapuces, l'artificiel deviendra naturel. »

reproduire le schéma qui a fonctionné naguère dans les pays industrialisés : faire naître une demande de consommation des biens produits. Quitte à délocaliser les entreprises pour lesquelles l'emploi de main-d'œuvre à bon marché demeure plus rentable encore que la mécanisation, on doit bien finir par s'y retrouver. Et voilà de quoi nourrir l'optimisme de ceux qui sont « contraints » par la concurrence internationale de se passer, à domicile, de la force de travail humaine.

Mais, pour les salariés des pays « riches », c'est l'impasse totale. Naguère indispensables, en position de négocier pied à pied avec leurs employeurs, ils sont devenus superflus. Leur force de travail est inutile, et leur capacité à consommer les marchandises produites importe de moins en moins. Tout ce qu'ils peuvent espérer, c'est de vendre leurs services au rabais : qu'un employeur condescende à les utiliser à des tarifs équivalents à ceux des travailleurs des pays pauvres. Voilà ce qui les attend ! Voilà leur destin ! S'en satisferont-ils ? Verront-ils sans réagir s'évanouir la lueur d'espoir de reconversion à laquelle ils ont accordé créance, et qu'il leur arrive encore, çà et là, de percevoir à l'horizon ? Sombreront-ils dans un désespoir sans révolte, puisant dans la vanité des révolutions antérieures ? Les bonnes raisons ne manquent pas dans l'histoire, qui poussent les vaincus à se résigner. Elles abondent sur le marché des idées, où les plus anciennes doctrines religieuses, les techniques les plus archaïques d'auscultation de l'avenir le disputent aux plus modernes pour conserver le privilège de convaincre les plus décidés à ne rien faire, permettant aux maîtres du jeu de gagner un temps précieux.

Dans l'immédiat, en effet, l'inertie n'est pas exclue. Si je m'en tiens à l'exemple d'Athènes, la marge de manœuvre des stratèges d'aujourd'hui, bien que fort étroite, n'est pas tout à fait négligeable. Le désarroi que provoque le procès fatal dont sont victimes les travailleurs offre un répit favorable à la liberté de circulation des marchandises, des capitaux et des hommes. Que, sous une forme ou sous une autre, la plèbe moderne dispose du moyen de se complaire dans sa situation, qu'on lui fournisse de quoi rêver à volonté, qu'on la narcotise, qu'on l'insensibilise à la douleur, qu'on lui donne l'illusion que son pouvoir est intact, décuplé, même, et elle perdra le sens du réel, elle perdra la conscience de sa perte. Il suffirait qu'elle trouve du plaisir à végéter.

Or ce moyen existe. Sous forme végétale, bien sûr : on appelle cela les « drogues douces », et il paraît que cela n'est pas néfaste, puisque cela n'entraîne ni séquelle organique ni accoutumance. Sous forme chimique ensuite : là, les risques sont plus grands, mais les performances sont souvent meilleures : l'obstacle, c'est le prix, le plus souvent exorbitant, ce qui s'accorde mal avec la clientèle concernée ; l'avantage, c'est de faire travailler les populations des pays pauvres, processus qui entre dans la stratégie de renouvellement des clients requis pour l'écoulement des produits manufacturés – en outre, on progresse sur le terrain des prix de revient, puisque des « produits » nouveaux ne cessent de sortir des poches des dealers... Enfin, troisième forme de narcotisation massive, qui rappelle étrangement une innovation athénienne : le spectacle électronique.

Quelle qu'ait pu être l'origine véritable du théâtre grec, il faut reconnaître une certaine pertinence dans la thèse qu'avance Nietzsche au tout début de son œuvre, lorsque, dans *La Naissance de la tragédie*, il tente de montrer sa fonction narcotique. Selon lui, le spectacle tragique constitue le moyen que les Grecs se sont donné pour supporter le caractère intolérable de l'existence – de leur existence en particulier, et de l'existence en général : « *Le Grec connaissait les terreurs et les horreurs de l'existence, mais il les masquait pour pouvoir vivre* *. » Ce n'est pas parce qu'il était capable de jubilation que le peuple grec ne connaissait pas la douleur. Tout au contraire, il souffrait trop, affirme Nietzsche, et ce surcroît de souffrance le menaçait sans cesse de n'éprouver pour l'existence que dégoût, au point de ne plus désirer qu'une chose : disparaître. Danger suprême ! « *La volonté hellénique a lutté contre le talent pour la souffrance et pour la sagesse de la souffrance, corrélatif du talent artistique. La tragédie est née de cette lutte, comme monument de cette victoire.* » Victorieuse du désir de renoncer à vivre, du désir de cesser de souffrir, la tragédie grecque offre l'exemple unique d'une réconciliation avec la vie à l'échelle de la cité tout entière par une médiation esthétique.

À suivre l'exposé de Nietzsche, on peut penser qu'il s'agit là d'une construction théorique dont le fondement est purement métaphysique. En effet, son explication s'appuie sur la doctrine de Schopenhauer, son maître à penser de l'époque, selon laquelle vivre signifie souffrir. Il y a là une fatalité, dans la mesure où l'individu est perpétuellement en proie au désir, par conséquent,

---

* Nietzsche, *La Naissance de la tragédie* [1872] traduction de Philippe Lacoue-Labarthe *et coll.*, paragraphe 2, *Œuvres philosophiques complètes*, tome I, Paris, Gallimard, 1977, p. 55.

sans cesse en manque : à peine a-t-il un instant trouvé satisfaction que ce désir le reprend ou qu'un autre lui succède. Quand, par exception, un être parvient à combler tous ses manques, il ne tarde pas à sombrer dans l'ennui – ce qui n'est pas mieux, puisqu'il aspire alors à la mort. Pour Schopenhauer, l'être humain, comme tous les autres êtres, est victime d'une illusion s'il croit que ses douleurs peuvent trouver un terme. Car ce qu'il ignore, c'est qu'il ne vit que pour la reproduction de son espèce, elle-même en lutte incessante avec toutes les autres. Lorsqu'il a accompli sa tâche (après mille et mille épreuves), la nature le fait disparaître sans scrupules. Aussi, à n'en pas douter, l'existence est-elle une très mauvaise affaire. Mieux vaudrait ne jamais être né [*]...

Nietzsche, tout en reprenant à son compte les prémisses de cette doctrine, en rejetait les conclusions. Il pensait pouvoir prouver que les Grecs avaient trouvé le moyen de transcender la douleur de vivre, et par là même celui de justifier l'existence. Car, s'il est vrai que vivre, c'est souffrir, il n'empêche que cela passe par le désir, et que ce désir connaît des moments de satisfaction. Ainsi dans la contemplation esthétique. La conclusion de Schopenhauer ne vaut que si l'on ne parvient ni à faire partager par tous cette satisfaction ni à la pérenniser. Mais si l'on y parvient ? Si, au lieu d'être réservé à une élite, ce plaisir inonde la communauté ? Si, au lieu d'être fugace, la satisfaction que l'on tire de la contemplation peut durer ? Ou si l'on trouve le moyen de la renouveler ? Alors, au lieu d'apparaître comme une calamité, la souffrance sera source de jouissance, car elle en sera le prélude, l'annonce, la promesse : « *Magnification et transfiguration des sources d'épouvante et des terreurs de l'existence comme source de guérison de l'existence ! Vie joyeuse dans le mépris de la vie ! Triomphe de la volonté dans sa négation [**] !* » Au lieu de souffrir sans savoir pourquoi, l'homme moderne pourrait donc, à l'instar des Grecs, tirer d'un semblable remède un plaisir analogue.

Considérée avec attention, cette historicisation n'est pas anodine. Aussi métaphysique puisse-t-il paraître, le propos de Nietzsche puise directement dans le cours du fleuve de l'histoire grecque. Le monde olympien, déjà, avait fourni selon lui au

---

[*] C'est le propos de l'œuvre majeure de Schopenhauer, *Le Monde comme volonté et comme représentation*, dont la première édition date de 1818, et la dernière de 1859. Il en existe une excellente version française aux P.U.F., Paris, 1966. Voir en particulier, dans le livre IV, le paragraphe 57.
[**] Nietzsche, *La Naissance de la tragédie, op. cit.*, p. 63.

peuple grec une première forme de consolation : la beauté de ses dieux le sauva du dégoût de l'existence. On reconnaît là l'opération réussie par la noblesse dorienne en son temps. Mais cette réussite fut précaire, car cette noblesse elle-même disparut. Il fallut attendre l'époque des guerres Médiques pour que le peuple devienne maître de ses terreurs : « *Demandons-nous quel est le remède qui a permis aux Grecs à leur grande époque, en dépit de la vigueur extraordinaire de leurs instincts dionysiaques et de leurs instincts politiques, de ne s'épuiser ni par la méditation extatique ni par un besoin dévorant de domination universelle, mais d'atteindre au dosage admirable d'un noble vin qui à la fois donne de la flamme et porte à la méditation; il nous faudra alors songer à la puissance excitante, purifiante et soulageante de la tragédie* [*]. » Issue du culte de Dionysos, le dieu de la vigne, la tragédie est une forme particulière de l'ivresse. Elle échappe à la règle de l'ivresse ordinaire, dont l'effet n'est rien d'autre que l'abrutissement. C'est une forme subtile qui, tel un noble vin, tempère les désirs, apaise les frustrations, console, et redonne envie de vivre.

Si l'on suit de près cette thèse, on s'aperçoit que Nietzsche associe l'émergence de la tragédie à l'alternative devant laquelle se trouvait Athènes : d'un côté, le déchaînement des instincts du peuple, revendiquant l'égalité dans la pure tradition dionysiaque, c'est-à-dire dans la violence de la révolte suivie de l'apathie la plus totale, qu'on peut comparer à l'ivresse grossière, capable de tout détruire, y compris l'ivrogne; de l'autre, la prétention de conquérir le monde entier par les armes, avec une fureur qui ne connaît pas de limites. Selon lui, le spectacle tragique constituait le compromis idéal entre ces deux tentations, qui risquaient l'une comme l'autre de mener la cité très rapidement, et d'elle-même, à sa perte. Ce compromis était obtenu par la « réconciliation » des deux puissances auxquelles l'ouvrage, d'emblée, donne les noms de Dionysos et d'Apollon. Apollon est présenté comme le dieu du rêve, mais aussi comme celui de l'ordre, de la limite, de la propriété; c'est le dieu qui trace les bornes, et c'est lui, assurément, qui conduisait les pas des conquérants doriens. Dionysos est, lui, au contraire, le dieu qui abolit les frontières, entre les individus, les sexes et les classes; c'est donc le dieu qui renverse les bornes posées par les conquérants et qui pousse dans leur ivresse les hommes à fraterniser, comme à l'époque de la communauté primitive – jusqu'au dégoût qui suit inéluctablement l'échec... Faute

---

[*] Nietzsche, *La Naissance de la tragédie*, traduction de Geneviève Bianquis [1940], paragraphe 21, Paris, Gallimard, coll. « Idées », 1970, p. 139.

de tragédie, le peuple d'Athènes se serait sans aucun doute adonné à cette ivresse brutale. Grâce à elle, il n'en fut rien. En faisant « écran » au drame réel, le drame fictif différa les affrontements. Au lieu de sombrer d'emblée dans la guerre civile, Athènes continua de jubiler : le temps suspend son vol, comme dans un rêve éveillé.

Au point où nous en sommes, cette analyse n'est pas sans intérêt. Elle nous met sur la piste qu'ont dû jouer, ces derniers temps, les écrans de télévision. Stade suprême du culte de Dionysos, moment d'extase collective à l'issue des guerres Médiques, célébration de l'avènement de la démocratie, évocation des défunts, le spectacle tragique a fini par provoquer l'hypnotisation du *démos* athénien devant sa propre image. On peut parler de narcotisation par autohypnose! Or cette sorte d'anesthésie permit au processus de substitution du travail servile au travail libre de s'opérer sans douleur, à l'insu de tous, bien que tous aient les yeux grands ouverts. Mieux, cette opération procurait du plaisir. Du grand art! On peut en dire autant de la télévision. Digne descendante de l'extase dionysiaque, la télévision fait entrer la masse des citoyens en hypnose, comme dans la rêverie d'un homme ivre. Ce rêve guidé à distance n'est pas sans vertus, puisqu'il offre les services d'un véhicule aux performances en principe hors de portée du commun des mortels. Sans doute se justifiait-il initialement comme une célébration de la victoire sur la barbarie à l'issue du cauchemar des années trente et quarante du siècle. Instrument incomparable de diffusion de la culture de masse, il assurait de surcroît le triomphe des valeurs populaires sur celles de l'élite. Jubilation! Mais que s'est-il passé entre-temps? Derrière l'écran, les machines ont pris le pas sur les hommes.

Il reste maintenant à savoir ce qui va se passer. Le *démos* des pays riches va-t-il se réveiller? ou bien s'enfoncer plus avant dans son rêve? À Athènes, à l'époque de Socrate, le réveil fut tardif et cruel. Cela coûta aux gens du peuple leur travail et à la Grèce tout entière sa liberté. Avec ses dérivés de toutes sortes, le pouvoir narcotique du spectacle télévisuel est plus prometteur que jamais. Des options sans nombre se profilent. On annonce le stockage d'une quantité infinie de programmes auxquels le câble reliant chaque foyer au distributeur permettra d'accéder à peu de frais. On parle de fusionner le téléphone, l'ordinateur et la télévision (on appelle cela le « multimédia »), de telle sorte que le spectateur pourra non seulement déterminer à sa guise son programme, mais intervenir dans le spectacle (ce qui s'appelle « interactivité »). On fabrique désormais de manière « numérique » des espaces et des objets encore inconnus (on appelle cela les « mondes virtuels »). On étend des réseaux « connectant » entre eux des citoyens de tous les points de la planète... Tout cela peut différer davantage l'affrontement des citoyens des pays riches avec la réalité. D'autant plus dur sera le réveil. Car, lui aussi, il est fatal.

X

La répétition

Nietzsche, pour sa part, n'aurait sans doute pas souhaité ce réveil. Tel Héraclite, il déplorait le renversement des valeurs nobles au profit de celles du troupeau par le biais de la subordination fatale du monde moderne aux lois du marché. Né une génération après Marx, il fut immédiatement confronté à la lutte entre les classes modernes. Certes, en Allemagne, l'aristocratie foncière existait encore, mais elle était irrévocablement compromise par ses liens avec la haute finance, tandis que, tout en bas de l'échelle sociale, le prolétariat croissait avec une extrême vigueur. Nietzsche fut le témoin direct de la montée en force des revendications ouvrières, et il lui apparut rapidement que la victoire des travailleurs était inévitable. Au contraire de Marx, cependant, cette perspective l'effrayait, car elle représentait à ses yeux un péril mortel pour la civilisation : « *Il n'y a rien de plus terrible qu'une classe servile qui en est venue à considérer son mode d'existence comme une injustice et qui se dispose à venger son droit, non seulement pour son compte, mais pour celui de toutes les générations* * », écrit-il au moment même de la Commune de Paris, en 1871. Sa conviction profonde – lorsqu'il parvient à l'exprimer sans frémir – c'est que l'esclavage de la masse est la condition sine qua non de toute civilisation digne de ce nom. Le problème, c'est que, depuis l'époque de la Renaissance, la domination de l'homme sur l'homme a perdu peu à peu toute légitimité, que les Lumières ont justifié l'émancipation des « sujets », alors que la loi du marché ne cesse de contredire la promesse de l'abondance

---

* *La Naissance de la tragédie*, paragraphe 18, traduction Bianquis, *op. cit.*, p. 42.

pour tous, ce qui pousse les classes inférieures à renverser leurs nouveaux maîtres, incapables à la fois de tenir parole et de faire admettre leur domination : « *Les misères sociales immenses du présent sont nées de la douilletterie de l'homme moderne et non de la pitié vraie et profonde qu'inspirent ces misères ; et s'il est vrai que les Grecs ont péri de l'esclavage, il est bien plus sûr encore que nous périrons de n'avoir plus d'esclavage* *.» La négation de la malédiction dont l'homme est frappé sur terre n'a eu pour tout résultat que de faire croire aux exploités que leur misère n'est pas inévitable, et elle se retourne désormais contre ses promoteurs, comme la négation de la négation. Ce qui confirme le règne du mal...

Depuis l'âge de vingt ans, Nietzsche estimait qu'il eût fallu un miracle pour éviter cette « revanche » ouvrière. Et lorsque, à vingt-cinq ans, il fit la connaissance de Richard Wagner, il crut un instant au miracle. C'est le sens même de son premier livre, *La Naissance de la tragédie*, publié au lendemain de la guerre de 1870 et de la Commune. Il voyait en Wagner un nouvel Eschyle, susceptible de calmer d'un côté les ardeurs conquérantes du camp prussien et de l'autre l'ivresse révolutionnaire du prolétariat. En captant les deux tendances contradictoires par le biais du spectacle dramatique, l'art de Wagner devait avoir sur l'Allemagne de Bismarck le même effet que la tragédie grecque sur la cité de Périclès. Hélas, pour sa belle construction esthético-métaphysico-historico-politique, il n'en fut rien. Suite à la terrible crise née du krach de Vienne, la tension ne cessa de s'exacerber, aussi bien entre les nations à l'échelle mondiale qu'entre les classes. Nietzsche en fut pour ses frais. Certes, Wagner parvint à monter à Bayreuth l'intégralité de sa *Tétralogie* (qui reprenait le découpage des festivités dramatiques des Grecs), *L'Anneau du Nibelung*, attirant au festival le gotha de la société. Mais, au moment même de l'inauguration, en juillet 1876, alors qu'il recevait la visite de l'empereur, le canon tonnait dans les Balkans : c'était le signal du conflit attendu par tous entre la Russie et l'Angleterre, qui avait

---

* Cette affirmation est « posthume ». Publiée après la mort de Nietzsche dans le gros ouvrage connu sous le titre de *Volonté de puissance* (Partie I. Chapitre IV, paragraphe 322), elle est néanmoins contemporaine de *La Naissance de la tragédie*. On la trouve dans les fragments de 1871, dans l'édition des *Œuvres philosophiques complètes*, tome 1, Paris, Gallimard, 1977, p. 416, ainsi que dans « L'État chez les Grecs », au tome suivant, *Écrits posthumes 1870-1873*, Gallimard, 1975, p. 180. À y regarder de près, elle a sa place au chapitre XVIII de *La Naissance de la tragédie*, que Nietzsche a revu, à coup sûr, pour ne pas trop choquer ses contemporains.

toutes chances de précipiter l'Europe tout entière dans la guerre –
et les travailleurs de tous les pays dans la révolution [*].

Nietzsche, alors âgé de trente-deux ans, en tira la leçon : il rom-
pit avec Wagner, dont l'art ne pouvait avoir aucun « effet » thérapeutique à l'échelle requise, renonça pour longtemps à toute
« métaphysique d'artiste » et tenta de retrouver son calme. Il
décida de ne plus porter sur son dos tous les malheurs du monde
et tenta de se guérir de son propre besoin de trouver un narcotique à la mesure de sa hantise. Il se mit en cure, devenant son
propre thérapeute, et finit par trouver, dans la solitude, son meilleur compagnon : son ombre. Cette ombre le suivit partout. À
force, il lui donna un nom : Zarathoustra. Zarathoustra, comme
Nietzsche, demeura longtemps solitaire : il ne voulait plus se
comporter en *chameau*, traversant le désert du monde moderne
en ployant sous le fardeau que lui avaient fait porter ses maîtres.
Il ne voulait plus de maître. Il voulait devenir son propre maître
– devenir *lion*. Et il le devint. Il devint assez fort pour ne plus être
au service de personne, pour ne plus éprouver de pitié envers les
hommes, pour laisser parler en lui la nature, la cruauté de la
nature, tout autant que sa douceur. Ne plus se sentir « coupable »
du mal que ses instincts pouvaient faire. Se sentir innocent.
Perdre toute mauvaise conscience, comme un enfant qui joue. Il y
parvint aussi. Il devint donc *enfant*. Il avait notablement vieilli,
mais il devint enfant. Alors il sortit de son antre, pour s'adresser
aux hommes, pour laisser la nature s'exprimer en toute innocence
par sa bouche. Zarathoustra se mit à parler.

Il parla d'abord à la foule, réunie sur la place du marché, dans
la première ville venue. En vain. Il parla du « *surhomme* », de la
nécessité pour l'homme de se dépasser, de faire un pont entre
l'homme et quelque chose de supérieur à l'homme, de ne pas se
résigner à la médiocrité, de ne succomber à la tentation de devenir le « *dernier homme* », de ne pas régresser jusque-là, de ne pas
se recroqueviller comme un ver de terre en s'enfonçant dans le
confort, en refusant la douleur, la peine, la cruauté des choses, en
se réfugiant dans la tiédeur d'un trou obscur mais sûr. Il ne fut
pas entendu. Ou, plutôt, la foule « *cligna de l'œil* » lorsqu'elle
entendit Zarathoustra parler du dernier homme, et elle lui
demanda avec ardeur comment atteindre ce stade, comment
devenir le dernier homme...

Ce fut donc la première et la dernière tentative de Zarathoustra

---

[*] Voir *supra*. Deuxième partie, chapitres VIII et IX.

de parler à une foule, à un troupeau, au peuple. Dès lors, il ne parla plus qu'à quelques disciples choisis. Car il avait un secret à communiquer, le secret de sa réussite, le secret de sa victoire sur la mauvaise conscience, de son accession à l'innocence de l'enfant, à cette puissance qui, selon Héraclite, fait de l'enfant un roi *.

Si je raconte cette histoire, si j'esquisse à grands traits l'étonnant parcours de Nietzsche, c'est parce qu'il nous contraint de réfléchir, posément, sur la suite des événements, de *nos* événements. Certes, Nietzsche n'a pas été meilleur prophète que Marx, puisque, tout en la craignant, il considérait comme inévitable la transformation de la révolution marchande en révolution ouvrière. Soit dit en passant, contrairement à tout ce qu'on a pu alléguer à ce sujet, Nietzsche n'ignorait rien sur ce plan. Il est devenu de bon ton, depuis quelques décennies, de ne pas prendre « au premier degré » son apologie de l'esclavage sous prétexte qu'il ne savait pas ce qu'il disait, qu'il ne connaissait rien aux réalités sociales de son temps et qu'il était victime des préjugés de sa caste d'intellectuels bourgeois **. On croit, par ce biais, lui faire honneur, mais c'est lui faire injure. La thèse de l' « ignorance » est certainement efficace pour laver Nietzsche du soupçon qui a pesé sur la pensée du Surhomme dès lors que le nazisme en fit usage, mais elle contredit à tel point la réalité qu'elle est intenable. Sa correspondance aussi bien que ses lectures prouvent le contraire. Nietzsche savait très bien à quoi s'en tenir. Et c'est justement ce qui explique le mieux la genèse de son œuvre, ainsi que ses revirements, ce qu'il appelait lui-même ses trahisons.

D'ailleurs, c'est en quoi il nous importe. Car, tel Héraclite, le prêtre hautain du temple d'Artémis à Éphèse, qui n'avait que mépris pour la multitude, Nietzsche lance un défi au régime démocratique : selon lui, toute l'histoire du monde moderne pousse le peuple à prendre le pouvoir, mais, par là, elle le conduit au néant. Le dernier homme, c'est la fin de la civilisation, le moment où la « *morale des esclaves* » parachève le renversement

---

* Sur ces « métamorphoses », voir le prologue d'*Ainsi parlait Zarathoustra* [1883].
** Cette stratégie de défense incombe pour l'essentiel à Gilles Deleuze. Voir, en particulier, la liste des « contresens à éviter absolument » qu'il a établie dans son petit *Nietzsche* paru aux P.U.F., à la suite de son admirable *Nietzsche et la philosophie* (Paris, P.U.F., 1962). Sans être le premier, tant s'en faut, c'est grâce à lui (donc, à cause de lui), à la conviction qu'entraîne son exposé, qu'il est devenu indécent de faire tenir à Nietzsche des propos à teneur *politique*.

amorcé avec la Renaissance et précipite le crépuscule. Par morale des esclaves, il faut entendre la volonté de cesser de souffrir, opposée à la volonté des meilleurs, les αριστοι – aristoï –, qui aiment l'affrontement, avec ce qu'il comporte de risque : les blessures et la mort. Les valeurs nobles n' nt plus cours depuis que le capital l'a emporté, mais qu'implique leur disparition? La disparition du bonheur. C'est un leurre, selon Nietzsche, de croire que le bonheur viendra de l'abolition de la douleur. Car, sans douleur, il n'y a pas de plaisir, et sans plaisir il n'y a pas de bonheur. En cherchant à diminuer toujours davantage ses peines, le peuple tend à tarir sans le savoir la source de ses joies. La paix entre les hommes, l'égalité parmi les citoyens, l'abondance pour les producteurs, c'est un beau programme, qui sonne bien sur la place du marché. Mais qu'il soit réalisé, et c'en sera fini de la vie, du moins d'une vie digne de ce nom.

Si Nietzsche a raison, à quoi bon se révolter contre l'état des choses existant? À quoi bon, pour le *démos*, sortir de sa léthargie actuelle si le passage de la fiction de son pouvoir à la réalité le narcotise davantage encore? Pour son temps, déjà, Nietzsche voyait sombre et se gaussait bien entendu de l'espoir « naïf » des travailleurs de trouver le bonheur en expropriant leurs maîtres. De sorte que son discours opposait, comme celui d'Héraclite à l'époque de l'émergence du *démos* grec, une fin de non-recevoir à la prétention de la plèbe à faire mieux que les meilleurs. Ce déni vaut toujours. Et même plus que jamais. La question demeure en effet : l'élimination des riches donnera-t-elle le bonheur aux pauvres? La thèse centrale de Nietzsche, c'est que le renversement du maître par l'esclave ne signifie pas forcément un *progrès*. Ce qui « progresse » dans le temps et dans l'espace peut très bien retomber dans une profonde décadence. Il suffit que le parcours soit circulaire (ou elliptique peu importe) pour que le « progrès », en se poursuivant, se retourne en son contraire et qu'une civilisation lumineuse se retrouve dans l'obscurité, par le simple fait que la même force agit toujours dans le même sens. Cela vaut, semble-t-il, pour la civilisation grecque, puisque, à terme, c'est le crépuscule qui l'attendait : après avoir brillé d'un éclat sans pareil, elle s'est enfoncée de nouveau dans la nuit, poursuivant sa rotation au point de faire fuir le soleil de son horizon. Et, en bonne logique, si nous donnons à l'émergence de la société marchande dans le monde moderne le nom de « Lumières », c'est le sort qui nous attend... Dans le meilleur des cas, en parachevant la révolution marchande, le réveil du *démos* moderne n'aura pour tout effet que de poursuivre sa décadence.

Prenons donc le temps d'y réfléchir. Remarquons d'abord que, pour Nietzsche, cette « décadence » ne serait pas totalement une calamité. Car, en sombrant dans la nuit, le monde moderne suivrait, là encore, l'exemple de l'Antiquité et permettrait à plus long terme le retour de ce que lui, Nietzsche, considérait comme une civilisation digne de ce nom. J'entends par là une civilisation aristocratique, où la caste des meilleurs règne sur une masse qui reconnaît sa supériorité : en échange de sa protection cette caste bénéficie du « surtravail » des humbles, de ceux qui n'osent pas risquer leur vie et préfèrent la servitude à la mort. Ce n'est pas là pure spéculation, étant donné que c'est ce qui s'est passé entre le moment où la Grèce est entrée en décadence et celui où le marché a fait sa réapparition en Europe. « *Le chemin en haut et le chemin en bas sont un et le même* * », disait Héraclite. Il avait raison. Cela prit du temps, mais la noblesse dorienne finit par retrouver, sous les traits de la noblesse germanique, sa position prédominante. À l'instar de la Lune, qui disparaît au couchant lorsque se lève le Soleil, elle emprunta le chemin du bas pour retrouver le chemin du haut. Il faut, à ce jeu, beaucoup de patience, certes. Il fallut, en l'occurrence, environ deux mille ans pour voir Apollon réapparaître à l'horizon. Mais que sont deux mille ans pour un dieu? Il fallut aussi, au préalable, affronter des Titans nouveaux, à savoir les hordes de barbares venues de toutes parts, et qui ravagèrent des siècles durant l'Occident. Mais n'est-ce pas ce à quoi aspire le plus un guerrier? Affronter les monstres qui font de la nuit des peuples un cauchemar terrifiant, les abattre, au péril de sa vie, mettre dans ce chaos de l'ordre, en faire un *cosmos*, où un chef de guerre dispose en bon ordre ses « satellites », c'est-à-dire ses vassaux, ses subordonnés, afin d'accomplir des exploits qui resteront dans les mémoires et que les aèdes chanteront à travers les siècles...

Cette répétition de l'histoire grecque a demandé vingt siècles, mais elle a eu lieu. Pour Nietzsche, c'est l'essentiel. C'est d'ailleurs pourquoi il est inutile de dépolitiser sa pensée pour l'innocenter des crimes nazis. Il n'a nullement besoin de cela. Le retour de son Surhomme n'a, de ce point de vue, rien de commun avec l'instauration du régime hitlérien. Ce n'était pas là son combat (comme ce sera celui de Heidegger et de tant d'autres). Même s'il lui est arrivé de perdre patience (n'est pas un dieu qui veut), Nietzsche ne voyait pas de solution à court terme. Il fallait des

---

* Héraclite, fragment 60, *op. cit.*, p. 78.

millénaires pour que le seigneur de la terre auquel il aspirait puisse de nouveau s'imposer, pour que la plèbe, exténuée par son cauchemar, trouve de nouveau un bonheur indicible à sa servitude, qu'elle se donne de nouveau à un maître : abrutie par son culte de l'égalité et paralysée par ses rêves paradisiaques, anesthésiée, sans vie, il fallait une somme colossale de souffrances imposées par le cours des choses pour qu'elle retrouve la voie de la jouissance véritable. « Dépolitiser » la pensée de Nietzsche, c'est la priver de son fondement. Comme s'il s'était penché par hasard sur le sort de la *polis*, et que cela n'avait aucune importance ! Comment faire pire contresens ? Déjà, ce qu'il attendait de Wagner contenait en germe le désir d'une telle répétition. Le moyen n'était pas le bon, mais Héraclite lui-même dut bien faire quelque erreur.

Il reste que sa pensée de la *polis*, justement, est défaillante au moins sur un point. Et que ce point peut être décisif. Nietzsche n'a pas vu que le *démos*, sous le règne de Périclès, qu'il est convenu d'appeler « la grande époque » de la civilisation grecque, fut systématiquement dépossédé de ses moyens de subsistance. Il n'a pas vu que le peuple était expulsé du processus de production et que, dès lors, ce qui conduisait la cité à sa ruine, ce n'était pas la révolte des esclaves, mais celle des citoyens libres paupérisés, de la masse des citoyens, qui, précisément, n'était pas esclave. Il n'a pas vu que la drogue à laquelle le peuple tout entier s'adonnait par le biais de la tragédie le consolait de ce processus fatal. Héraclite non plus ne l'a pas vu, du moins n'en trouvons-nous nulle trace dans ses fragments. D'Éphèse, cela ne devait pas être très visible. Il savait bien que la foule paierait tôt ou tard son alliance contre nature avec les nouveaux riches et que, telle la Jocaste de Sophocle, elle finirait bien par se pendre ; il savait que les nouveaux riches eux-mêmes devraient payer tôt ou tard leur forfait, qu'Apollon ne reconnaîtrait jamais la légitimité de leur victoire sur la noblesse de sang et qu'ils finiraient, voyant le corps inerte du peuple, par se crever les yeux et renoncer au pouvoir... Mais son propos, lors même qu'il annonce que tout périra par le feu, demeure, comme nombre des oracles que le dieu rend à Delphes, *obscur*.

Nietzsche ne dit pas mieux. Sans doute parce qu'il ne voit pas mieux. Et, s'il ne voit pas mieux dans l'histoire de la cité grecque à ce moment précis, c'est, comment en douter, parce qu'il ne le voit pas dans ce qu'il a sous les yeux. Qui le lui reprocherait ? Ce scénario est si peu probable ! Ricardo, un demi-siècle plus tôt, l'avait décrit. Il avait vu que la plèbe allait être dépossédée, du moins dans les pays industrialisés, de ses moyens de subsistance. Il avait vu le prolétariat se faire expulser du procès de production. Mais qui d'autre? Ricardo avait été tourné en dérision par les économistes sérieux. On reconnaissait que le capital avait tendance à « exproprier » les anciennes classes dominantes, mais c'était au bénéfice des nouvelles classes laborieuses, puisque cela accroissait considérablement la « commande de travail ». On voyait bien comment cette commande dépeuplait les campagnes, mais c'était au bénéfice des villes. On voyait donc mal comment cette commande croissante de travail salarié en ville pouvait conduire à la dichotomie prévue par Ricardo! Face à cela, il y avait un autre scénario, celui de Marx, qui avait chargé la classe ouvrière de la mission d'exproprier les expropriateurs, mais il n'envisageait pas un instant que la classe ouvrière pût être expulsée du marché avant d'avoir accompli sa mission. Marx ne pouvait croire que le prolétariat subirait un tel sort, qu'il se laisserait méduser à ce point et que, au bout du compte, ce fût le scénario envisagé par David Ricardo qui s'imposerait. Nietzsche le pouvait-il? Ses connaissances en économie politique, pour être plus qu'honorables, n'allaient pas dans ce sens, mais dans l'autre. Sans même tenir compte des publications qui émanaient du camp social-démocrate, tous ses « manuels », toutes ses sources le portaient à croire que le prolétariat disposerait à court terme des moyens de briser la loi du capital et de s'emparer des moyens de production pour résoudre, une bonne fois pour toutes, cette question ouvrière qui faisait couler tant d'encre depuis ses plus jeunes années. Du reste, lorsque cette question fut débattue au Reichstag, en 1878, à la suite des attentats contre l'empereur mis au compte des socialistes, quand Bismarck présenta sa loi d'exception et que l'auteur du *Capital*, qui se faisait appeler Carl Moor dans sa jeunesse, devint le centre de toutes les discussions et de toutes les polémiques, jamais ne fut évoquée l'idée que le cours des choses pût tourner dans ce sens[*].

Que signifierait aujourd'hui l'aboutissement de la tendance au renversement des valeurs nobles par la morale des esclaves? L'esclave, c'est la machine! Cela ne signifierait donc pas le renversement des citoyens riches par les citoyens dépossédés, mais le renversement du propriétaire des machines par les machines, car

---

[*] Voir le débat, par exemple, de la séance du 16 septembre 1878 : intervention du ministre de l'Intérieur, le comte d'Eulenburg, dans le rapport sténographique des débats du Reichstag.

ce sont les machines qui sont les esclaves, et non les citoyens, qui sont précisément dépossédés de leurs moyens de subsistance par les robots, comme le *démos* grec le fut par les esclaves. En sommes-nous déjà là?

En Grèce, les esclaves n'ont pas pris le pouvoir, et ce n'est pas leur révolte qui a conduit la Grèce à sa ruine, mais la paupérisation de la masse des citoyens libres. Les esclaves n'y furent pour rien, du moins en tant qu'acteurs. Certes, il y eut ici ou là quelques insurrections, dans les mines du Laurion, en particulier, où la concentration d'esclaves était énorme. Et certains d'entre eux profitèrent du conflit soit pour fuir, soit pour s'émanciper. Néanmoins, me semble-t-il, c'est une erreur complète de mettre sur leur compte la décadence de la Grèce. La fin de la démocratie grecque obéit à une autre lutte : la lutte des pauvres contre les riches et celle des riches contre les pauvres. Les pauvres, citoyens au même titre que les riches, ont refusé de se laisser faire plus longtemps et ont exigé des riches que cette situation cesse. Aveuglés par leur prospérité, comme le montre Sophocle, rendus fous par leur soif inextinguible de richesse, comme le révèle Platon, fascinés par le pouvoir qu'a le profit de faire du profit, comme l'explique Aristote, les riches sont demeurés sourds à la plainte des pauvres. Misant sur une solidarité de fortune qui dépassait les frontières de leur cité, ils ont opté pour la guerre, préférant l'arbitrage des armes à celui de la raison. Amusés par le spectacle, nombre d'aristocrates de naissance trouvèrent sans doute quelque regain d'intérêt pour l'existence dans l'exacerbation insoutenable de la tension, et la lutte s'engagea.

Dès que les pauvres des pays riches sortiront de leur torpeur, c'est exactement ce qui nous attend.

En guise de conclusion

Il se peut que les esclaves prennent le pouvoir. En Grèce, sous Alexandre, ils commencèrent à prendre leur revanche sur les citoyens libres, qui, à force de se combattre sans emporter la décision, perdirent peu à peu le contrôle de la situation. Les esclaves se mirent à se reproduire entre eux. Mais il fallut attendre l'hégémonie romaine pour que cette tendance atteigne son paroxysme sous l'égide d'une religion nouvelle, le christianisme. Ce qui prit tout de même quelques siècles...

Peu de gens croient, aujourd'hui, à la capacité des « machines » de devenir autonomes, d'être intelligentes, de sentir, de décider et de disposer un jour, comme son inventeur, l'être humain, de la capacité de se reproduire. J'aurais mauvaise grâce à prétendre qu'il en est déjà ainsi. Ce livre en témoigne. Il n'a pas été écrit par un ordinateur. J'ai eu recours au service d'une machine pour « saisir » mes pensées, comme je me servais, naguère, d'un stylo et de feuilles de papier. Mais, justement, je me suis servi d'elle : elle était mon humble servante, dévouée aux tâches ingrates d'exécution, elle n'a pas pensé à ma place. Dans l'ensemble, il en va ainsi pour la plupart des tâches que nous confions aux machines.

Pourtant, je crains que cette phase de la relation entre notre espèce et la leur ne soit que très provisoire. Déjà, pour obtenir de mon ordinateur ce que ma main, naguère, faisait sans rechigner, que ne m'a-t-il pas fallu accepter de lui : sa mise en service, son fonctionnement, ses caprices. D'ailleurs, il n'a cessé de me donner des ordres. Et combien de fois ne m'a-t-il pas dit non ! Combien de fois ne m'a-t-il pas obligé à recommencer ! Du reste, je dois l'avouer : je n'exploite qu'une infime partie de ses possibilités. Or c'est un ordinateur bien ordinaire. Il en existe d'autres beaucoup plus performants. Le mien, déjà, est portable. D'autres naissent, emplis de « puces » toujours plus puissantes, certains disposent d'une logique floue et de programmes créant des programmes qu'aucun cerveau humain ne peut plus contrôler. Ceux-là, ou ceux de la génération suivante, n'auront pas à être portés, car ils se porteront tout seuls. Ils se surveilleront, se répareront, s'entretiendront les uns les autres. N'en doutons pas, bientôt, ils se reproduiront entre eux. Alors, le problème ne sera plus de savoir comment nous devons nous comporter avec eux, mais de savoir comment ils se comporteront avec nous.

Certes, nous n'en sommes pas là! Si mon analogie est juste, le moment que nous vivons est l'équivalent du moment où Socrate se lance en quête de vérité, le moment où il cherche à décoder la mise en garde de Sophocle aux Athéniens; nous sommes donc seulement entrés dans la phase où les esclaves prennent la place des citoyens libres sur le marché du travail. Les dés ne sont pas jetés. Il doit par conséquent être encore possible d'éviter le pire, et, sinon la guerre civile elle-même, du moins son issue fatale.

Ce point mérite qu'on s'y arrête. Au fond, de quoi était-il question dans la guerre qui ravagea la Grèce? De l'appropriation par Athènes du tribut destiné à la protection de toutes les cités, et non d'une seule, certes. Mais, surtout, de *l'appropriation du travail des esclaves*. C'est cela qui déchire la nation et la conduit à sa perte. Que les citoyens soient exclus du processus de production est une chose; qu'ils ne puissent bénéficier du travail des esclaves en est une autre. En réalité, que cherchaient les citoyens paupérisés? À s'approprier à leur tour les moyens de production de l'époque, les forces de travail serviles, afin de les faire travailler à leur service. Ce n'était pas absurde. Les propriétaires s'y sont opposés jusqu'au bout, en misant sur la démoralisation du peuple. Voilà donc ce qui nous attend, dès lors que la plus grande partie des citoyens sera remplacée par des machines dans les pays riches : un affrontement pour la possession des esclaves modernes, les machines de toutes sortes qui prolifèrent.

Il reste donc à savoir ce que nous voulons : si les propriétaires de nos esclaves actuels refusent de faire travailler les instruments animés au profit de l'ensemble de la collectivité – ce qu'exigeront sous peu, en bonne logique, les citoyens privés de travail –, ils précipiteront les nations riches dans un affrontement fatal pour la démocratie. Ils pensent peut-être d'ores et déjà qu'il ne peut en aller autrement, étant donné que la concurrence les contraindra à ne pas céder. Mais toute la question est de savoir si cette argu mentation a un sens. Car, comme les esclaves de l'Antiquité, les robots produisent beaucoup plus de richesses qu'il n'en faut pour leur entretien et celui de leurs propriétaires. Il se peut qu'à cette époque le travail des esclaves n'ait pas suffi à assurer le bien-être de chaque citoyen. Mais est-ce le cas aujourd'hui? Il semblerait qu'il y ait là une différence notable entre le monde moderne et les cités grecques, la seule qui importe : la productivité des instruments animés actuels semble tellement supérieure à celle des instruments animés de l'époque qu'il paraît tout à fait concevable que la majorité des citoyens modernes puisse ne pas travailler sans pour autant connaître la misère.

Qu'en est-il? Si la puissance de production de nos esclaves est réellement aussi remarquable qu'on le dit, alors nous avons une raison de nous enorgueillir de notre supériorité sur les Grecs, car nous disposons du moyen de ne pas précipiter la démocratie dans un affrontement sans issue. Cela impliquerait bien entendu que le *démos* le sache et que les propriétaires d'esclaves modernes reconnaissent qu'ils n'ont pas de raison de mener le conflit à son terme. Tout pourrait s'arranger au mieux. Les esclaves seraient à la disposition de la cité, et chacun de leurs perfectionnements contribuerait à l'amélioration de la condition de tous. En renonçant à leur monopole sur les forces de travail serviles, en les remettant à la collectivité, les propriétaires actuels y trouveraient leur compte, car ils s'épargneraient les cruels revers de fortune qu'implique toute guerre civile, comme ce fut le cas lors de la guerre du Péloponnèse.

Il me semble donc opportun de faire quelques suggestions. La première concerne les propriétaires d'esclaves : qu'ils prennent le temps de faire le point sur leurs droits et leurs devoirs; relire Platon pourrait les y aider. La seconde concerne leurs victimes : ceux qui n'ont plus de travail et ceux qui en ont encore; qu'ils se demandent si la connaissance de leurs conditions d'existence est véritablement supérieure à celle de la majorité des prisonniers de la caverne. La troisième concerne mes collègues, et plus particulièrement tous ceux qui songent à faire de la philosophie leur métier : au lieu de s'enfermer dans un plan de carrière, au lieu de subordonner leur pratique à la transmission d'un corpus autonome, de voir les nations sombrer dans la haine (ce n'est pas un concept opératoire, il est vrai) et les peuples dans la misère (même remarque), qu'ils s'installent au sein de la cité, qu'ils contribuent à sortir cette discipline de son soliloque, qu'ils apprennent à la rendre accessible à tous les citoyens, en posant la question des questions : nos esclaves ne sont-ils pas incommensurablement plus « performants » que les esclaves des Grecs ? Qu'ils la posent en privé et en public, en institution et en entreprise, en consultation, en débat public, en séminaire, en dîner, en voyage, et pourquoi pas en croisière. Qu'ils la posent aux adultes, aux vieillards, aux enfants, aux experts, aux responsables et aux irresponsables.

Ce qui semble sûr, c'est que cette question a de l'avenir. L'heure est au bilan. Et il est lourd. Le progrès de la société marchande se paie très cher. Rien ne garantit qu'il poursuive sa marche en avant au profit de tous, bien au contraire. Plus les choses « progressent », plus les menaces se précisent : inutile de reprendre ici la liste. Comme à l'époque de la prospérité des anciens Grecs, un mal est à l'œuvre qui ressemble furieusement au fléau invisible dont ils étaient frappés. Émus par les plaintes qui s'élèvent de toutes parts, les chefs d'État des pays riches, qui répondent du destin de leurs peuples, promettent de prendre les mesures qui s'imposent, dès qu'ils tireront au clair la cause première du fléau. Mais il semble qu'ils aient beaucoup de mal à trouver le bon oracle. D'où ma dernière suggestion, à leur intention : s'ils n'ont pas le temps de relire Platon, qu'ils envoient leurs émissaires à Delphes – pour y consulter la pythie !

Table des matières

Cet ouvrage a été réalisé par la
SOCIÉTÉ NOUVELLE FIRMIN-DIDOT
Mesnil-sur-l'Estrée
pour le compte des Éditions Robert Laffont
24, avenue Marceau, 75008 Paris
en janvier 1997

Imprimé en France
Dépôt légal : février 1995
N° d'édition : 37718 - N° d'impression : 37294